D1129025

EL PRISIONERO Nº 29392

EL PRISIONERO
Nº 29302

Engelbert Monnerjahn

Título Original Alemán:
Häftling Nr: 29392
Der Gründerdes Schönstattwerkes
als Gefangener der Gestapo 1941-1945

Traducción al Español:
Andrés Huneeus
P. Alfonso Boess

Corrección de textos:
Verónica Matta - Elizabhet Herrera

ISBN: 978-956-246-549-6

© **EDITORIAL NUEVA PATRIS S.A.**
José Manuel Infante 132, Providencia,
Santiago, Chile
Tels/Fax: 2235 1343 - 2235 8674
e-mail: gerencia@patris.cl
www.patris.cl

Diseño y diagramación:
Margarita Navarrete M.

Impresor:
Gráfica Prisma Ltda.
Primera edición: Septiembre, 2011
Segunda edición: Abril, 2013
Chile.

Engelbert Monnerjahn

EL PRISIONERO
N° 29392

EL FUNDADOR DEL MOVIMIENTO DE SCHOENSTATT PRISIONERO DE LA GESTAPO

(1941-1945)

NUEVA PATRIS

CONTENIDO

Presentación

EL Siervo de Dios, P. José Kentenich, fundador del Movimiento Apostólico de Schoenstatt, fue prisionero de la Gestapo en la Segunda Guerra Mundial.

De septiembre de 1941 a marzo de 1942 estuvo encerrado en la cárcel de Coblenza y de ahí hasta abril de 1945 en el Campo de Concentración de Dachau, el primero de esos lugares de reclusión abierto por los nazis una vez que estos llegaron al poder.

Entre los más de doscientos mil presos procedentes de cuarenta países, había 2.579 sacerdotes católicos, alojados en dos barracas especiales. Los sacerdotes fueron los más hostigados en el infierno de Dachau, como lo llamó el propio padre Kentenich.

El P. Kentenich aprovechó toda circunstancia para trabajar apostólicamente:

– durante todo ese tiempo, el P. Kentenich logró dictar varios libros, entre los que destaca, el Hacia el Padre, selección posterior que él mismo mandaría imprimir después de su liberación de Dachau, que contiene oraciones o textos en rima compuestos por él en ese tiempo de cautiverio, gran parte de los cuales están extraídos de la colección *Espejo del Pastor*.

También escribió la *Espiritualidad instrumental mariana* y el *Espejo del Pastor,* 'poema' de 5.870 estrofas.

– entre los mil setecientos sacerdotes polacos prisioneros, a cuya barraca fue trasladado el P. Kentenich por dos meses, estaba el P. Ignacio Jez, más tarde obispo en Polonia y quien logró que el Papa Juan Pablo II bendijera el Santuario de Schoenstatt de su diócesis.

– el trabajo con y para sacerdotes fue muy fecundo. Llegó a haber siete grupos de sacerdotes de Schoenstatt, entre palotinos y diocesanos.

– de ese tiempo son los cuatro primeros beatos de Schoenstatt, todos ellos mártires: **Carlos María Leisner** (beatificado por el Papa Juan Pablo II, en Berlín, el 23 de junio de 1996), **Gerardo Hirschfelder** (beatificado el 10 de octubre de 2010) y **Alois Andritzki** (beatificado el 13 de junio de 2011), los tres, junto al padre palotino **Ricardo Henkes**, pertenecieron al primer grupo de sacerdotes de Schoenstatt en Dachau y **Jorge Haefner** (murió el 20 de agosto de 1942 y fue beatificado como mártir el 15 de mayo de 2011 en Wuerzburg).

– en Dachau, además, fundó, junto a dos laicos, también presos, dos nuevas comunidades: los *Hermanos de María y la Obra de las Familias.*

En todas las biografías del padre Kentenich publicadas hasta ahora había obviamente capítulos dedicados a este importante período de su vida y actividad. Ahora ponemos a disposición del lector y de la lectora el cuadro completo de esos fecundos años privado de libertad exterior.

Editorial Nueva Patris entrega la traducción castellana de este libro escrito en 1972 por el P. Engelbert Monnerjahn, con gratitud por su trabajo de historiador y la certeza que esta obra servirá a muchos para conocer mejor los detalles de esa etapa fundamental en la historia de Schoenstatt, de la Iglesia y la humanidad.

P. José Luis Correa L.
Director Editorial Nueva Patris

Prólogo

EL presente libro tiene su origen en un deseo que el Fundador de la Obra de Schoenstatt expresó al autor en una conversación sostenida a comienzos de 1966. El cumplimiento de este deseo, sin embargo, no habría sido posible sin la ayuda de muchas personas.

Debo especiales agradecimientos a los compañeros más íntimos del P. José Kentenich en el campo de concentración de Dachau: el P. Joseph Fischer y el rector P. Heinz Dresbach, quienes facilitaron con gusto no solo las cartas escritas por ellos desde Dachau, extremadamente valiosas, sino también los apuntes tomados después de la liberación. El P. Fischer aportó, además, tres tomos escritos por él, a máquina, titulados *"En el campo de concentración de Dachau, bajo la protección de la Madre y Reina tres veces Admirable de Schoenstatt"*.

Especial reconocimiento merecen: la señora Marga Eise, de Üffingen, Stuttgart, por permitir el acceso a las cartas y apuntes de su cuñado, el P. Alberto Eise; la dirección general del Instituto de las Hermanas de María en Schoenstatt; la dirección de la provincia Providencia de las Hermanas de María en Coblenza-Metternich; el Servicio Internacional de Búsqueda de Personas de Arolsen y su director, el señor A. de Cocatrix y el señor C. Pechar;

el señor jefe del Archivo Federal de Coblenza; el Archivo Estatal de Düsseldorf y el Archivo del Estado de Coblenza.

Finalmente, vayan también mis sinceros agradecimientos a los padres Dr. A. Menningen, Josef Fischer, al Dr. Th. Maier y al señor rector P. H. Dresbach por revisar el manuscrito; a los padres J. Finster y G. Ritter por revisar las pruebas y al P. G. Ritter por la elaboración del índice de nombres.

P. Engelbert Monnerjahn

Introducción

EL P. José Kentenich se refirió más de una vez al memorable "20 de enero y su entorno" como al "eje de la historia de Schoenstatt", y lo decía con absoluta fe en que ese día una "irrupción de gracias" había enriquecido la Obra de Schoenstatt, tal como sucedió el 18 de octubre de 1914, día del Acta de Fundación. Se refería así a las fuerzas vitales sobrenaturales que han sostenido y configurado los destinos de Schoenstatt, particularmente en tiempos de duras pruebas.

Animado y fortalecido por estas gracias, el P. Kentenich decidió, después de haber sido arrestado por la Gestapo en enero de 1942, ofrecer a la divina Providencia asumir la cruz en aras de su Fundación y aceptar el sufrimiento de ser enviado como prisionero al campo de concentración de Dachau. Esta ofrenda fue aceptada por Dios, como puede verse claramente en los hechos que rodearon su vida y obra, durante su permanencia en el campo de concentración.

De suyo, un campo de concentración es el lugar menos apropiado para el crecimiento espiritual, y menos aun para desarrollar un proyecto sistemático de apostolado. En una carta escrita poco después de su ingreso, describe Dachau como una "ciudad de muerte, de paganos, esclavos y locos". A pesar de estas circunstancias extremadamente difíciles, el P. Kentenich lograba reunir a su alrededor a sacerdotes y laicos que acudían regularmente a las reuniones que él organizaba. Su conducción sacerdotal, sus pláticas y meditaciones eran para ellos fuente de apoyo espiritual que los ayudaba a resistir, a partir de la fe, los diarios padecimientos del campo de concentración.

Con el tiempo, los prisioneros que pertenecían o habían pertenecido a Schoenstatt formaron grupos que trabajaban en la clandestinidad, de modo que, en medio del campo de concentración, la Obra de Schoenstatt siguió creciendo a partir de pequeñas células vivas. Fue aquí donde el P. José Kentenich dio comienzo a la fundación de la Obra Familiar y del Instituto de los Hermanos de María de Schoenstatt.

Todo esto sucedía a pesar de la estrecha vigilancia de la SS[1], a pesar de la disentería y epidemias de tifus[2] que arrebataron a cientos, más aún, a miles de prisioneros.

En circunstancias a veces propias de un relato de aventuras, el padre mantuvo contacto epistolar (que estaba prohibido) con la Familia de Schoenstatt que se encontraba fuera del campo de concentración. Sus extensos escritos la fortalecieron y orientaron en medio de los peligros de la persecución contra la Iglesia que desencadenó el Tercer Reich, y dirigieron el progresivo desarrollo del Movimiento por él fundado.

Las personas que participaron directamente en los sucesos que tuvieron lugar en el campo de concentración de Dachau o pudieron seguirlos de lejos, tienen la convicción de que durante ese tiempo el P. Kentenich estuvo siempre protegido por la Madre de Dios y asistido, en forma extraordinaria, por la gracia divina.

Un deber de gratitud nos insta a dar testimonio de ello. En consecuencia, el Dr. P. Engelbert Monnerjahn, historiador y colaborador de la Obra de Schoenstatt, asumió la tarea de levantar un monumento histórico a la acción de las gracias de la Madre y Reina tres veces Admirable de Schoenstatt y a la vida ejemplar y extraordinaria actividad del P. Kentenich en el campo de concentración de Dachau.

---

1   SS. *Schutzstaffel* o "escuadrón de protección": policía secreta del partido nacionalsocialista. Una suerte de ejército del partido (N.del T.)

2   *Typhus und Fleckfieberepidemien*, en el original en alemán. (N. del T)

El presente libro está basado en fuentes confiables, que el autor encontró en gran cantidad, lo que le permitió exponer sin lagunas el desarrollo de los acontecimientos aquí narrados. Y lo hace en un lenguaje objetivo, claro y convincente. Sin embargo, su objetividad de historiador no le impide, junto a la búsqueda de fuentes y la cuidadosa evaluación de las mismas, hacer comentarios ocasionales sobre el trasfondo espiritual de los hechos, señalando los contextos profundos y causales del desarrollo histórico de los mismos y las dimensiones providenciales que éstos adquieren.

En la persona del P. Kentenich se encarna una espiritualidad drásticamente opuesta a la cosmovisión neopagana del nacionalsocialismo, lo que hizo inevitable el violento choque que se produjo entre ambos. En el estrecho espacio vital del campo de concentración, se desarrolló la dramática lucha entre los poderes contrarios a Dios y un hombre elegido por él, que logró vencerlos porque Dios hizo crecer a su alrededor el reino de Cristo y de la Madre tres veces Admirable de Schoenstatt.

El arresto

LA calle *Im Vogelsang*[3] es una de las calles más cortas de la ciudad de Coblenza, junto al Rhin y al Mosela. Situada no lejos del *Rheinpromenade*[4], detrás de la antigua sede de la Gobernación, que más tarde ocupó la Oficina Federal de Adquisición de Material de Guerra para el Ejército, mide aproximadamente solo 110 pasos de largo y une en su esquina derecha la *Regierungsstraße*[5] y la *Karmeliterstraße*[6]. Debe su nombre a la hacienda *Zum Vogelsang*[7], antigua posesión de los monjes de la Cartuja de Coblenza. También se levantaba aquí, desde el siglo XIII y muy cerca de la muralla de la ciudad, un convento en honor a san Jorge, originalmente ocupado por las monjas beguinas[8], luego por las franciscanas, desde el año 1511, y finalmente, entre 1567 y 1706, por las agustinas del convento de Schoenstatt cerca de Vallendar.

Por esta calle corta y tranquila caminaba, la mañana del sábado 20 de septiembre de 1941, un sacerdote de larga barba y sotana que le llegaba hasta los pies. Poco antes de las 8 horas, abrió la primera puerta (la exterior)

---

3   En el canto del Pájaro. (N. del T.)
4   Paseo junto al Rhin. (N. del T.)
5   Calle del Gobierno. (N.del T.)
6   Calle de los Carmelitas. (N. del T.)
7   Al canto del Pájaro. (N. del T.)
8   Comunidad belga fundada en el siglo XII por Lambert le Bègue. (N. del T.)

de la casa No. 1 y después la segunda (en el interior), sobre la cual se veía el signo rúnico anguloso de la SS nazi. Debajo se podían ver las palabras "Nuestro honor se llama fidelidad".

El sacerdote era el P. José Kentenich, fundador y director del Movimiento Apostólico de Schoenstatt, o como se lo denominaba desde hacia algún tiempo, para camuflarlo, "Comunidad Mariana de Oración y Sacrificios de Schoenstatt". La casa a la cual había ingresado era el cuartel de la Gestapo (Policía Secreta del Estado del Reich Alemán), de Coblenza. El P. Kentenich venía con motivo de una "invitación" que le habían entregado dos funcionarios de la Gestapo, el domingo anterior, 14 de septiembre, en una sala de la casa de ejercicios de Schoenstatt. Inicialmente, la Gestapo quería que se presentara el mismo 14 de septiembre, pero aceptaron que predicara los ejercicios para sacerdotes, programados para esa tarde, pues gran parte de los participantes ya habían llegado y prefirieron no llamar la atención.

Antes de dejar Schoenstatt, el P. Kentenich había celebrado misa en el Santuario de gracias de la Madre tres veces Admirable. Después ordenó algunas cosas, se despidió sin grandes ceremonias y, rechazando la compañía que se le ofreció, partió solo hacia Coblenza.

Naturalmente, la Gestapo sabía de su llegada, pero lo hicieron esperar cinco horas antes de recibirlo (táctica sencilla, aunque refinada, para desmoralizar), hasta la 1 de la tarde, hora en que comenzó un primer y breve interrogatorio y la lectura de las acusaciones que tenían contra él: le citaron expresiones contra el gobierno y la cosmovisión del nacionalsocialismo que él habría manifestado en algunas de sus conferencias. Sin embargo, pronto se hizo evidente que no se trataba de esos detalles: en realidad estaban conscientes de tener ante ellos al P. Kentenich, cabeza, según se decía, del Movimiento de Schoenstatt, organización que tenían en la mira desde hacía ya varios años.

Ahora estaban decididos a actuar en forma más drástica. Terminado el interrogatorio, le informaron sin rodeos: "Tenemos que retenerlo aquí". Cuando el P. Kentenich les hizo presente que debía comenzar unos ejercicios en Munich el día siguiente, le contestaron: "Informaremos que usted no puede dar los ejercicios". Luego llamaron por teléfono a Schoenstatt para avisar que el P. Kentenich no volvería por el momento y que necesitaba sus cosas personales.

Después de esto, sin mayores explicaciones, lo condujeron al subterráneo de la casa y lo encerraron en un sótano sin luz, durante cuatro semanas. Con fecha 13 de octubre, se comunicó el arresto a la oficina correspondiente en un informe clasificado como *"Informe de acontecimientos importantes relativos a la Policía del Estado"*. El texto dice: "El cuartel de Coblenza de la Policía del Estado arrestó al padre palotino José Kentenich (nacido el 16.11.85 en Gymnich, distrito de Euskirchen, domiciliado en Vallendar), debido a que, en una plática, se expresó en forma desfavorable al Estado y además, porque a través de sus expresiones y conducta anterior, había manifestado su posición de rechazo al actual Gobierno"[9].

---

9   Boberach, *Berichte*, (Informes), p. 582

PRIMERA PARTE

1933 – 1941

Capítulo I
SCHOENSTATT, 1933 - 1936

1. Schoenstatt en el año 1933

El arresto del P. Kentenich fue el punto culminante de una confrontación que en realidad había comenzado en enero de 1933, con el nombramiento de Adolfo Hitler como Canciller del Reich alemán y las posibilidades que ello abría a la dictadura nacionalsocialista.

Quienes conocían, aunque fuera algo del Movimiento Apostólico de Schoenstatt y, sobre todo, a su fundador, no podían asombrarse de que se llegara a esa confrontación y, finalmente, a la persecución de Schoenstatt por parte del aparato nacionalsocialista.

El Movimiento de Schoenstatt era todavía relativamente joven en el año 1933. Tampoco formaba parte de los grupos y asociaciones más conocidas y numerosas de la Alemania católica, las cuales aparecían como representantes y portadores de las aspiraciones políticas, culturales y sociales del catolicismo alemán. Sin embargo, este Movimiento, centrado en el Santuario de la Madre tres veces Admirable, fundado el 18 de octubre de 1914 por el P. Kentenich, con un grupo de jóvenes de educación escolar humanista, había alcanzado tal importancia y en un lapso relativamente corto, que no pudo permanecer oculto a los espías de los nuevos dueños del poder, encargados de vigilar a la Iglesia y sus actividades.

En la década de 1920, con su Santuario dedicado a la Madre tres veces Admirable, Schoenstatt se había convertido en uno de los centros de vida católica más vitales de Alemania. De hecho, en los años inmediatamente anteriores a la toma del poder por parte de Hitler, la frecuencia de las actividades que se realizaban en Schoenstatt y en otros lugares había ido en aumento. En 1929, por ejemplo, 542 sacerdotes participaron en distintas jornadas y ejercicios; en 1930 acudieron 1.114; en 1931, el número de participantes subió a 1.524, y en 1932, a 2.184. Las actividades para laicos también iban en aumento: en 1929, se registraron 4.508 participantes; en 1930, 5.411; en 1931, 5.567, y en 1932, 6.525. Las actividades especiales contaban también con una asistencia extraordinaria: en la primavera de 1932 asistieron no menos de 320 personas a una jornada pedagógica, de modo que el entonces secretario de la Asociación de Jóvenes Católicos, J. Clemens, escribió al P. Kentenich: "320 participantes en la jornada pedagógica... ¡Increíble, pero magnifico! Algo nunca visto en la historia de la Iglesia"[10].

El Movimiento también registró un constante crecimiento en lo que a organización se refiere: en 1919, en *Dortmund-Hörde* se fundó la Federación Apostólica con miembros de la organización externa de la Congregación Mariana del Seminario de estudiantes de Schoenstatt. La organización externa había sido formada por ellos durante la Primera Guerra Mundial. Un año después nació la Liga Apostólica. En 1920, la Federación de Mujeres. En 1926, el P. Kentenich fundó la Comunidad de las Hermanas de María de Schoenstatt. En 1929, el Movimiento de Universitarios del área humanista se convirtió en una rama independiente, y en 1932, lo hizo la Juventud Femenina de Schoenstatt.

El año en que el nacionalsocialismo asumió el poder, el Movimiento de Schoenstatt era ya una obra muy ramificada. En sus distintas comunidades incluía a católicos de ambos sexos, de todas las eda-

---

10   J. Clemens, secretario general, al PK, 4 de mayo de 1932.

des y estados; sacerdotes y laicos, hombres y mujeres, adultos y jóvenes, académicos, empleados, trabajadores industriales y campesinos.

Otros aspectos importantes del Movimiento contribuyeron especialmente a atraer la atención de los nacionalsocialistas y de su policía secreta, la Gestapo y el Servicio de Seguridad. Desde un principio, el P. Kentenich había concebido el Movimiento de Schoenstatt como un Movimiento de educadores y de educación. Él mismo era un gran educador y sentía una verdadera pasión por esta tarea. Se trataba, a su juicio, de la formación de la persona concebida como un todo. Para pertenecer a Schoenstatt, había que disponerse a vivir un proceso de educación y formación integral que excluía toda posibilidad de "servir a dos señores". El resultado era que, como diría más tarde un alto funcionario del Partido, los schoenstatianos estaban perdidos para el nacionalsocialismo.

Además, Schoenstatt era un Movimiento marcadamente religioso. Mientras que otros movimientos y asociaciones de la Alemania católica a menudo perseguían finalidades políticas, sociales o culturales, Schoenstatt, como Movimiento de educadores y de educación, se jugaba enteramente por la formación de personas dispuestas a configurar su vida a partir de las fuerzas fundamentales del cristianismo, según la imagen que resplandece ejemplarmente en Jesús y María. Eso implicaba un serio compromiso con la cristianización del mundo y su renovación en Cristo.

En razón de este objetivo religioso y pedagógico, el Movimiento de Schoenstatt optó por dar un carácter selectivo a las comunidades que formaban su núcleo; durante muchos años se evitó transformarlo en un Movimiento de masas. Al respecto, en 1919, poco después de la jornada de Hörde, el P. Kentenich escribió lo siguiente a los jefes de grupo de la Federación Apostólica: "En virtud de la adopción de los estatutos de Hörde, hemos renunciado desde un principio a convertirnos en un Movimiento de masas. Debemos atenernos firmemente a este propósito; de no ser así, nuestro pequeño grupo podría caer fácilmente en decisiones equivocadas y falsos resultados. Las exigencias que planteamos son tan profundas que sólo relativamente pocos van a decidirse a perseverar fielmente junto a nosotros. Esto no es una desventaja, por el contrario, si dirigimos nuestros grupos según el recto espíritu que debe inspirarnos, ello constituirá más bien nuestra fortaleza. Actualmente abundan las organizaciones de masas –necesarias en nuestra época democrática para influir efectivamente en la opinión pública–, pero, si no están respaldadas por un trabajo minucioso y consciente de su finalidad, que constantemente vele por conservar el espíritu religioso y moral, demasiado pronto tendrán problemas. En esto queremos y debemos trabajar si pretendemos justificar nuestra existencia e influir de manera esclarecida en la solución de las tareas que plantea nuestra época"[11].

Es importante, dentro de este contexto, destacar una segunda característica del Movimiento de Schoenstatt. Gracias a la adecuada conducción del P. Kentenich, había conciencia, como en pocas comunidades de la Iglesia de aquellos años, de que se vivía un cambio de época profundo y de gran magnitud. Ya en el Acta de Fundación de la Obra, el 18 de octubre de 1914, surgen hacia el final estas palabras, breves, pero muy significativas: "Una nueva época avanza con pasos agigantados". Todo lo que el P. Kentenich echó a andar desde aquel día en Schoenstatt y a partir de Schoenstatt, estaba definido esencialmente por esta visión profética de la época y, ante todo, por un objetivo pedagógico y un análisis lo más exacto posible del momento histórico que se vivía.

A partir de esta premisa, el empeño pedagógico de Schoenstatt se orienta a la formación de una persona y de un cristiano que, consciente de su responsabilidad y en forma creadora, sea capaz de con-

---

11   P. José Kentenich, *Erbe und Aufgabe* (Herencia y Tarea), parte II: Um Geist und Form, (Sobre el espíritu y la forma). Neuwied, 1932, pp. 366-369.

tribuir a este cambio, y así ayudar a la Iglesia a "pasar a la otra orilla", la de la nueva época que se acerca.

El P. Kentenich formulaba esta meta pedagógica refiriéndose al "hombre nuevo en la nueva comunidad", porque no sólo se requiere formar un "hombre nuevo" sino también una "nueva comunidad", dado que el hombre está ordenado siempre, por su esencia, a la vida comunitaria.

El profundo análisis que llevó al P. Kentenich a diagnosticar el presente como un cambio de época, le hizo comprender que, en tales períodos, combaten, de manera más vigorosa y patente que en otros tiempos, los poderes que se juegan en el trasfondo de la historia universal: Dios y el demonio.

Aplicado esto a las circunstancias concretas de la Alemania de entonces, el P. Kentenich estaba convencido de que con Hitler y sus seguidores habían aparecido poderes diabólicos en el campo de batalla del mundo. Y aun cuando Hitler se describió a sí mismo y a su Partido como "enemigo mortal" del bolchevismo, el P. Kentenich mantuvo esta convicción.

El nacionalsocialismo y el bolchevismo eran, a sus ojos, y a pesar de todas sus diferencias, resultados del mismo desarrollo que se llevaba a cabo en el Occidente europeo, especialmente en Alemania. En el fondo, ambos eran pregoneros y campeones de un mismo tipo de hombre, que el P. Kentenich definió como "el hombre máquina y el hombre masa, sin Dios, sin moral, sin alma y deshumanizado". Este hombre era todo lo contrario del "hombre nuevo en la nueva comunidad" al cual él dedicaba todos sus esfuerzos, trabajando minuciosamente, con fervor y amplia visión desde 1912-1914.

En consecuencia, no resulta muy difícil entender lo inevitable del choque entre el nacionalsocialismo y Schoenstatt, y la persecución montada por los organismos del Tercer Reich en su contra. A ello se agregaba que el P. Kentenich, desde los comienzos de la dictadura nacionalsocialista, alertaba a sus seguidores acerca del significado real del fenómeno nazi y los preparaba para la lucha que habría de venir.

2.   La lucha ideológica

No es posible exponer aquí todos los juicios emitidos en esa época por el P. Kentenich acerca del nacionalsocialismo y del así llamado Tercer Reich. Los apuntes tomados en sus conferencias, jornadas y cursos, que se seguían uno tras otro sin pausa, los omiten por razones obvias: las actividades eclesiásticas y religiosas, tales como retiros y jornadas, eran vigiladas con especial celo por la policía secreta. A menudo se mezclaban espías entre los participantes a fin de sorprender en delito flagrante a sacerdotes que les parecían sospechosos[12]. A pesar de ello, tenemos gran cantidad de notas tomadas en las conferencias, por taquígrafas, por ejemplo, que nos han transmitido casi exactamente lo que decía el P. Kentenich sobre el nacionalsocialismo. Al respecto, cabe constatar que sus juicios condenatorios contra el nazismo y el bolchevismo no eran globales ni superficiales: jamás permitió que cupiera ni la menor duda de que el nacionalsocialismo era para él, en último término, decididamente no cristiano, despiadado y diabólico, que siempre lo sería y cada vez con mayor intensidad. Cuando un obispo le preguntó si no sería posible "bautizar" el nacionalsocialismo, y no fue el único en plantearse esta posibilidad al comienzo del régimen nazi, el P. Kentenich le respondió que él no veía ningún punto donde derramar el agua bautismal.

---

12   Cf. Oficio de la Liga de Médicos Alemanes nacionalsocialistas (entidad registrada) del distrito de Coblenza-Trier-Birkenfeld, Coblenza, Schloßstraße 45, 29 de abril de 1935, al director de la Oficina de Política Racial del NSDAP (Partido Nacionalsocialista Alemán de los Trabajadores), al miembro del Partido, Dr.Walter Groß, Berlín. Allí se informa que a un médico miembro del Partido de Coblenza se le encomendó "por decreto" tomar parte e informar sobre un retiro que daría el sacerdote jesuita Bücken, en Berlín. Archivo del Estado, Coblenza, casillero 403, No.16846, p.437. El médico entregó el informe que se le pidió. Ibid., p. 439.

Coblenza, 1933: Reunión Nacionalsocialista, en el monumento dedicado a Guillermo I.

A su juicio, el nacionalsocialismo pertenecía a aquellos "signos de los tiempos" que, desde hacia mucho, él observaba atentamente, no sólo por razones de estrategia y táctica, sino también porque de ellos deducía deseos e indicaciones divinas para su propio quehacer y para sus planes. Daba suma importancia a la necesidad de interpretar correctamente qué quería decir la divina Providencia con ese "signo de los tiempos" que aparecía en Alemania: el nacionalsocialismo. Para hacerlo, se apoyó en dos leyes que en otros temas solía emplear como principios de conocimiento: la ley que denominó "ley de la contraposición" y otra que tomó de una frase de san Agustín: *"Utamur haersticis ut contra eorum errores veram doctrinam catholicam asserentes tutiores et firmiores simus"*. "Saquemos provecho de los herejes, de manera que mediante la defensa de la verdadera doctrina católica contra sus errores, logremos mayor seguridad y firmeza".[13]

La primera ley llevó al P. Kentenich a prestar mucha atención a aquello que en el cristianismo, y por tanto en Schoenstatt, molestaba especialmente a sus enemigos; a lo que rechazaban y combatían. Por ejemplo, si a través de su propaganda y adoctrinamiento el nacionalsocialismo arremetía, cada vez con más fuerza, contra la doctrina cristiana de la inclinación al pecado y la necesidad de redención del hombre (ario), el P. Kentenich acentuaba justamente esta doctrina. Durante todo un año, 1933, basó sus ejercicios en el tema "el hombre redimido".

Por su parte, la ley agustiniana *"Utamur haereticis"* lo motivó a observar atentamente aquellos deseos o necesidades vitales que también se hacen sentir en fenómenos como el nacionalsocialismo y a los cuales deben en buena medida sus éxitos y pujanza. La intención del P. Kentenich era captar esos deseos y necesidades de las personas a fin de proporcionarles una vía de expresión cristiana. A manera de ilustración, mencionaremos otro ejemplo sobre el Tercer Reich: Cuando

---

13   *De vera religione* VIII, 15. Véase también Tomás de Aquino, Contra Gentiles 1, 2.

el nacionalsocialismo inició el culto a la "tierra y la sangre", en vez de rechazarlo el P. Kentenich se preguntó cuáles eran las fuerzas instintivas que se manifestaban en dicho culto, y llegó a la conclusión de que, tras la acentuación del apego a la "tierra", al "suelo", subyacía el creciente desarraigo, la falta de hogar del hombre moderno y, por tanto, su necesidad de "suelo", esto es, de hogar[14]. En consecuencia, reaccionó intensificando la vinculación a Schoenstatt en cuanto lugar, cosa que siempre se había acentuado en la Familia de Schoenstatt, especialmente al Santuario de la Madre tres veces Admirable, hogar espiritual de los schoenstatianos y de la comunidad de Schoenstatt.

De esta manera, el P. Kentenich logró dos cosas: auscultar los deseos de Dios y encauzar su realización y, al mismo tiempo, realizar, en materias esenciales, un intenso trabajo de defensa e inmunización contra la infección del nacionalsocialismo.

3. Jornada sobre "Pedagogía mariana del matrimonio"

La primera jornada para educadores, principalmente sacerdotes, a la cual nos referiremos a fin de iluminar más de cerca la posición y forma de proceder del P. Kentenich frente el nacionalsocialismo, trata sobre la "Pedagogía mariana del matrimonio", y la dictó en Schoenstatt entre el 29 de agosto y el 1 de septiembre de 1933.

El año anterior ya había dado una *"Jornada de pedagogía para el matrimonio"* para sacerdotes. Este tema seguía la misma la línea de los cursos pedagógicos que dictaba desde mediados de la década de 1920, y adquirió especial interés después de la encíclica *Casti Connubi* de Pío XI, del 30 de diciembre de 1930. La elección del te-

---

14 Hemos traducido como "falta de hogar" y "necesidad de un hogar" las expresiones germanas *"Heimatlosigkeit"* y *"Heimatbedürfnis"*. *"Heimat"* es una palabra que no tiene equivalente preciso en español; abarca no sólo el hogar, la casa paterna sino también la tierra natal, todo el entorno en que se ha dado la propia vida, el paisaje, sus habitantes, costumbres, lenguaje. (N. del T.)

Berlín, julio de 1933: En las puertas de la Iglesia, miembros de la SA (tropa paramilitar del partido Nazi) hacen propaganda en favor de Hitler en vísperas de las elecciones.

ma, por lo tanto, había sido hecha antes del advenimiento del nazismo en Alemania y, originalmente, no tenía relación alguna con esta ideología. Por lo mismo, es interesante ver cómo el P. Kentenich orientó el curso hacia la situación que se genera en Alemania, a partir del 30 de enero de 1933.[15]

Ya en la conferencia de introducción, el P. Kentenich habló, y difícilmente podía esperarse otra cosa, sobre la relación entre la pedagogía mariana del matrimonio y la situación creada por el gobierno nacionalsocialista. Debe reconocerse, destacó, que la pedagogía sobre la familia y el matrimonio es una de las necesidades más apremiantes de la época. Esto es así porque, en el mundo Occidental, la familia se

---

15   Cuando Hitler, designado Canciller, formó su gobierno. (N. del T.)

ha vuelto "enferma e infecunda… casi incurablemente enferma e infecunda". Dada la nueva realidad que vivía Alemania, el matrimonio y la familia habían llegado a ser un problema vital para la Iglesia. Según el P. Kentenich, la Iglesia alemana dedicaba gran parte de sus esfuerzos a las numerosas asociaciones que había creado en los últimos cien años; sin embargo, la familia, por su importancia fundamental, era la "asociación esencial" y la ocupación prioritaria en la cual recomendaba concentrar los mejores esfuerzos de los católicos. El concordato con la Santa Sede, del 20 de julio de 1933, daba garantías a las asociaciones eclesiásticas y las ponía bajo una protección especial, pero el P. Kentenich no las consideraba lo bastante sólidas como para confiar en ellas. Por eso insistía en que "debemos concentrar nuestro trabajo en la renovación de nuestras familias… El tiempo actual nos obliga a preguntarnos siempre por los principios últimos". Esto significa que "si queremos salvar el catolicismo en Alemania, debemos orientarnos con todos los medios a nuestra disposición hacia la cristianización de nuestras familias. Si a las asociaciones católicas les fuera posible continuar sus actividades por un tiempo, éstas debieran orientarse, en primer lugar, al desarrollo de la vida familiar de sus miembros y a educarlos para que puedan formar familias conscientemente católicas".

El P. Kentenich se preguntaba si en muchas asociaciones y organizaciones católicas se prestaba adecuada atención a la familia, si tendrían real conciencia de la necesidad de apoyarlas. En lugar de ello, muy a menudo éstas ocupaban a sus miembros, especialmente a los padres, en actividades que los alejaban de la familia y del cultivo de la vida familiar y, por consiguiente, de la educación de la familia como célula vital del cristianismo.

"Crear islas matrimoniales católicas es nuestro ideal, para eso trabajamos nosotros desde aquí" (es decir, desde Schoenstatt), afirmó el padre en esa oportunidad. Al hablar de "islas matrimoniales", suponía que, muy pronto, sobrevendría una "inundación" que haría del matrimonio católico una empresa muy difícil y poco frecuente. De hecho, veía surgir circunstancias que se asemejaban a las del cristianismo primitivo: "Debemos elevarnos hacia los ideales matrimoniales cristianos en medio de un entorno pagano, tal como sucedía en tiempos del cristianismo primitivo". Hizo un especial llamado a los cristianos que se habían consagrado a Dios a través de una vida virginal, a colaborar en la formación de esas "islas matrimoniales": "Nosotros, como personas consagradas en virginidad, debemos salir al mundo como profetas del matrimonio católico". No faltó la comparación con el nacionalsocialismo: "Deberíamos rugir como una tempestad a través del país, una tempestad de santa entrega para la renovación de nuestras familias… ¡Cuánto fervor hay en el nacionalsocialismo! Deberíamos encendernos también nosotros de la misma manera; de no ser así, no podremos cumplir nuestra tarea".

Como no es posible seguir detalladamente el trazado de esta jornada, con todas sus ramificaciones, consideraremos su importancia respecto de la lucha contra el nacionalsocialismo desde un doble punto de vista:

1) Como pronóstico de la futura evolución de los acontecimientos: desde el comienzo de la dominación nacionalsocialista, el P. Kentenich había llamado la atención sobre la necesidad de comprender que la familia era el bastión más poderoso en la defensa de la Iglesia. En ella, cual Iglesia en pequeño, ésta resistiría el duelo contra el nacionalsocialismo y podría iniciar un nuevo comienzo. Y la fuerza vital de la familia dependía de la calidad del matrimonio cristiano.

2) Al proclamar el ideal matrimonial católico en forma integral y clara, el P. Kentenich aportaba al fortalecimiento de un principio fundamental para la conciencia cristiana, que estaba siendo amenazado. Pocas cosas eran más importantes en tiempos del

Propaganda Nazi:
Portada de Frauen Warte. Revista, publicada por el régimen nazi dirigida a las mujeres. Número dedicado a la familia y al hogar.

nacional-socialismo, con su presión sobre la personalidad cristiana y la psicosis de masas deliberadamente organizada, que una conciencia intacta que permitiera a los individuos orientarse y juzgar con libertad interior. Por cierto que, a su vez, nada era más contrario a los propósitos y decretos de los dueños del poder, quienes se esforzaban por penetrar el ámbito del matrimonio y de la familia a fin de imponerles su ideología.

4. Jornada sobre "El misterio de Schoenstatt"

En 1933, el P. Kentenich dio otra jornada que también nos ilustra acerca de su posición frente el nacionalsocialismo. Nos referimos a la jornada sobre *"El misterio de Schoenstatt"*, para las jefas de la Federación de Señoras, que tuvo lugar entre el 27 y el 30 de diciembre de ese año.

Como el P. Kentenich quería no sólo defender y preservar sino también edificar, fundar nueva vida, porque, como insistía a menudo, la vida más vigorosa es la que siempre sale triunfante, esta jornada, tal como la anterior sobre la pedagogía mariana del matrimonio, no pretendía ser, en primer término, una confrontación con el nacionalsocialismo. El tema elegido versó sobre educación de la personalidad de los dirigentes de Schoenstatt, especialmente de aquéllos dedicados al servicio del "año popular mariano", proclamado para 1934.

Como vemos, el P. Kentenich permanecía fiel a su propia línea, la que había seguido durante los años transcurridos desde la fundación. Desde un comienzo, la Federación Apostólica fue concebida como una comunidad de católicos dispuestos a imponerse exigencias superiores al término medio, a fin de que la labor de sus jefes estuviera respaldada por una vida religiosa intachable.

Por otra parte, también se percibe claramente la influencia de los sucesos de 1933. La expresión "misterio de Schoenstatt" apunta en ese sentido. Se remonta al caso del prelado Ludwig Wolker, entonces presidente de la Asociación de Jóvenes Católicos, quien, en 1930, después de una permanencia en Schoenstatt para estudiar, comentó que durante su estadía no había logrado descubrir el misterio de Schoenstatt.[16]

Ahora bien, tres años después, el P. Kentenich dio a conocer a toda la Familia de Schoenstatt las palabras de Wolker, porque le parecieron muy adecuadas para expresar su convicción de que Schoenstatt era obra de Dios y de la Madre de Dios. A juicio suyo, esta convicción no sólo correspondía a los hechos, sino que le parecía esencialmente necesaria si Schoenstatt quería resistir con éxito la lucha que se veía venir.

---

16   Carta del P. Kentenich al prelado Wolker, 22 de diciembre, 1930.

Durante la jornada, el P. Kentenich señaló, una y otra vez, la necesidad de formar personalidades católicas con capacidad de liderazgo. Este tema no era nuevo: ya en el acta de Prefundación, el 27 de octubre de 1912, se había referido a su importancia y a sus características esenciales: "carácter firme, libre y sacerdotal". Como el nacionalsocialismo insistía en caracterizar al "auténtico líder" de acuerdo a sus propios valores, él decidió elaborar y destacar las características de un líder cristiano orientado a Cristo y a su doble entrega al Padre y a los suyos.

Pronto se vio que estas ideas no sólo no agradaron a los dirigentes nazis sino que les parecieron especialmente peligrosas.[17]

En la jornada sobre el *"Misterio de Schoenstatt"*, el P. Kentenich anunció que 1934 iba a ser un "año popular mariano". No es difícil darse cuenta de que esa consigna se relacionaba directamente con la toma del poder por parte de Hitler. El movimiento nacionalsocialista había diseñado, a través del "Movimiento Alemán de la Fe", un instrumento para combatir a la Iglesia. Su objetivo era penetrar no solamente las instituciones sino también la mente del pueblo alemán que, en 1933, aun no había sido conquistado por la ideología nazi.

La respuesta del P. Kentenich fue hacer todo lo que estuviese a su alcance para fortalecer y vivificar la fe cristiana del pueblo, abarcando el ámbito más amplio posible, por medio del contacto con Schoenstatt, su Santuario y fuente de gracias.

De esta sucinta descripción de la jornada, se desprende cuán deliberadamente orientó al Movimiento, desde un principio, hacia las nuevas circunstancias que enfrentaba Alemania, hacia la lucha contra el nacionalsocialismo y su empeño por lograr el total dominio de las personas. Prueba de ello son también sus numerosas referencias al nacionalsocialismo. En la primera conferencia del 27 de diciembre,

---

17   Véase más adelante el párrafo "Jornada de educación mariana".

habló sobre "las nuevas corrientes y movimientos" que pretendían tener el carácter de "religión redentora" capaz de liberar al hombre del sufrimiento y del pecado. Liberarlo del pecado negando el pecado y del sufrimiento creándole la ilusión de una existencia terrenal sin sufrimientos. En contraste a la glorificación de la comunidad del pueblo alemán, el P. Kentenich afirmó que, en la vida real, la comunidad es un "pecado original condensado", y que sólo la gracia de Cristo puede hacer que existan comunidades donde se soporten, apoyen y amen los unos a los otros.

En una conferencia posterior, hizo notar que la Iglesia de Alemania y todos sus valores estaban en juego, por lo que se hacía indispensable entregar, en medio de la confusión en que muchos habían caído, "seguridad instintiva, católica y esclarecida". "¡Nuestro pobre pueblo", exclamó el P. Kentenich en un momento dado, "cuán falto de redención, de claridad, de seguridad!" Una de las tareas esenciales de Schoenstatt debía ser "mostrar una Iglesia organizada y profundamente espiritual, una organización ejemplar, un estado ideal que se mantenga en el trasfondo de la organización externa".

Estas palabras del P. Kentenich reflejan su objetivo final: "Si llegara el momento en que todo fuera destrozado, nosotros deberíamos permanecer de pie; debemos salvar a la Iglesia y conducirla a los nuevos tiempos. El futuro de la Iglesia exige que empleemos todas nuestras fuerzas en crear una organización valiosa y capaz de arraigar profundamente en la vida de las personas. Allí donde existan centros estables, la vida católica estará segura. Y si alguna vez los enemigos del Movimiento de Schoenstatt lograran aniquilarlo, cada schoenstattiano debiera ser capaz de fundarlo nuevamente".

Como vemos, ya el primer año de la dictadura nacionalsocialista, el P. Kentenich tenía una clara visión de lo que ésta significaba y de las consecuencias que la ideología nazi tendría para la Iglesia alemana. También podemos constatar que en sus pláticas usó un lenguaje explícito y que sacó conclusiones claras, tanto para sí mismo como para su fundación.

5. Jornada sobre "Educación mariana"

Poco después, entre el 22 y el 26 de mayo de 1934, en la "Jornada mariana y pedagógica", continuó la línea de la jornada anterior sobre el "Misterio de Schoenstatt", profundizando y acentuando, en forma especial, el tema mariano[18]. La idea central de esta jornada se resume en las siguientes palabras: "Una devoción mariana esclarecida es el gran medio, ya probado, para crear un extenso y profundo movimiento católico de fe".[19]

En esta oportunidad dio una batalla en dos frentes: 1) Dentro de la Iglesia, contra los representantes de un extremismo litúrgico que, especialmente en Alemania, desde hacía años y no sin éxito, intentaban frenar la teología y piedad mariana, medios que, a juicio del P. Kentenich, eran justamente los más eficaces para lograr la claridad indispensable y el apoyo irrenunciable que se necesitaba para resistir el nacionalsocialismo y despertar un "profundo y extenso movimiento católico de fe". 2) Y en el frente externo, contra el nacionalsocialismo, cuyas garras se clavarían también en el ámbito de los asuntos religiosos en forma cada vez más despiadada a medida que se afianzaba en el poder, como lo hizo en el verano de 1934 al asesinar al dirigente católico berlinés, Erich Klausener.

Respecto a la controversia con un sector de la Iglesia que ocupó parte importante de la jornada, en esta oportunidad no podemos detenernos en este tema, aunque, de hecho, sigue vigente. Una comparación con la Iglesia en Polonia, bajo la dominación comunista, nos demuestra la efectividad e importancia de una orientación mariana

---

18 Las conferencias de esta jornada están impresas con el título *Joseph Kentenich, Marianische Erziehung,* (José Kentenich, *Educación Mariana*), Vallendar-Schönstatt, 1971.

19 Ibíd.

Hitler en una reunión del partido nazi. Al fondo la "Iglesia de santa María", Nuremberg, Alemania 1928.

para conservar la fe cristiana y resistir la persecución y la opresión, tal como afirmaba el P. Kentenich en 1933-1934, especialmente si se centra en un Santuario como el de Czestochowa.

Por de pronto, podemos observar que en la "Jornada mariana y pedagógica", el P. Kentenich procedió según la ley llamada *"Utamur haereticis"*, es decir, observó y se dispuso a usar algunas estrategias nazis (legítimas de usar) en beneficio de la Iglesia. Por ejemplo, al comenzar la jornada dijo que, "si hay algo que debieran ustedes reconocer a la corriente opuesta, es que sabe manejar con maestría la psicología del pueblo"[20]. Por cierto que la Iglesia, ni Schoenstatt como movimiento católico, podía imitar las tácticas nazis, pero eso no le impedía sacar conclusiones obvias, como la necesidad de orientarse más hacia el pueblo, de acercarse al pueblo, a sus raíces y necesidad de arraigo. El P. Kentenich se oponía enfáticamente a una concepción

---

20   Ibíd.

de Iglesia enfocada hacia el sector más sofisticado de los católicos, el cual, en el fondo, siente por el pueblo y sus formas de piedad sólo un desdén compasivo. En esto, como en otras materias, aspiraba a un equilibrio armónico: "No queremos sólo personas de selección; debemos incluir a las masas en el Movimiento en pro de la fe. Ustedes pueden ver cómo el otro lado (los nazis) atrae a las masas... La Iglesia debe ser también una Iglesia del pueblo".[21]

Al respecto, destacó la tenaz perseverancia y el plan metódico empleado por Hitler para conquistar a las masas: "El nacionalsocialismo es capaz de estudiar cuánto tiempo se requiere para persuadir a las masas e inculcarles una idea"[22]. Referente a ello, señaló uno de los métodos usados por el Partido para ganarse e infiltrar a la población: "Vean, ustedes, cómo el nacionalsocialismo... tiene en todas partes sus "casas pardas..."[23] Con estas casas, el Partido ponía hábilmente a su servicio la ley de la necesidad de vinculación a un lugar. El P. Kentenich vio en ello una señal que le indicaba la necesidad de fortalecer en el Movimiento la vinculación a un lugar, es decir, al Santuario de Schoenstatt, y apoyarla mediante la difusión de imágenes, grabados y Santuarios de la Madre tres veces Admirable.

Pero en esta jornada no sólo se refirió a los aciertos tácticos del nacionalsocialismo; también lo criticó duramente y con una franqueza no exenta de peligro. En la primera conferencia, por ejemplo, dijo: "Sí, en otro tiempo fue grande nuestro pueblo manteniéndose fiel a la sangre y a la tierra; pero era igualmente fiel a la sangre de Cristo, a su patria y al cobijamiento en Dios, en el Dios trino que se ha revelado. No es verdad que nuestro pueblo germano se haya convertido al cristianismo sólo por el poder de las armas. Mucho más cierto es que recibió el bautismo en virtud de un fuerte anhelo, profundamente

---

21   Ibíd.
22   Ibíd.
23   Ibíd. Las "casas pardas" eran sedes del partido. (N.del T.)

arraigado, de redención, del Dios redentor y de la gracia. Quien conoce el tiempo actual entiende lo que hay detrás de estas palabras".[24]

Como si presintiera lo que él iba a experimentar en la prisión y en el campo de concentración, al destacar el carácter irreemplazable del cristianismo encarnado en la vida, afirmó: "No nos inquieta tanto el Partido (en cuanto doctrina y programa) sino su poder, su brutalidad, que solamente una vida plena de vigor es capaz de resistir"[25].

Una vez más, tal como en la jornada sobre el "Misterio de Schoenstatt", el P. Kentenich se refirió al culto del trigo que se practicaba en honor al "Führer" Adolfo Hitler: "Un jefe no puede aspirar a ser un sustituto de Dios"[26]. Poco después repitió esta afirmación, agregando: "Puede ser su representante, un sustituto[27], siempre que se atenga a dos condiciones: a su carácter de transparente e instrumento de Dios y a la ley de la transferencia orgánica, según la cual no se puede creer ni presentar como señor absoluto y último dueño del poder, sino sólo como un eslabón de unión con Dios".

No dejó dudas entre sus oyentes de que la Iglesia tenía que contar con una lucha a muerte en la Alemania dominada por el nacionalsocialismo. A su juicio, se trataba de problemas graves y de vasto alcance: "¿Alemania se tornará pagana, cristiana, católica? ¿Cómo podemos llevar a Cristo de nuevo a Alemania?"[28]

El P. Kentenich sabía lo que decía. Sus afirmaciones y los problemas que planteaba no eran mera retórica. Vistas las cosas desde otro punto de vista, se trataba, a su juicio, de la superación del hombre-masa, que no se limitaba al modelo impuesto por el nacionalsocialismo y su partido sino que estaba en todas partes, pues es el problema

---

24   Joseph Kentenich, *Marianische Erziehung,* op. cit.
25   Ibíd
26   Ibíd.
27   Ibíd.
28   Ibíd.

antropológico y ético fundamental de nuestro tiempo. Para superarlo era necesario formar cristianos maduros, aptos para tomar decisiones por sí mismos y, gracias a ello, capaces de soportar la diáspora. Al mismo tiempo, había que construir un catolicismo compuesto por pequeñas comunidades, capaces de prescindir de una imagen triunfal de la Iglesia y sin que por eso vacilara su fe.

También se refirió, una vez más, al destino de las asociaciones y grupos católicos. En ese momento, mayo de 1934, estaba más convencido que el año anterior de que el nacionalsocialismo iba a destruirlos. Pero la desaparición de estas formas tradicionales de organizaciones católicas le parecía solamente parte de un proceso de "abandono de una forma, de transformación", al cual se vería arrastrada inevitablemente la Iglesia del presente. El nacionalsocialismo y sus métodos le parecían, desde este punto de vista, sólo un síntoma y un componente más del trastorno de nuestra época, del cual la Iglesia no podía quedar exenta.

Estimulado por Ignaz Zangerle, que en ese entonces analizaba el mismo tema en la revista "Brenner"[29], el P. Kentenich describió este "proceso de abandono de una forma y transformación", que consistía en abandonar formas ya anticuadas y desarrollar otras adecuadas y útiles para que la Iglesia pudiera realizar su misión en el mundo moderno, como un proceso de deseuropeización, desmaterialización, despolitización y desterritorialización.

Con el término "deseuropeización" quería decir que la Iglesia debía abandonar su ropaje europeo y volverse más universal. Con "desmaterialización", que en el futuro debía ser capaz de renunciar a los apoyos y medios materiales y confiar más en sus fuerzas sobrenaturales. Por "despolitización", que la Iglesia no debía identificarse, en el plano nacional ni internacional, con determinadas tendencias; que debiera tomar más distancia respecto de los sucesos políticos contin-

---

29   *Brenner,* revista suiza. (N. del T.)

gentes. Finalmente, la "desterritorialización" implicaba la capacidad de prescindir de espacios y ambientes hasta ahora cerrados y exclusivamente católicos, y aumentar su capacidad de vivir en la diáspora.[30]

¿Adónde lleva una situación de trastorno como ésta? Dice el P. Kentenich que "debemos tener la capacidad de crear un mundo nuevo, pero desde un segundo plano… y a partir de los principios últimos, de modo que si las 'penúltimas cosas' son destruidas, las asociaciones y grupos, logremos crear un mundo nuevo, con nuevas formas, a partir de los principios últimos. Sin formas las cosas no andan. La pregunta es ¿qué formas pueden ser destruidas y cómo hacer surgir nuevas formas desde los principios últimos, desde las fuerzas motrices últimas?"

Este enfoque del problema no ha perdido su actualidad. Ya en ese tiempo, el P. Kentenich señala la tarea esencial que corresponde realizar a la Iglesia y dentro de la Iglesia. Y esto es válido también hoy, después del Concilio Vaticano II. Permite, además, comprender el propósito profundo que impulsó al P. Kentenich a fundar la Obra de Schoenstatt: quería ofrecer a la Iglesia una obra que representara una contribución efectiva, capaz de responder a la interrogante de cómo crear las nuevas formas que requieren los nuevos tiempos.

El P. Kentenich resumió en tres imperativos el fruto que esperaba obtener de la "Jornada mariana y pedagógica":

1) Entrégate sin reservas, con gran entusiasmo, a la idea, bien concebida, de un Movimiento popular marcadamente católico".

2) "Preocúpate de que logremos formar personalidades definidas, bien cinceladas… Debemos recurrir a fuerzas divinas, pues quienes ahora se enfrentan en una lucha no son fuerzas hu-

---

30 *Ignaz Sángrele, Zur Situation der Kirche*, (Sobre la situación de la Iglesia) en *Der Brenner,* No. 14. Continuación, Innsbruck 1933-34, p. 42-81. Nueva edición, Salzburg, 1963, p. 7-42.

manas que combaten entre sí, sino fuerzas subhumanas contra fuerzas divinas. Necesitamos estar traspasados por Dios". [31]

3) "Preocúpate de que haya islas matrimoniales... Permítanme mostrarles sus contextos y causas últimas: tenemos sólo dos instituciones humanas que son de indudable derecho divino: la Iglesia y la familia... Los destinos del mundo no se deciden... porque exista una mejor Constitución ni un mejor tipo de Estado; se deciden en la cuna del niño y en los matrimonios católicos, fieles a la naturaleza (querida por Dios)". [32]

Evidentemente, cada uno de estos tres imperativos significaba una declaración de guerra a los correspondientes objetivos del nacionalsocialismo.

6. Retiro sobre "El hombre redimido"

Por último, para ilustrar aun mejor la posición del P. Kentenich frente al nacionalsocialismo y su forma de proceder, demos una mirada al retiro para sacerdotes del año 1936, sobre el "hombre redimido".

Como ya dijimos, la elección del tema se vio influida por la doctrina nazi sobre la necesidad de la redención del hombre ario. Pero, al mismo tiempo, el P. Kentenich quería seguir avanzando en la construcción de su obra, y hacerlo en la dirección que señalaban las circunstancias históricas. En la conferencia de apertura, dijo: "Tenemos ante nosotros una doble tarea, a saber, apagar la luz del fuego fatuo y encender la luz propia". Al observar los "nuevos fuegos fatuos, las herejías de la época" veremos que "todo el fundamento de nuestra fe está siendo sacudido. Se niega que la Iglesia sea una institución liberadora; que las Sagradas Escrituras sean un libro redentor; que Cristo sea un Dios redentor; que el hombre necesite ser redimido... Se des-

---

31 Ibíd
32 Ibíd.

garran los fundamentos de toda religión. Dios, el fundamento de toda religión, ya no es más Dios. El hombre es Dios. Todo el mundo de la cultura moderna huye de Dios. Si antes había algunas personas aisladas que huían de Dios, hoy vemos por todas partes la gran huida de las masas alejándose de Dios. Esto también se puede apreciar en las vidas privadas en general". "¿Dónde encontrar hombres que consideren el cristianismo no sólo como un principio formal sino también como un principio vital? En verdad, esto es lo que Dios quiere cuando permite que el espíritu de una época destruya todas las formas. Él quiere que el cristianismo vuelva a ser un principio vital. Todos los fundamentos de la religión están siendo sacudidos, por eso se niega al Dios trinitario. Hay que deshacerse de Dios, ¡fuera el Padre!; deshacerse del cristianismo, ¡fuera el Hijo!; deshacerse de la Iglesia, ¡fuera el Espíritu Santo! Para luchar contra todo esto, debemos reconquistar todo el Credo, todos sus fundamentos".

Estas palabras dejan en claro que el P. Kentenich no sólo tenía en la mira al nacionalsocialismo, al que no veía sólo como un fenómeno aislado sino en el contexto de las corrientes fundamentales de la época. A fin de ilustrar su imagen ideal del "hombre redimido", bosquejó las características del nuevo pagano no redimido y que rechaza toda redención que provenga de otro. En efecto, el hombre nazi ideal creía en su poder para redimirse a sí mismo: "¿Qué aspecto presenta el nuevo pagano? Es el humanista germano con rasgos marcadamente bolcheviques y tendencias 'socavadoras'[33] fácilmente reconocibles".

La concisión de esta fórmula, llena de contenido, y su originalidad permiten reconocer que no es producto del momento sino el resultado de un muy bien meditado y profundo análisis. El P. Kentenich amplió y aclaró su significado en los siguientes términos: "Al otro lado —con esa expresión, que usaba a menudo en esos años, se refería

---

33 Dejar subsistir por el momento las antiguas estructuras e ir vaciándolas, poco a poco, de su contenido y llenándolas con otro, hasta que llegue el momento en que el proceso esté suficientemente avanzado como para cambiarlas. (N.del E.)

Juventudes Nacionalsocialistas.

al nacionalsocialismo– surge el ideal de un humanismo pagano. En este punto conviene detenernos en la historia del humanismo. Hay algo trágico en el humanismo en cuanto a la relación entre la naturaleza y la gracia. Si en el Renacimiento, el humanismo latino dejó de lado el "sobrenaturalismo"[34], hoy vemos que el naturalismo germano abandona toda creencia en la realidad sobrenatural. Ahora tenemos que buscar, por una parte, una síntesis –¡nunca ponernos en una posición antiética!– y, por otra, alejarnos del catolicismo que se refugia unilateralmente en lo sobrenatural".

El P. Kentenich toca aquí un aspecto fundamental, posiblemente el núcleo esencial de su pensamiento como teólogo y pedagogo: la

---

34   En el siglo XV el humanismo renacentista redescubre el mundo clásico, la cultura griega con su visión antropocéntrica y naturalista del mundo, y abandona el sobrenaturalismo más propio del mundo medieval. (N. del E)

"unión armónica entre la naturaleza y la gracia". Es de lamentar que los apuntes tomados en esta conferencia, del cual sacamos la cita, reproduzcan este pensamiento en forma tan insuficiente. El P. Kentenich se oponía aquí al naturalismo puro, característico del nacionalsocialismo y su doctrina sobre la necesidad de redención del hombre prescindiendo de Dios. Pero también al sobrenaturalismo que menosprecia la naturaleza, que la deja de lado.

Frente al naturalismo puro, que rechaza la gracia y se cierra a ella, y al sobrenaturalismo –que rechaza la naturaleza, las características que le son propias, su fuerza, sus leyes y sus necesidades– el P. Kentenich aboga por un pensamiento genuinamente católico, que no se sitúa en ninguno de estos dos extremos sino que asume y valora "no sólo una cosa, sino también la otra". En este sentido, continúa diciendo: "Es verdad que, en las circunstancias actuales, sin una disposición sobrenatural no es posible resistir el influjo del mundo. Pero debemos preocuparnos de que la gracia vuelva a ser un verdadero gozo para la naturaleza, que cautive al ser humano. Es una terrible tragedia constatar que el cristianismo no haya sido capaz de quebrarle el diente venenoso al ario. "¿A qué se debe esto? A que, en la práctica, no vivimos suficientemente la armonía querida por Dios entre naturaleza y gracia". O, como expresó en otras oportunidades: "La armonía viva entre ambas no se ha hecho realidad porque la naturaleza no se ha abierto enteramente a la gracia".

Con este análisis, el P. Kentenich tocaba la raíz más profunda del progresivo proceso de descristianización que observamos desde hace tiempo en Occidente. A su juicio, este proceso no se debe simplemente al surgimiento de la sociedad industrial ni al avance de la tecnología que, como algunos afirman, terminarán por dominarlo todo; ni es tampoco la consecuencia inevitable de la evolución del hombre contemporáneo, que ya habría alcanzado la mayoría de edad. No hay razón alguna para que la industria, la técnica o el esfuerzo del hombre por lograr la libertad deban traer aparejado un ineludible proceso de descristianización.

La causa fundamental de la progresiva descristianización de Occidente es, a su juicio, la emancipación de la naturaleza respecto a la gracia, entendiendo aquí por "naturaleza" la propia de la persona individual, pero también la totalidad de la realidad terrenal creada. Y al no subordinar la naturaleza a la gracia, se invalida la armonía entre ambas, querida por Dios.

¿Pero qué quería decir el P. Kentenich con la expresión "rasgos marcadamente bolcheviques" y "tendencias socavadoras fácilmente reconocibles"? A su juicio, el hombre con "rasgos marcadamente bolcheviques" es el hombre-masa y el hombre-máquina, un hombre disociado de todos los vínculos naturales y sobrenaturales, sin los cuales la persona no puede existir de manera verdaderamente humana. Según el P. Kentenich, "el hombre bolchevique" no se encuentra únicamente en el ámbito del bolchevismo político: también usa ese calificativo para caracterizar a los nazis.

La imagen opuesta al hombre bolchevique es la del "hombre nuevo en la nueva comunidad". El P. Kentenich también lo define como: "la personalidad más perfecta posible en la comunidad más perfecta posible", ambas orientadas hacia el Dios trinitario de la Revelación. Sólo este tipo de personalidad es capaz de sobreponerse a las tendencias de una sociedad que, basándose en la máquina, sólo busca el rendimiento técnico y económico.

Con la expresión "tendencias socavadoras fácilmente reconocibles", el P. Kentenich quería llamar la atención sobre uno de los métodos favoritos "del lado opuesto". Tal como sucedió con la Reforma del siglo XVI, en un principio permiten que subsistan las antiguas formas o estructuras, para luego irlas vaciando, poco a poco, de su contenido y llenando con otro, hasta que llegue el momento en que el proceso esté suficientemente avanzado como para cambiarlas.

El final del retiro sobre el "hombre redimido" fue tan claro e importante como su comienzo. El objetivo de la última conferencia fue anclar firmemente a los participantes en la fe en la divina Providencia, en la certeza de que, en último término, es Dios quien gobierna el mundo.

El P. Kentenich estaba convencido de que los trastornos causados por los acontecimientos de la época y sus circunstancias aumentarían considerablemente: "¿No sentimos el fuerte temblor cultural que remece al mundo entero? Por corto que sea el lapso de vida que Dios nos haya reservado, éste será decisivo y quizás más de lo que pensamos. Si en el tiempo venidero el destino me juega malas pasadas, la vida de fe y también la vida moral que hay en mí pueden sufrir serias sacudidas. Si en torno a mí veo la realidad desnuda en toda su dureza, si me rodea el naturalismo de la época, se me hace difícil creer en la realidad del mundo sobrenatural".

7. "El año popular mariano" - 1934

Lo que el P. Kentenich predicó con su palabra y demostró con su conducta durante el primer año del gobierno nacionalsocialista, no pudo permanecer oculto. Sus espías se habían diseminado por todas partes. Por lo demás, eran tan numerosas las personas que participaban en los cursos del P. Kentenich que no se necesitaba espías para atraer la atención sobre él. Gracias a ello, sus ideas e influencia se difundieron y se hacían sentir cada vez con más fuerza. Además, él no limitaba sus actividades a Schoenstatt, también las desarrollaba en muchos lugares de Alemania. En Munich, por ejemplo, habló no menos de cuatro horas sobre el nacionalsocialismo a una concurrida reunión de clérigos. Dio la misma conferencia en Berlín, en Breslau, en donde acudió a oírlo el cardenal Bertram, y también en Münster. Allí, el obispo Clemens August von Galen lo invitó, con motivo de la conferencia, a visitarlo a objeto de analizar una interrogante fundamental: "¿Cabe aceptar que hoy se atribuya al demonio más poder del que normalmente se le supone?".

En 1934 tuvo lugar un acontecimiento que atrajo aun más la atención de la policía secreta sobre Schoenstatt: el traslado, hecho públicamente en el mes de agosto, de los restos de dos cofundadores de la joven Obra de Schoenstatt –Hans Wormer y Max Brunner– desde Francia a Alemania, y su inhumación en un pequeño cementerio de honor detrás del Santuario de la Madre tres veces Admirable de Schoenstatt. Los autores de esta iniciativa aprovecharon hábilmente el culto a los caídos en la Primera Guerra Mundial que el propio nacionalsocialismo impulsaba a voz en cuello. Sin embargo, un documento del SS (Servicio de Seguridad) fechado el año siguiente –al cual nos referiremos más adelante– demuestra que sus funcionarios estaban muy bien informados respecto al verdadero sentido de la repatriación de los restos de estos jóvenes schoenstatianos. De hecho, durante los tres días que precedieron a su inhumación, tuvo lugar en Schoenstatt un encuentro de jóvenes: se reunieron casi mil participantes, entre estudiantes secundarios, miembros de los grupos de jóvenes profesionales y estudiantes universitarios. Un gran número de personas desfiló ante las urnas con los restos de Brunner y Wormer, que fueron expuestos en una capilla ardiente en la Casa de Ejercicios de Schoenstatt. Y a pesar de que este hecho no se comunicó a la prensa, a las ceremonias vespertinas, realizadas en la plazoleta cercana al Santuario de la Mater ter Admirabilis, asistieron tres mil personas un día, y entre cuatro y cinco mil durante los otros dos. Entre los participantes se encontraba el P. Franz Reinisch, que entonces tenía 31 años de edad. Ésta era la primera vez que visitaba Schoenstatt, y quedó tan impresionado que desde entonces no se apartó nunca más del Movimiento. Justamente ocho años después, el 21 de agosto de 1942, dio su vida por Schoenstatt. Murió en manos del verdugo, decapitado en la guillotina.

Asistentes a las ceremonias vespertinas realizadas en la plazoleta cercana al Santuario de Schoenstatt.

Como podemos ver, durante el año 1934 el Movimiento desarrolló una actividad apostólica extraordinariamente vigorosa. Bajo la consigna "Año popular mariano de Schoenstatt", el P. Kentenich propuso trabajar tanto como fuera posible y abarcando el frente más amplio, para inmunizar al pueblo católico contra la doctrina nazi mediante la vinculación con Schoenstatt.

Según se desprende de un informe sobre actividades realizadas ese año en la sede del obispado de Tréveris, los padres de la dirección central de la Obra y sacerdotes schoenstatianos de la diócesis dieron no menos de 300 retiros de un día, 60 semanas de conferencias religiosas en parroquias y 40 tandas de retiros y misiones populares. Sólo el P. Kentenich dio, en 1934, en lugares tan distantes entre sí como Ulm, Dortmund, Danzig y Bransberg (Prusia oriental), la asombrosa cifra de 35 retiros y jornadas para sacerdotes, en las cuales se registraron 2.334 asistentes.

A pesar del abrumador trabajo y del consiguiente esfuerzo que implican estas cifras, éstas sólo reflejan una parte de las actividades del P. Kentenich. Paralelamente a los numerosos cursos y jornadas para sacerdotes y laicos, a partir del año 1926 fundó y formó, muy privadamente, la comunidad de las Hermanas de María, invirtiendo en ella lo mejor de su saber y de sus capacidades. Las Hermanas de María debían ser el "caso preclaro" de ese "nuevo hombre en la nueva comunidad" que el P. Kentenich quería obsequiar a la Iglesia.

8. Informe especial del SD sobre Schoenstatt[35]

El primer documento del gobierno central relativo a Schoenstatt que se ha hallado hasta el momento, está en el "Informe del Día" del cuartel de la Policía Secreta del Estado en Berlín, con fecha 27 de septiembre de 1935. Bajo el número 23 dice: "El cuartel de la Policía del Estado de Tréveris informa que en ese distrito se erigen en muchos lugares nuevas capillas, sin justificación aparente. En este contexto, se informa que en Freisen, cerca de St. Wendel, en una conocida comunidad católica de la región del Saar donde hay muchos niños, la asociación de muchachas del lugar puso delante de la iglesia una ermita con una imagen de la 'Querida Señora de Schoenstatt'... Posiblemente se trate de una forma... de sabotear la construcción de un *Thingstäatten*"[36].

El mismo mes de septiembre de 1935, se elaboró otro documento muy detallado sobre el Movimiento de Schoenstatt. Se trata de un "Informe Especial" de la Dirección Superior de Seguridad del SS[37], que operaba todavía junto a la Policía Secreta del Estado, sin duda también bajo la dirección de Reinhard Heydrich. Dicho informe, declarado "secreto", se titulaba: "El régimen de las asociaciones cató-

---

35 SD = *Sicherheitsdienst* = Servicio de Seguridad. (N. del T.)
36 Archivo del Estado, Coblenza, sección 403, N.o 1684. Los *Thingstätten* eran los lugares de reunión de los antiguos germanos. Del mismo modo, los nacionalsocialistas erigieron Thingstäatten en los diversos distritos de su organización partidaria. En el distrito de Coblenza-Tréveris (posteriormente "Moselland"), delante del castillo de Coblenza; en el distrito de Hessen-Nassau, sobre el Loreley. (N. del T.)
37 Ver nota 1, Introducción. (N. del T.)

licas: organización de las asociaciones católicas para adultos"[38]. Su finalidad era informar a un limitado círculo de dirigentes del Partido y funcionarios del Estado sobre las metas, miembros y actividades de las asociaciones y grupos católicos; en este caso, sobre las organizaciones para adultos.

El informe sobre el Movimiento Apostólico, al que ocasionalmente se refieren también como "Schönstattbund"[39], se encuentra en cuarto lugar en el primer grupo de "las asociaciones de las cuatro categorías naturales, jóvenes, hombres, muchachas y mujeres": después de "Apostolado de los Hombres", "Congregación Mariana de Hombres", "Asociación Central de Mujeres Católicas y Agrupación de Madres".

Respecto de la mayoría de las asociaciones, el informe especial indica los nombres de los responsables, la dirección de la sede y, en lo posible, el número de sus miembros. Sin embargo, una serie de organizaciones se describen detalladamente en fichas con datos muy minuciosos. La Congregación Mariana de Hombres, por ejemplo, del total de 67 que contiene el informe, ocupa las páginas 3 a la 9; la Asociación Central de Mujeres Católicas y la Agrupación de Madres, las páginas 9 a la 12; la Asociación del Reich de la Agrupación de Trabajadores Católicos de Alemania, con la Internacional Católica de Trabajadores y la Unión Internacional y Social de Estudiantes, de la 18 a la 30.

El Movimiento de Schoenstatt se encuentra entre las organizaciones con ficha detallada. La Dirección Superior de Seguridad dedicó cinco páginas, de la 13 a la 17, exclusivamente a describirlo. Es evidente que no se puede esperar una relación imparcial de esta descripción, ya que el objetivo era caracterizar a Schoenstatt como una organización contraria al espíritu y objetivos de la "nueva" Alemania,

---

38   Archivo Federal de Coblenza R 58/231. El "informe especial" fue publicado por primera vez por el autor, con una detallada introducción, bajo el título *Schönstatt im Urteil des Sicherheitsdienstes der SS*, (Schoenstatt según el juicio del Servicio de Seguridad del SS). Cf. Bonerach, Berichte (Informes), pp. 152-195, el párrafo sobre Schoenstatt en pp. 159-162.
39   Equivalente a Liga schoenstattiana. (N. del T.)

Mujeres peregrinan desde Coblenza a Schoenstatt.

es decir, la Alemania dominada por el partido nazi, y, por lo mismo, sumamente peligrosa para ellos: "La Dirección Superior de Seguridad llama la atención sobre el peligro que representa el Movimiento de Schoenstatt por dos razones: 1). Porque se ha apropiado hábilmente de ideales nacionalsocialistas, como el del héroe. 2). Compitiendo con el nacionalsocialismo, pretende nada menos que la renovación de Alemania. Ya entonces, 1935, estaba al servicio de la sospechosa Acción Católica, formando cuadros de élite para ésta".

El primer cargo nos indica que los servicios secretos se daban perfecta cuenta de la diferencia entre la veneración a los héroes de la Primera Guerra Mundial, según se cultivaba en Schoenstatt, y el culto al héroe nazi. Las acusaciones contra Schoenstatt no podían ser más incriminatorias desde su punto de vista y, de hecho, en el informe especial hay muy pocas asociaciones católicas a las cuales se les atribuyera características y actividades más peligrosas para el nacionalsocialismo.

Especialmente interesante resulta que la enemistad de Schoenstatt contra el nacionalsocialismo se relacione casi exclusivamente a la persona de José Engling, el joven perteneciente a la primera generación de Schoenstatt (1914-1918), a quien el P. Kentenich describía como el "ideal clásico de un schoenstatiano". Dado que Schoenstatt ve en José Engling la personificación de sus ideales y un ejemplo que nos compromete a imitarlo, su espíritu resultaba incompatible con el de la "nueva Alemania", y por eso su influencia debía ser primero vigilada y, por último, combatida.

La Dirección Superior de Seguridad usó la biografía en dos tomos del Dr. P. Heinrich Schulte[40] como principal fuente para conocer e interpretar el pensamiento de José Engling. Naturalmente, eligieron los párrafos que les parecieron más útiles como pruebas en su contra. Los extractos de *"Omibus omnia"* fueron completados con algunas citas menos extensas de la breve biografía "José Engling, un joven héroe", de Anna Maria Weinlein[41]. La conclusión final dice así: "Ésta es, por lo tanto, la imagen del ideal cuyo espíritu debe inspirar la renovación de Alemania y su conversión al catolicismo".

El que la selección de los textos resulte muy partidaria; que a menudo las citas no se atengan exactamente al texto del original, sea del P. Schulte o del diario o cartas de Jose Engling, y que hayan unido los extractos a su conveniencia, nada de eso debe asombrarnos en un texto editado por el servicio secreto nacionalsocialista.

Este informe no sólo contiene detalles malintencionados sobre José Engling y sobre Schoenstatt, sino además errores, en buena medida atribuibles a que en 1935, y aun después, el Servicio de Seguridad no tenía información fidedigna acerca del Movimiento de Schoen-

---

40   Heinrich Schulte, *Omnibus Omnia, Lebensbild einer jugendlichen Heldenseele aus Schön-statt.Gründungstagen*, (*Omnibus Omnia*, biografía de un alma heroica y juvenil de los días de la fundación de Schoenstatt). Primera edición, tomo II, Limburg/Lahn, 1932, Segunda ed. L/L, 1937.

41   Anna Maria Weinlein, *Joseph Engling, ein jugendlicher Held* (José Engeling, un jóven héroe), Limburg/Lahn, 1933.

statt. Basta comparar la descripción que se hace de Schoenstatt en el informe especial con la de otras organizaciones católicas, para percatarse de que el Servicio de Seguridad, de alguna manera, debe haber creído que Schoenstatt era una agrupación católica distinta a las demás. La diferencia con las otras asociaciones católicas radica, fundamentalmente, en que no se le veía tan-

José Engling (primero a la izquierda) y otros jóvenes schoenstattianos, frente al santuario, en su última visita a Schoenstatt, julio 1918.

to como una organización sino más bien como una forma de vida.

En efecto, lo que mantiene unido a Schoenstatt como obra y comunidad no es una estructura convencional sino ideales compartidos y una red de vinculaciones personales y locales. Sus organizaciones son federativas y se rigen por el principio de subsidiaridad. Esto significa que la vida y actividades del Movimiento de Schoenstatt se desarrollan, en gran medida, en comunidades pequeñas que no llaman la atención, especialmente en la familia natural o en pequeños grupos estructurados de manera análoga, que se sostienen por la responsabilidad personal de sus miembros y la solidaridad recíproca.

Estas características dificultaban el conocimiento y comprensión del Movimiento de Schoenstatt a la policía secreta del Tercer Reich. Por eso, para describirlo tuvieron que recurrir a la figura de José Engling, imagen clásica del "hombre nuevo en la nueva comunidad".

Capítulo 2

LA SITUACIÓN SE AGRAVA Y SE DESATA EL CONFLICTO, 1936-1941

1. Primeros controles e interrogatorios

Después de la detallada información contenida en "informe especial" de septiembre de 1935, destinada a los departamentos competentes del Partido y del Estado, no pasó mucho tiempo antes de que la Policía Secreta apareciera en Schoenstatt, y por primera vez abiertamente. En febrero de 1936, funcionarios del cuartel de la Policía del Estado de Coblenza se presentaron en la Casa de Ejercicios de Schoenstatt a hacer una visita de inspección. Registraron las piezas de algunos padres que desarrollaban actividades en el Movimiento. Como el P. Kentenich estaba ausente –se encontraba en Speyer dando una tanda de ejercicios– no se registró la suya. Como medida de precaución, por cierto, ya en los meses de otoño, septiembre a diciembre de 1935, el P. Kentenich había enviado documentos y correspondencia a un lugar secreto en la Selva Negra.

Es muy posible que la Gestapo comenzara, en esa misma época, principios del 1936, a preparar expedientes sobre los dirigentes del movimiento de Schoenstatt. Estos documentos parecen haberse perdido para siempre. Sin embargo, en el Archivo del Servicio Internacional de Búsqueda (de personas) de la Cruz Roja de Arolsen-Waldeck, se conserva una cantidad de fichas en las cuales se mencionan los distintos expedientes con el título de sus carátulas.

El P. Albert Eise, colaborador del P. Kentenich desde la fundación de Schoenstatt en la Primera Guerra Mundial, fue uno de los primeros miembros de la dirección central de Schoenstatt cuyo nombre aparece en los expedientes de la Gestapo. La primera anotación ingresada sobre él en el cuartel de la Gestapo de Coblenza, con fecha 9 de marzo de 1936, menciona su "posición política" con las iniciales K.A., es decir, Acción Católica. El resto de la información es más bien inocua: "Contra E. no existen hechos (sic), ni desde el punto de vista moral ni político, de los cuales se infiera que no posee la confiabilidad necesaria para desempeñar una ocupación en el ámbito de la prensa alemana". Esta acotación fue hecha en el contexto del nombramiento del P. Eise como director del periódico "Reina de los Apóstoles", de las comunidades de la Liga Apostólica Schoenstattiana. El P. Eise había sido designado para esta tarea,que hasta entonces había desempeñado el P. Kentenich, porque se suponía que como soldado de una unidad de elite, varias veces condecorado en la primera Guerra Mundial, cumpliría mejor que nadie con los requisitos legales para directores de periódicos, según decreto del 4 de octubre de 1933. Pero este juicio favorable sufrió una drástica revisión el año siguiente. Una anotación de la Gestapo, del 23 de febrero de 1937, asevera que "Eise es director del periódico mensual "Reina de los Apóstoles", cuya edición de diciembre debió ser incautada por contener expresiones conducentes a suscitar dudas en el lector y una falsa impresión acerca del equipamiento militar alemán. Otros contenidos pueden ser descritos como ataques odiosos contra el Partido y el Estado. El 11.2.1937, Eise recibió una seria advertencia de parte del Ministro de Ilustración Popular y Propaganda del Reich".[42]

---

42   Quien lea atentamente la edición de diciembre de 1936 de *Reina de los Apóstoles,* se preguntará asombrado qué colaboraciones pueden haber dado pie a los reparos de la Gestapo. Tal vez podría tratarse de un artículo compuesto por párrafos de cartas de estudiantes

P.Albert Eise.

Dos años y medio después, el 26 de julio de 1939, en Stuttgart, la Gestapo sometió al padre Eise a un interrogatorio que duró más de cuatro horas. El motivo fue una serie de pláticas sobre el matrimonio y la familia que él había dado desde el 2 al 7 de mayo de ese año en la parroquia vienesa "Reina de la Paz". Como era usual en la Gestapo, inmediatamente trataron de inculparlo acusándolo de haber realizado una "salvaje campaña difamatoria" en contra del Estado, con afirmaciones como éstas: que la Iglesia iba a ser asesinada en Alemania; que los matrimonios no cristianos no podían tener valor ni estabilidad; que en los jardines infantiles estaba prohibido rezar; que el derecho a la educación de los niños correspondía primeramente, más aun, exclusivamente, a los padres, etcétera. Las respuestas y rectificaciones del padre Eise fueron tildadas, por el funcionario que las recibió, de "artes jesuíticas de tergiversación". En todo caso, las imputaciones de la Gestapo no tuvieron secuelas visibles, por el momento, para el P. Eise. En el expediente de la Gestapo del 13 de diciembre de 1936, sobre el Movimiento de Schoenstatt, su ficha individual menciona un proceso y un número de referencia, pero no dice nada sobre el contenido del mismo.

En 1937, se dedicó un expediente individual al P. Alex Menningen, expediente que, a juzgar por su ficha personal, con el tiempo llegó a ser bastante voluminoso. Un informe, ingresado el 22 de septiembre de 1937, advierte que el P. Menningen desarrolla una actividad potencialmente peligrosa para el Tercer Reich en lo concerniente al rearme: "Es asesor de los estudiantes de teología en asuntos que con-

---

que se encontraban, evidentemente, haciendo el Servicio Militar, o Trabajo del Reich, e informaban sobre sus dificultades para asistir a la misa del domingo.

ciernen al Servicio del Trabajo y al Servicio Militar. Su correspondencia fue puesta bajo vigilancia, lo cual confirmó lo dicho anteriormente".

Los problemas del P. Menningen aumentaron después de publicar una biografía de José Engling, el primer semestre de 1938, bajo el título de "Héroe de la Vida Diaria". El 17 de octubre de 1939, se informa que: "Ha publicado el libro "Héroe de la vida diaria" a fin de promover la canonización y difusión de la figura de José Engling. El libro fue prohibido". En la misma anotación se hace referencia, una vez más, a las actividades del P. Menningen como asesor espiritual de la juventud: "Es asesor espiritual de reclutas del Ejército y del Servicio del Trabajo del Reich". Al día siguiente, el 18 de octubre de 1939 –a estas alturas la Gestapo parece muy interesada en Schoenstatt– se menciona nuevamente esta actividad, pero ahora se la interpreta como colaboración con quienes pretenden eximirse del servicio militar: "Menningen ha puesto especial empeño en que se eximan del Servicio Militar los jóvenes novicios palotinos" (sic). Pocos meses antes, basándose en el tristemente célebre "Decreto del presidente del Reich para la protección del pueblo y del Estado", del 18 de febrero de 1933, en virtud del cual se dio a Hitler dominio sobre el pueblo alemán, aun antes de la ley de plenos poderes del 24 de marzo de 1934, se inició un proceso criminal contra el P. Menningen porque en el "Instituto de las señoritas inglesas" de Aschaffenburg había dado un día de retiro "sin autorización". El proceso fue suspendido por el momento.

El 27 de marzo de 1940, la Gestapo descubrió que el P. Menningen había escrito y publicado el libro "Fue hallado fiel", título que sonaba inofensivo pero bajo el cual se ocultaba "una versión abreviada del libro prohibido 'Héroe en la vida diaria', que con el número 1066 está incluido en la lista de libros dañinos e indeseables". La Gestapo de Coblenza, evidentemente, solicitó a la Dirección Superior de Seguridad de Reich en Berlín la prohibición del libro "Fue hallado fiel", pues a continuación se lee: "Confiscado y retirado de circulación". Exactamente catorce días después, la Dirección Superior de Seguridad pidió al cuartel de la Policía del Estado de Coblenza un informe sobre el P. Menningen, pues supieron que había dado cursos de formación en la capital yugoeslava. Desgraciadamente, del informe de la Gestapo de Coblenza que, según puede presumirse, ha de haber sido muy interesante, no se ha conservado copia. Después de esta comunicación, no hay más anotaciones de la Gestapo sobre el P. Menningen hasta el 28 de agosto de 1943. En-

P. Alex Menningen.

tretanto, el P. Menningen fue designado secretario general, en Hamburgo, de la Asociación san Rafael, desempeñando así un puesto que aun lo puso más estrechamente bajo la vigilancia de la Gestapo, porque esa asociación gestionaba la emigración de los católicos llamados "no arios", es decir, católicos de ascendencia judía.[43]

Su regreso al distrito de Coblenza parece importante para la Gestapo pues tomó nota de ello: "El 28.7.1943, viniendo de Hamburgo, Michaelstr, 7, dio aviso de su llegada en Lonning, distrito de Mayen". De un informe del 27 de junio de 1944, se infiere que su correspondencia estaba siendo interceptada. Sin embargo, esta medida de la Gestapo no arrojó nada: "No se capturó material incriminatorio". En esta época del Movimiento de Schoenstatt, las comunicaciones que pudieran constituir "material incriminatorio" ya no eran despachadas vía correo estatal sino a través de un sistema propio de información.

---

43   Sobre la actividad del P. Menningen como secretario general de la Asociación san Rafael, véase el trabajo de Lutz-Eugen Reutter, *Die Katolische Kirche als Fluchthelfer im Dritten Reich. Die Betreuung von Auswandereren durch den St. Raphael Verein.* (La ayuda de la Iglesia Católica a los fugitivos durante el Tercer Reich. El socorro a los emigrantes a través de la Asociación san Rafael), Hamburgo, 1971.

La primera comunidad perteneciente a Schoenstatt que tuvo que vérselas con la Gestapo fue la del Apostolado de los Enfermos. Dado que sus miembros, a causa de sus dolencias, poco podían ir a Schoenstatt o asistir con frecuencia a reuniones de grupo, dependían especialmente del intercambio epistolar. Con este objeto, la dirección del Movimiento, entre otras cosas, editaba una circular que aparecía todos los meses. El 10 de diciembre de 1938, el primer informe tiene fecha 14 de diciembre de 1938, aparecieron dos hombres de la Gestapo en la casa de la directora del Apostolado de los Enfermos. Exigieron, antes que nada, un listado de sus miembros. Con presencia de ánimo y valor, la directora les pasó una lista de personas fallecidas. Dos días después tuvo que ir a un interrogatorio en la calle del Canto del Pájaro. Al día siguiente recibió una nueva citación por correo. Entretanto, en sus viajes desde y hacia Coblenza, se dio cuenta de que la seguían. Como resultado del interrogatorio, la Gestapo prohibió la edición de los boletines del Apostolado de los Enfermos bajo amenaza de una multa de 1.000 marcos o medio año de cárcel. El policía del pueblo donde vivía la directora y donde estaba también la secretaría, recibió el encargo de confiscar el rodillo de la máquina copiadora que se usaba para confeccionar los boletines. Como era un buen hombre, cumplió la orden pero no remitió el rodillo a Coblenza sino que lo conservó durante un tiempo en su casa, y cuando las cosas se aquietaron, lo devolvió a su dueña. Los boletines pudieron aparecer de nuevo, pero en adelante no fueron enviados por correo sino a través de los miembros y grupos de la juventud femenina de Schoenstatt en toda Alemania, y remitidos a sus direcciones.[44]

La estrecha vigilancia y creciente coacción contra el Movimiento de Schoenstatt que se inició en el año 1936, reflejan el incremento y agudización de la lucha contra la Iglesia en todos los ámbitos. La estructuración de las fuerzas policiales represivas estuvo a cargo de

---

44   Conversación con la señorita Margarete Jansen, el 1 de abril de 1938.

Miembros de la SS. Al frente, Heinrich Himmler, detrás, Reinhard Heydrich.

Himmler y Heydrich. El 17 de junio de 1936, Himmler fue nombrado Jefe de la Policía Alemana en el Ministerio del Interior del Reich; pocos días después, el 26 de junio, él nombró a Heydrich "Jefe de la Policía de Seguridad". El término "en el Ministerio del Interior del Reich" no significaba que Himmler, ni Heydrich, estuvieran subordinados al Ministro del Interior. Tampoco los distintos departamentos menores de la administración interna podían dar órdenes a la Gestapo o al Servicio de Seguridad. Al respecto, es significativo que el 29 de abril de 1935, el Ministro del Interior del Reich y de Prusia aún tenía el poder necesario para dictar un decreto que hacía depender de la aprobación del Ministro toda orden de prisión preventiva[45] de un clérigo, "excepto en casos en que el arresto inmediato sea absoluta-

---

45   Ver nota 99. (N. del T.)

mente necesario para la protección del detenido o para la seguridad y el orden públicos".[46]

El decreto fue reiterado, y no sin razón, el 1º de julio de 1935[47], pero anulado sin más trámite por otro del 25 de enero de 1938[48]. Himmler y Heydrich podían actuar a su arbitrio, prácticamente sin limitaciones, por encima de la administración regular y de la delegación judicial[49]. Ellos tenían su Estado dentro del Estado, el "Estado SS", como lo ha descrito Eugen Kogon.

Cuando el 1º de septiembre de 1938 estalló la Segunda Guerra Mundial y el nacionalsocialismo pudo proceder con más dureza que nunca, la lucha contra la Iglesia entró también a una etapa más intensa. Las policías secretas de la Gestapo y del Servicio de Seguridad, hasta entonces separadas, fueron reunidas bajo una jefatura común recién creada: la Dirección Superior de Seguridad del Reich (RSHA), a cuya cabeza, en adelante y hasta su muerte, el 4 de junio de 1942, estuvo Reinhard Heydrich, y después Ernst Kaltenbrunner.

La guerra les dio suficientes pretextos para restringir las actividades de las iglesias y para proceder contra personas e instituciones catalogadas como "enemigas del Estado". Esta presión aumentó especialmente durante la primera mitad de la guerra, cuando el ejército alemán logró victorias espectaculares cuyo brillo permitió a Hitler, Himmler y sus seguidores, poner en marcha siniestras medidas largamente planeadas, como la "solución final del problema judío".

A raíz del comienzo de la guerra, las inspecciones a Schoenstatt se hicieron más frecuentes y más estrictas. En la primavera de 1940,

---

46 *Archivo del Estado*, Coblenza, párrafo 403, No. 1648, p. 923.

47 Ibíd., p. 925.

48 Ibíd. Los dos decretos mencionados del Ministerio del Interior del Reich y de Prusia, están tarjados con una raya azul en el Archivo del Estado en Coblenza. Tienen una anotación que dice: "Anulado por decreto del 25.1.38. A VIII 91/38".

49 Friedrich Zipfel, *Kirchenkampf,* (La Lucha de las Iglesias), p. 144ss.

se produjo un primer encarcelamiento: el P. Joseph Fischer, asesor espiritual de los peregrinos que visitaban el Santuario de la Madre tres veces Admirable, fue detenido el 1° de marzo y enviado a la cárcel en Frankfurt pero, siete semanas después fue dejado en libertad gracias a la amnistía decretada el 20 de abril para conmemorar el día del nacimiento de Hitler.

Casi medio año después, se produjo otra intervención de la Gestapo: la Dirección Superior de Seguridad del Reich prohibió al padre Franz Reinisch, quien desde noviembre de 1938 se desempeñaba como asesor espiritual en la central del Movimiento de Schoenstatt, disertar y predicar en el Reich alemán. Esto se debió a unas conferencias que había dado, el 3 de abril de 1940, a grupos de adultos y de juventud masculina del Movimiento, en Winzeln, Würtenburg.

2. Conflictos por las propiedades de los Padres Palotinos en Schoenstatt

El conflicto entre el nacionalsocialismo y Schoenstatt, sin embargo, no se limitó a los miembros y comunidades de la Obra de Schoenstatt sino que también se extendió al lugar, en la provincia palotina del norte de Alemania, en Limburgo junto al Lahn. Con el tiempo, la Gestapo se dio cuenta de que el lugar de Schoenstatt, con sus distintas casas dedicadas a asuntos religiosos, especialmente el santuario de la Madre tres veces Admirable, desempeñaba un papel único en la vida y fuerza vital del Movimiento.

El primer golpe contra las propiedades ubicadas en Schoenstatt ocurrió en los meses de otoño, septiembre a diciembre de 1938. El 9 de octubre, la dirección del colegio e internado de los Padres Palotinos fue notificada que, como dicho colegio no se consideraba necesario, a partir del 1° de abril de 1939 debía cerrar sus puertas. Esta medida respondía a una política de eliminación de colegios católicos privados en general y, especialmente, de los seminarios y noviciados[50]. Los últimos estudiantes abandonaron el colegio en marzo de 1939.

Si bien en un principio existió la esperanza de poder dedicar la casa a otro uso religioso, pronto, en la Semana Santa del mismo año, los Padres Palotinos recibieron una información diferente: cuando una comisión de la gobernación del distrito de Coblenza revisó la casa, la encontró adecuada para albergar un establecimiento nacionalsocialista de profesores, apreciación que envió a sus superiores en Berlín. Al poco tiempo recibió orden de arrendarla, y en caso de que los propietarios se negaran, iniciar un procedimiento de expropiación.

Ante esta forzosa disyuntiva, los Padres Palotinos se decidieron por el arriendo, que se formalizó justamente en el día 19 de abril de 1939, vigésimo quinto aniversario de la fundación de la Congregación Mariana en el colegio e internado. La casa debía ser traspasada a sus nuevos usuarios el día 1° de mayo. El 19 de mayo ingresaron los primeros alumnos del nuevo establecimiento de formación de profesores. La apertura solemne se celebró el 25 de mayo. El jefe del NSDAP[51] del distrito de Coblenza, Claussen, aprovechó la oportunidad para manifestar su satisfacción de que en los espacios de un colegio conventual con espíritu medieval "se hubiese introducido un nuevo espíritu, más sano... gracias a una juventud alemana vigorosa y optimista"[52]. A partir de esa fecha, la bandera con la svástica ondeó en un mástil ubicado al lado del patio del colegio que daba hacia el Santuario de la Madre tres veces Admirable. Otra bandera con la svástica cubría una imagen en relieve de la Santísima Virgen, sobre la entrada principal del lado este[53]. Era de temer que a este golpe si-

---

50   Una circular de la Gestapo del 11 de febrero de 1936 "a todas las oficinas de la policía del Estado y a las Policías Políticas de los Estados no prusianos" afirma que "la actitud política frente al Estado de los seminarios y noviciados de sacerdotes católicos es enteramente negativa". Archivo Federal, Coblenza R. 58/266.

51   Partido Nacionalsocialista de los Trabajadores. (N. del T.).

52   *Nationalblatt* (Noticiero nacional), viernes 26 de mayo, 1939, p. 5.

53   Ibid, miércoles 24 de mayo, 2939, p.6.

"Bundesheim". Casa de ejercicios.

guieran otros destinados a restringir y neutralizar la vida y la labor escolar de Schoenstatt. En un principio, quisieron incluir en el arriendo el edificio del Wasserburg[54], detrás del santuario, en el valle, para usarlo como casa habitación para los miembros del cuerpo docente, pero desistieron en vista de que requería demasiadas modificaciones. Mucho más que Wasserburg, la *"Bundesheim"*[55], Casa de Ejercicios situada frente al colegio e internado, despertó la codicia de los nuevos dueños del poder. Su clausura habría restringido considerablemente las actividades del Movimiento de Schoenstatt, sobre todo porque los sacerdotes que allí vivían, incluido el P. Kentenich, también habrían tenido que abandonar la Casa.

Este peligro se descartó por un tiempo, pues al comienzo de la Segunda Guerra Mundial, la Casa de Ejercicios había sido destinada

---

54   Edificio en donde alojaban los internos de los cursos menores. (N. del T.)
55   *Bundesheim*, Casa de la Federación. (N. del T.)

a servir de albergue al seminario diocesano en caso de que la ciudad de Treveris, cercana a la frontera, tuviera que ser evacuada. Si bien esto no sucedió, el vicariato general del obispado de Tréveris instaló allí un archivo con los registros de bautizos, matrimonios y defunciones de las parroquias de las diócesis situadas en la frontera con Francia. En sus recintos también se guardaron valiosos paramentos y objetos de arte provenientes de las zonas limítrofes directamente amenazadas por la guerra. Esta utilización de la Casa ofreció, por el momento, cierta protección.

La tregua terminó después de la campaña contra Francia y el armisticio de Compiègne, el 22 de junio de 1940. El archivo eclesiástico volvió a Trevéris en los días 17 y 18 de agosto y las parroquias evacuadas ya se habían llevado sus objetos artísticos a sus lugares de origen, en el interior de Alemania. El 24 de noviembre, funcionarios de la Gestapo se presentaron tres veces seguidas en la dirección de Movimiento de Schoenstatt, en la Casa de Ejercicios. Su interés principal pareció centrarse en la secretaría, cuyos libros hojearon una y otra vez, y finalmente se los llevaron a Coblenza. Que estaban tramando algo más, se hizo evidente poco después, cuando el 10 de diciembre llegó una orden prohibiendo dar cursos y jornadas para laicos, en el futuro. El peligro era muy grande. La casa no podía ser usada con eficiencia sólo para ejercicios y jornadas para sacerdotes. Si no se le daba otro uso, había que contar con una confiscación o expropiación. Primero surgió la idea de interesar a la administración de la ciudad de Vallendar, con la cual se mantenían muy buenas relaciones. En Navidad se conversó con el alcalde, quien propuso que fuera arrendada por la ciudad de Vallendar para convertirla en sanatorio. Se manifestó de acuerdo con que los sacerdotes de la Casa pudieran seguir viviendo allí y con que el manejo económico de ella permaneciera, como hasta ese momento, en manos de las Hermanas de María. Pero, por muy bien intencionada que hubiese sido esta propuesta, encontró poca aceptación entre los responsables de los asuntos de Schoenstatt.

Entretanto, pareció que las tensiones comenzaban a disminuir. El 8 de enero de 1941, llegó una comunicación que modificaba la prohibición total de dar cursos para laicos: se restablecían los ejercicios para mayores de 18 años, a condición de no interferir con los trabajos requeridos por la economía de guerra. No obstante, desde otro lado, llegó una señal de peligro.

El 6 de enero, fiesta de la Epifanía del Señor, el gobernador de Coblenza preguntó a la sede provincial de los palotinos de Limburgo si habían sostenido conversaciones y con quién, respecto de una venta o arriendo de la Casa de Ejercicios de Schoenstatt. Es altamente probable que el gobernador hubiese husmeado algo sobre las conversaciones con el alcalde de Vallendar. En Schoenstatt se supo, a su vez, que la administración del distrito de Coblenza pensaba instalar en ella un gran establecimiento educacional. Algunos miembros del Partido de Vallendar, por su parte, esparcieron el rumor de que la organización dedicada a la asistencia social nacionalsocialista quería reclamar la Casa de Ejercicios para convertirla en casa de reposo para madres.

Pero el mismo 6 de enero, cuando la gobernación de Coblenza hacía averiguaciones en la sede provincial de los palotinos en Limburgo, una delegación del Comando XII del Ejército en Wiesbaden inspeccionó la casa de ejercicios para ver si podía ocuparla como hospital. El 2 de enero, unas Hermanas de María habían ido a Wiesbaden a conversar con el médico jefe a fin de recomendarle la casa de Schoenstatt para ese fin. Se sabía que en ese momento, medio año después del fin de la campaña en el frente occidental y medio antes del comienzo de la guerra contra la Unión Soviética, los militares necesitaban hospitales. Como el plan era osado pues las Hermanas esperaban ayuda contra la Gestapo y el Partido, inicialmente temieron que no resultara. Pero el 17 de enero, cuando fueron nuevamente a Wiesbaden, a visitar al médico jefe, se enteraron que de que éste aceptaba recibir la Casa de Ejercicios. A mediados de marzo llegó un comando de sanidad, y el 25 del mismo mes, en la fiesta de la Anunciación a María, llegaron los primeros pacientes, soldados que venían de Scharlach. De esa manera, la Casa quedó protegida contra su incautación por parte de la Gestapo y el Partido. La administración de sanidad del Ejército permitió que los sacerdotes y las Hermanas vivieran en los espacios que habían ocupado hasta entonces. Entre ellos se encontraba el P. Kentenich.[56]

3. El informe secreto de la Gestapo de Fulda

A más tardar desde noviembre de 1939, la Gestapo estaba en posesión de un informe secreto bastante extenso que proporcionaba abundante información sobre el Movimiento de Schoenstatt. El informe, que llevaba un timbre que decía "Información secreta del Reich", fue elaborado por la Gestapo de Fulda y enviado, el 17 de noviembre de 1939, a la Dirección Superior de Seguridad del Reich. Al analizar los datos de este informe, no es posible evitar la impresión de que éstos les fueron entregados por personas que conocían muy bien el Movimiento, tal vez estudiantes de teología que se pasaron a la Gestapo, que ciertamente los hubo. El informe tiene 17 páginas escritas a máquina y se titula: "El Movimiento de Schoenstatt y su influencia en la diócesis de Fulda". Contiene los siguientes temas:

a) Historia.

b) La estructura externa.

c) Las fuerzas internas.

d) La situación actual.

e) El Movimiento de Schoenstatt en la diócesis de Fulda[57].

---

56 La información sobre las disputas por la Casa de Ejercicios se obtuvieron mayormente de los apuntes de las crónicas del Vicario Heinrich Kaiser.

57 Esta relación se basa en la copia de un informe del cuartel de la Policía del Estado de Fulda. Agradecemos cordialmente al señor W. Hartung, de Zirkenbach, cerca de Fulda, la posibilidad de consultarlo.

No podemos entrar aquí en todo el informe y sus numerosos detalles; sólo destacaremos los puntos que tratan sus apartados.

La historia del Movimiento de Schoenstatt empieza con un análisis que el P. Kentenich hace de la época actual, según el cual "las manifestaciones de nuestra vida cultural" muestran "un descenso moral y una decadencia que va en constante aumento". Sigue con una descripción de los esfuerzos de san Vicente Pallotti por fundar un "apostolado católico", que constituye una suerte de preludio a la Acción Católica anunciada por Pío XI. Después se describe el proceso de fundación del Movimiento de Schoenstatt y se lo vincula, acertadamente, con el Santuario de la Madre tres veces Admirable de Schoenstatt: desde allí, por intercesión de la Virgen María, brotaría una "corriente de gracias y la renovación religiosa y moral del mundo", según la misión que anunció el P. Kentenich, como asesor espiritual de la Congregación Mariana de estudiantes del colegio e internado de Schoenstatt.

Al describir la organización del Movimiento de Schoenstatt, se recalca ante todo la "perspicaz adaptación" a las circunstancias externas y, en cuanto a la organización del Movimiento, el "sistema de grupos". Destaca, además, la red de vinculaciones personales y los controles, y el compromiso de los miembros de la Federación Apostólica de practicar "un apostolado permanente en el ámbito de sus trabajos".

En cuanto a la descripción de las "fuerzas internas" del Movimiento, en primer lugar se resumen diversos puntos que debieron parecerles especialmente significativos. Por ejemplo, en la página cinco, dice: "Lo fundamental de Schoenstatt es que con su libertad y elasticidad en materia de organización y su gran capacidad de adaptación a las circunstancias externas, el Movimiento de Schoenstatt pretende hacer realidad lo esencial de la antigua idea de las Órdenes religiosas católicas, pero sin aquello que, hasta ahora, ha constituido la *forma* de estas Órdenes. Quiere despertar su espíritu, aunque sin establecer vínculos por medio de votos. Por eso, Schoenstatt no se muestra como una organización, liga o asociación, sino... como un Movimiento educacional *ascético* que trata de realizar la exigencia total, histórica y dogmática del cristianismo con el más alto grado de compromiso". Evidentemente, Schoenstatt aparece, ante los ojos de la Dirección Superior de Seguridad, como una empresa católica que competía con el NSDAP[58]. Otra frase del informe tiende a confirmar esta impresión: "Llama la atención en el Movimiento una fe francamente ciega en su vocación y una conciencia de misión desarrollada en forma extraordinariamente vigorosa...".

El apartado sobre la situación actual empieza diciendo: "Parte de la esencia del Movimiento es llevar una existencia de catacumbas". En las explicaciones sobre la Federación, se subrayan expresiones tales como "comunidad de dirigentes", "selección," "jamás un movimiento de masas", "columnas del Movimiento". Se enumeran ocho comunidades que lo integran:

1. Sacerdotes.
2. Teólogos[59].
3. Estudiantes secundarios.
4. Juventud masculina.
5. Grupos de hombres adultos.
6. Grupos de profesores.
7. Juventud femenina.
8. Instituto de las Hermanas de María.

En este apartado se dedica también una página a los escritos de Schoenstatt. Nuevamente se destaca la disciplina de los schoenstatianos. El informe deja constancia de que, según una fuente confidencial, el P. Menningen estaba preparando una nueva biografía de José

---

58   Ver nota 44. (N. del T.)
59   Estudiantes de teología. En Alemania se llama simplemente "teólogos" a los que realizan estos estudios como parte de su formación sacerdotal. (N. del T.)

Engling con el título de *"Fue hallado fiel"*, que reemplazaría al libro prohibido *"Héroe de la vida diaria"*.[60]

En cuanto a los dirigentes del Movimiento, se nombra a las siguientes personas: El P. Kentenich, director de la central de Schoenstatt; el P. Menningen, entonces transitoriamente ocupado en Fulda; y (para la diócesis de Fulda) al Dr. P. Hermann Schmidt[61]. Se menciona especialmente al P. Hufman, de Olpe, Westfalia, encargado de la dirección de los grupos de teólogos[62] schoenstatianos, quien "visita constantemente las distintas facultades de teología para activar el Movimiento entre sus estudiantes"[63].

El informe muestra especial animosidad en contra del padre Menningen. Dice que es considerado "el verdadero táctico, el mejor y más perspicaz del Movimiento; que tiene especial habilidad para mantenerse, por principio, en segundo plano y dejar a otros los cargos oficiales". Menciona también su pseudónimo de escritor: Hermann Löhrbach.

---

60   Ver capítulo II, 1.
61   El P. Dr. Hermann Schmidt nació en 1885 y murió en 1962. En 1921 se hizo miembro de la Federación Apostólica. En 1924 fue ordenado sacerdote. Entre otros cargos, fue director del internado para niños de Heiligenstadt, Eichsfeld. Antes de la Segunda Guerra Mundial y durante ella, trabajó como canónigo de la catedral de Fulda en la superación espiritual del nacionalsocialismo. Después de la guerra, durante varios años, fue párroco de la iglesia parroquial de la ciudad de Fulda; posteriormente, fue capitular de la catedral y director de la pastoral en esa diócesis. Publicó varios libros de teología, entre otros, *Organische Aszese* (Ascética orgánica), 1938; *Geboren im Vatergott* (Cobijado en Dios Padre), 1949; *Am Brunnquell des Lebens* (En el manantial de la vida), 1952; *Brückenschlag zwischen den Konfessionen* (Un puente entre las confesiones), 1953; *Irrweg oder Heilsweg. Eine apologie der marianischen Frömmigkeit*, (El camino equivocado o el camino de la salvación. Una apología de la piedad mariana), 1954; *Wer hat den wahren Glauben? Die wichtigsten katolischen und protestantischen Unterscheidungslehre im Zeugnis der Offenbarung* (¿Quién tiene la verdadera fe? Las más importantes diferencias doctrinarias católicas y protestantes según el testimonio de la revelación), 1955.
62   Ver nota 59. (N. del T).
63   El P. Dr Karl Hufman nació en 1905 y murió en 1943. En 1921 se hizo miembro de la Sociedad del Apostolado Católico (palotinos). Fue ordenado sacerdote en 1933. Profesor en el noviciado de la Sociedad en Olpe, Sauerland. Desde 1941, maestro de novicios. Se dedicó con incansable entrega al servicio de la Madre tres veces Admirable en los grupos de teólogos schoenstatianos (ver nota 18 anterior), en los seminarios y facultades de teología.

La relación de las actividades del Movimiento de Schoenstatt en la diócesis de Fulda consta de dos partes: 1) Intenta demostrar, cosa que no logra hacer la Gestapo, que el Movimiento de Schoenstatt "estaba a punto" de llevar a cabo las ideas de Schoenstatt en toda la diócesis como resultado de una política personal, extraordinariamente hábil del palotino Alexander Menningen. 2) Denuncia a un grupo de Hermanas de María, cuya actividad en una parroquia de la diócesis era, desde hacía años, "una piedra en el zapato" para los jefes del Partido de esa zona.

La afirmación básica de la primera parte, que Schoenstatt, por así decirlo, estaba a punto de apoderarse de la diócesis de Fulda, es un montaje sumamente impreciso que deja la impresión de ser fruto de una cierta *invidia clericalis*. Era cierto que el P. Menningen, después de ser designado a Fulda, mantuvo vínculos con sacerdotes de la diócesis y que estos lazos eran obviamente más fuertes con los sacerdotes schoenstatianos, como el P. Hermann Schmidt, que entonces se desempeñaba como canónigo de la catedral y trabajaba en la sede episcopal. Pero no había ni un ápice de verdad en los planes que se le imputaban. Por lo demás, de haber existido, difícilmente hubiese podido llevarlos a cabo.

La relación que el informe hace sobre las actividades de las Hermanas de María era muy concreta y acertada en lo esencial. En realidad, más bien parece un catálogo de las más graves acusaciones, evidentemente recopiladas durante años. Se les reprocha ejercer gran influencia en las familias y de haber producido discordias y desavenencias "en varias familias en las que el marido es fiel al NSDAP"[64]. Que un jardín infantil abierto por la Asistencia Social Nacionalsocialista (NSU) en 1934, un año después no pudo abrir en la época de las cosechas porque, en ese lapso, las Hermanas habían abierto su propio jardín infantil católico, y lograron convencer a la mayoría de las ma-

---

64   Ver nota 51. (N. del T.)

Hermanas de María y niños del Jardín Infantil.

dres de que "la salud espiritual de los niños católicos quedaba extremadamente amenazada bajo el cuidado de una asistente de la NSU". Además, a través del jardín infantil, las Hermanas realizaban un "trabajo planificado entre los habitantes de la vecindad".

"A los niños –siguen las acusaciones contra ellas– les cambiaron el saludo 'Heil Hitler' por 'Grüß Gott'[65]. Debido a su tenaz actividad, la vida de los grupos católicos se había fortalecido de tal manera que ya no se puede hablar de una participación popular generalizada en los actos del Partido o en la Asociación de Mujeres nacionalsocialistas". "Una de las Hermanas, que fue designada a un lugar vecino como ayudante de la parroquia, desarrolló allí una actividad similar contra el Partido. Las recolecciones para las "obras de los trabajos de in-

---

65 Saludo sin equivalente preciso en castellano. Equivaldría a decir algo así como "te saludo en nombre de Dios". Se parece a nuestro "adiós" para despedirnos. (N. del T.)

vierno" (WHW) del Partido se habían visto seriamente perjudicadas por culpa de las Hermanas. Ellas, en cambio, recibieron donaciones mucho más generosas".

Debido a su influencia, las integrantes de la Asociación de Mujeres y de la Juventud Femenina, es decir, casi todas las señoras y niñas de la parroquia, se mantuvieron alejadas de la celebración nacional del "retorno a casa" de Austria, el 18 de abril de 1938.

A raíz de las extensas denuncias, en sus dos últimas páginas el informe propone un plan para reorganizar todas las instituciones que prestaban asistencia espiritual en la diócesis de Fulda. Se habla, entre otras cosas, de instituir nuevos comités y oficinas centrales. Un comité diocesano general de asistencia espiritual, y distintos comités para los diferentes grupos de edad y estado civil de las personas. La última noticia que la Gestapo incluye en su informe para Berlín dice que el P. Menningen tiene intenciones de "transferir a Fulda la central de la dirección del Movimiento y el así llamado Santuario de la Federación de la 'Mater ter admirabilis' en caso de decretarse una prohibición que afectara a Schoenstatt". Puede que se haya conversado la posibilidad de dirigir la Obra desde Fulda en caso de no poder hacerlo desde Schoenstatt. Pero cabe decir, con plena seguridad, que ningún dirigente del Movimiento de Schoenstatt pensó en trasladar el Santuario de la Madre tres veces Admirable de Schoenstatt a otro lugar.

A las autoridades de Seguridad del Reich no les importaba si el informe proveniente de Fulda era o no fidedigno en todos sus puntos. Para ellos era importante desde un doble punto de vista: ponía de manifiesto la peligrosidad fundamental de Schoenstatt para el Partido y el Estado y aportaba información sobre actividades de las Hermanas de María, las cuales constituían pruebas concretas de esta peligrosidad.

Capítulo 3

HACIA EL PUNTO CULMINANTE

1. Preparación para el enfrentamiento con la Gestapo

Entre 1936 y 1940, la Policía Secreta tenía a Schoenstatt en la mira y trataba de acorralarlo cada vez más. Por su parte, el P. Kentenich dedicó ese tiempo a preparar su obra para el momento en que la Gestapo ya no se contentara con inspecciones e interrogatorios, advertencias e informes secretos. El medio más importante era, a su juicio, la actividad educacional y de formación, que él prosiguió con intensidad tan incansable como prudente.

Los datos estadísticos sobre los ejercicios para sacerdotes que el P. Kentenich dio en aquellos años, sirven para formarse una idea del inmenso trabajo que desarrolló en ese sentido. En 1936, participaron 915 sacerdotes en un total de 16 tandas de ejercicios; en 1937, participaron 840 en 14 cursos (incluyendo uno de cuatro semanas); en 1939, dio 14 cursos y asistieron 886 sacerdotes; y en 1940 dio 15 cursos a los que asistieron 1.050 sacerdotes. En cada uno de los años mencionados, dio cursos con bastante más de cien participantes. Por ejemplo, en 1940, al curso del 21 al 27 de enero asistieron 110 sacerdotes; al curso del 19 al 24 de agosto, 117; al del 13 al 19 de octubre, 135; y al curso del 11 al 15 de noviembre, 111 participantes. Y eso sucedió el año en que Hitler y su partido obtuvieron sus más grandes triunfos.

Otro sorprendente medio que el P. Kentenich empleó fue la publicación de una serie de libros y trabajos, considerados clásicos en Schoenstatt, ampliamente difundidos. Entre éstos se destaca *"La Santidad de la Vida Diaria"*, de la Hermana M. A. Nailis, cuya tercera edición apareció en 1937, como parte de la serie *"Del mundo espiritual de Schoenstatt"*[66]. La obra se basó en unas conferencias que el P. Kentenich había dado, unos años antes, y fue concebida como un "... manual de ascética moderna destinado al público en general" (Prólogo). No sin fundamento, se la ha caracterizado como la "Philotea del siglo XX". En un año se vendieron 25.000 ejemplares.

Si el nacionalsocialismo quiso hacer del cristianismo una expresión marginal de la vida individual y social, el objetivo de la "La Santidad de la Vida Diaria" era, como lo indica su título, ayudar a las personas a conformar su vida según el mensaje cristiano, radical e íntegro, en todos los planos, en todas sus relaciones y ámbitos, especialmente en la familia, el trabajo y la profesión.

A mediados de 1938 apareció la biografía de José Engling (varias veces mencionada), del P. Menningen, con el título *"Héroe de la Vida Diaria"*[67]. Dado que José Engling es, según el P. Kentenich, "la realización clásica de un schoenstattiano", el relato de su vida tenía y tiene gran valor, y más aún si se quiere llevar a la vida cotidiana, en toda su pureza, el ideal del "hombre nuevo en la nueva comunidad" tal como lo vivió José Engling, quien llegó a ofrecer voluntariamente su propia vida por la causa de la Santísima Virgen.

En el año 1938, Hermann Schmidt publicó su *"Ascética Orgánica"*, obra adecuada a la época y psicológicamente orientada a la "configuración religiosa de la vida"[68]. El autor la dedicó "a su maestro de ascética, José Kentenich". En el ámbito de los especialistas se

---

66   M.A.Nailis, *La santidad de la vida diaria*, Editorial de los Padres Palotinos, Limburgo, Lahn.
67   Publicado por la misma editorial anterior.
68   Publicado por la editorial de Ferdinand Schöningh, Paderborn.

la consideró una obra bien lograda y pre-
cursora. Por cierto que también suscitó
vehementes críticas.[69]

En 1939, con motivo del vigésimo
quinto aniversario de la fundación de
Schoenstatt, el P. Ferdinand Kastner edi-
tó *"Bajo la protección de María. Inves-*
tigaciones y documentos sobre los pri-
meros tiempos de Schoenstatt. 1912-
1914"[70]. Este libro está compuesto, en
su mayor parte, por conferencias dadas
por el P. Kentenich en el colegio e inter-
nado de Schoenstatt, que van desde el "Acta de Prefundación", el 27
de octubre de 1912, hasta el Acta de Fundación, el 18 de octubre de
1914. Contiene, además, notas y reflexiones sobre determinados temas, como las características del método de trabajo y educación que
empleaba el P. Kentenich; los principios educacionales fundamentales; los principios ascéticos y pastorales; el acervo de ideas religiosas
y dogmáticas que provienen en la mayoría de los casos del P. Kentenich y, en parte del editor.

Hermana M.Anette Nailis.

La importancia del libro radica en que no sólo da una amplia visión
del laboratorio educacional del P. Kentenich, del cual surgió Schoen-

---

69 En 1956 se publicó una sexta edición.
70 *Unter dem Schutze Mariens. Untersuchungen und Dokumente aus der Frühzeit Schöns-*
    tatts 1912-1014. Publicado por F. Schöningh, Paderborn. El Dr P. Ferdinand Kastner nació
    en 1896 y murió en 1962. Se contó entre los primeros alumnos del P.Kentenich, en el cole-
    gio e internado de Schoenstatt. Fue ordenado sacerdote en 1924. Trabajó desde 1931 en
    la dirección central de la Obra de Schoenstatt, especialmente para los sacerdotes del Mo-
    vimiento. Durante muchos años editó el periódico *Königin der Apostel* (Reina de los Após-
    toles). Su obra teológica y literaria abarca, además, las obras: *Marianische Christusgestal-*
    tung derWelt, (Configuración mariana del mundo en Cristo), primera edición, 1936; Ma-
    rienherrlichkeiten, (Las glorias de María), 1946; *In Erwartung des Hl. Geistes*, (A la espera
    del Espíritu Santo), 1947; *Heiliges Marienland,* (Tierra Santa de María), 1947; *Im Kraftfeld*
    des Herrn, (En el campo de atracción del Señor), 1949. Durante los últimos años de su vida
    trabajó en el Movimiento por un Mundo Mejor, del Padre Lombardi.

P. Ferdinand Kastner.

statt, sino que también ofrece la oportunidad de estudiar y vivenciar el origen e historia temprana de Schoenstatt en cuanto a historia guiada por la divina Providencia, sin duda un gran aporte para la época, especialmente si se piensa en el difícil camino que habrían de recorrer en los próximos años.

A estas cuatro obras, las publicaciones más importantes de esa época, que lograron salir a luz aun después de que la mayoría de las publicaciones periódicas del Movimiento de Schoenstatt debieron discontinuarse, se agregaron otras menores que alcanzaron, por su difusión, una eficacia quizás mayor. Cabe mencionar *"El santo de la vida diaria en la escuela de la fe en la divina Providencia"*, del P. Kastner[71], que se relaciona con "Bajo la protección de María" y que fue editada dos veces antes de la guerra. Esta obra trata de cómo, a la luz de la fe en la divina Providencia y a partir de una situación concreta, podemos descubrir la voluntad de Dios y hacer de ella nuestra pauta de conducta.

También cabe mencionar *"En las alturas del Tabor"*[72], de Anton Engel, un excelente compendio del espíritu comunitario específicamente mariano y apostólico, propio de Schoenstatt. Finalmente, *"El santo del día de trabajo en el pueblo en que vivimos"*, de Kaspar Schulte[73] y *"El santo del día de trabajo"*, de M.A Nailis[74].

De estos títulos se desprende que, en las últimas publicaciones mencionadas, se vuelve al tema de la santidad en la vida diaria, es

---

71 *Der Werktagsheilige in der Schule des Vorsehungsglaubens.* Editorial de Ferdinand Schöningh.
72 *Auf Tabors Höhen,* Editorial Ferdinand Schöningh.
73 *Neuwinder Verlagsgesellschaft,* Neuwied/Rhein.
74 *Heiliger Werktag im Dorf, Heiliger Werktag,* Neuwied/Rhein.

decir, a la configuración de la vida cotidiana a partir del espíritu y la fuerza del cristianismo. Y todo ello en una época en que
el nacionalsocialismo se preparaba para
eliminar el cristianismo de la vida diaria.

P. José Kentenich, 1933.

En esos años, la actividad del P. Kentenich se enfocaba principalmente hacia el cultivo y fortalecimiento de la vida
espiritual al interior del Movimiento de
Schoenstatt. Éste era, por tanto, el aspecto del desarrollo y formación en el que se
ponía especial énfasis, línea de acción que
se puede ver también en los lemas que orientaron el trabajo del Movimiento desde 1931. Si el lema de 1934, "Año Popular Mariano",
muestra un acento en lo apostólico, el lema "Año de formación mariana schoenstattiana", de 1935, revela un claro acento en la vida interior. Lo mismo cabe decir del lema escogido para el año 1936: "Año
de José Engling", que lleva a un primer plano la figura del "schoenstatiano clásico". Lo que hace de José Engling una personalidad clá-
sicamente schoenstatiana es que él, como ningún otro de la primera generación, se comprometió con el Schoenstatt joven que surgió
en torno al P. Kentenich, y cuyo objetivo era cumplir la misión para la
que Dios y la Santísima Virgen los habían escogido.

El lema del año 1937: "Año mariano de oración y sacrificios", siguió la misma línea de fortalecimiento de la vida interior, señalando,
a su vez, los medios y fuentes de poder y fortaleza espirituales, fundamentales e irremplazables para la Iglesia y comunidades eclesiales,
y que ahora adquirían especial importancia para Schoenstatt.

El lema de 1938: "Año de la santidad mariana de la vida diaria",
se vinculó a la publicación del libro "la Santidad de la Vida Diaria". El
de 1939: "Año de la santidad mariana y litúrgica de la vida diaria",

mantuvo el lema del año anterior, aunque indudablemente enriquecido por el acento puesto en lo litúrgico, es decir, por su relación con la obra salvífica de Cristo, sus sufrimientos, muerte y resurrección, en la cual todo cristiano está misteriosamente incluido.

El lema para 1940: "Vivir el Poder en Blanco dado a la Madre tres veces Admirable, para que nos envíe más sacerdotes schoenstatianos", contiene, junto con la idea del Poder en Blanco, un concepto que constituye la respuesta de Schoenstatt a la Segunda Guerra mundial, que ya había estallado. Al mismo tiempo, tiene el sentido de un obsequio con motivo de los 25 años de la obra de Schoenstatt. Este tema será abordado más adelante y con mayores detalles.

El 1941, año del encarcelamiento del P. Kentenich, el lema, expresado por primera vez en latín, llama a una entrega vital a Cristo, el Rey, y a María, quien reina junto a Cristo en su reino de verdad y amor: *"Omnia opera mea Regi et Reginae nostrae in regno veritatis et caritatis"*. Este lema se relaciona con los ejercicios dados en la primera mitad del año, en los cuales el P. Kentenich trató el tema del Apocalipsis, oponiendo el reino de Cristo, que para el P. Kentenich es también, según los planes de Dios, siempre y al mismo tiempo el reino de María, el reino diabólico y ahora triunfante de Hitler.

Tal como los lemas anuales, los ejercicios se focalizan en el desarrollo de la vida interior, lo que más interesaba al P. Kentenich. En cuatro cursos planteó los siguientes temas: *"El hombre heroico"*, en 1937; *"Nuestro carácter de hijos de Dios; Ser niños frente a Dios"*, que dio primero a las Hermanas de María y, en años siguientes, también a sacerdotes; "El sacerdote apocalíptico" y *"El sacerdote mariano"*, ambos en el año 1941.

Con el tema del "hombre heroico", el P. Kentenich da una señal inequívoca que apunta hacia una época de duras pruebas y luchas, las cuales sólo podrían ser resistidas por personas que adoptaran el heroísmo como norma y actitud fundamental, y que se ejercitaran en ello. Una vez más podemos ver que el P. Kentenich, al formular el ideal del "hombre heroico", recogió un término cuidadosamente cultivado y muy destacado por la propaganda enemiga, con el fin de movilizar al pueblo alemán. Cuán diferente, por cierto, y diferente en lo esencial, era el "hombre heroico" al que se refería el P. Kentenich. Durante los años siguientes abordó este tema en los ejercicios sobre nuestro carácter de hijos de Dios, de ser niños frente a Dios.

En estos ejercicios, que se pueden contar entre los más importantes, el P. Kentenich destaca dos temas: 1) La superación del existencialismo, que entonces comenzaba a captar cada vez más gente, con su concepción del hombre y del mundo limitada a lo meramente terrenal. El resultado de esta visión del mundo es un sentimiento de la existencia que oscila entre el heroísmo trágico y una angustia que todo lo remece. 2) El segundo tema es el redescubrimiento y revitalización del ser niños frente a Dios y, por tanto, verlo como un Padre. Es decir, la filialidad como categoría fundamental del mensaje de Cristo y de la existencia cristiana.

En la pérdida de esta conciencia de ser hijos y de que Dios es nuestro padre, el P. Kentenich veía, y con razón, la carencia decisiva de nuestra época. Por eso, con Pestalozzi[75], decía que la mayor desgracia de la humanidad actual era la pérdida de lo que realmente significa ser niño, "porque entonces la actividad educadora de Dios se

---

75 Johann Heinrich Pestalozzi, pedagogo suizo (Zurich 12 de enero de 1746-17 de febrero de 1827), fue uno de los primeros pensadores que podemos considerar pedagogo en el sentido moderno del término. Algunos de sus aportes más importantes son su concepto de educación orientada al pleno desarrollo de las capacidades humanas: "La humanización del hombre es el fin de la educación". Algunas de sus ideas: señaló como vital el desenvolvimiento del niño en sus primeros momentos con la familia, en especial con la madre, y luego su inserción social en la escuela, que concebía para todos los niños especialmente los más pobres. Le dio importancia a la afectividad desde el mismo momento del nacimiento del niño. El educador no es concebido como una figura autoritaria; en este sentido, el docente debía estar al servicio de las necesidades del alumno y tener una confianza muy grande en las capacidades del niño.

hace imposible". Con Rabindranath Tagore, el sabio hindú, él sacaba la siguiente conclusión: "Dios quiere que con santa sabiduría reconquistemos nuestra condición de niños".

Esta capacidad de hacerse niño frente a Dios Padre era, según el P. Kentenich, especialmente importante para superar las difíciles circunstancias históricas que les tocaba vivir. El heroísmo capaz de resistir las pruebas que se veían venir, no podía ser, según él, inducido artificialmente por la propaganda nacionalsocialista ni por el escéptico y desesperanzado existencialismo. Sólo era posible en aquellos que vivieran la filialidad heroica del cristiano, que extrae su fuerza de la fe en la paternidad de Dios, en su bondad, sabiduría y poder que todo lo abarcan. Con igual claridad veía que era justamente el hombre que vivía sin esta fe, y de ahí su angustia existencial, el que estaba más indefenso frente a los poderes y la manipulación de la dictadura, el que caía con mayor facilidad víctima de su yugo. El redescubrimiento, el despertar y fomento de la conciencia de ser hijos de Dios fueron la mejor armadura que obsequió a su obra de Schoenstatt en la etapa más difícil de la dominación nacionalsocialista. Y de ello encontramos muchas pruebas al volver la mirada hacia atrás.

En este punto, es importante aclarar que la conciencia filial no impide, de ninguna manera, los golpes duros e incomprensibles del destino; no se trata de evadirse en la ilusión de un idilio. A veces el Padre Dios nos trata, como solía expresar gráficamente el P. Kentenich, con "guantes de hierro". Pero el hombre que vive la realidad de ser hijo y la consecuente paternidad de Dios, confía, contra todo lo que pueda sentir y contra toda apariencia, en que también en los guantes de hierro de Dios se oculta y actúa su amorosa mano de padre. El Padre Dios que proclamaba el P. Kentenich, basándose en el Nuevo Testamento, era, por lo tanto, muy diferente del "Dios bueno" de los ingenuos libros de estampas religiosas y del abuelo indulgente y que nada exige. Pero también se oponía a la teología dialéctica que concibe a Dios como el "enteramente distinto", con lo cual prácticamente niegan que Dios sea un Padre cercano, y con ello el sentido de su paternidad en la vida de los seres humanos.

Cuando el P. Kentenich dio el curso para sacerdotes sobre *"El sacerdote apocalíptico"*, Europa ya estaba profundamente sumida en la catástrofe de la Segunda Guerra Mundial. En vista de ello, se propuso iluminar proféticamente y dar significado a esa realidad terrenal que se tornaba cada vez más confusa y oscura. A la luz del Apocalipsis, libro profético con que se cierra el Nuevo Testamento, calificó el tiempo actual como tiempo apocalíptico, como un tiempo en que los poderes de Dios y del demonio luchan más abiertamente en la arena del mundo. En tales circunstancias, el demonio considera que ha llegado su momento. No obstante, siempre hay que esperar una nueva revelación del poder de Cristo y estar seguros de su triunfo.

Los tiempos apocalípticos traen consigo difíciles pruebas para la fe y fidelidad de los creyentes, porque se los sitúa ante decisiones radicales. Pero si permanecen firmes, si aceptan la voluntad de Dios y se unen a su causa, llegarán victoriosos a la casa del Padre, aunque deban pasar a través del fuego, con Cristo Rey triunfante, junto a María, su Madre, Esposa y Reina.

Como lo atestiguan algunas notas tomadas en estos ejercicios, ya entonces el P. Kentenich contaba con la posibilidad de ser enviado a un campo de concentración. Pensaba que también los participantes en este curso debían prepararse para esa eventualidad, y que estos ejercicios eran una forma de hacerlo.

El curso sobre *"El sacerdote mariano"*, que dio poco antes de ser arrestado, se centró una vez más y con gran fuerza en la Santísima Virgen. En la hora más difícil, él se mantuvo fiel a uno de los principios fundamentales de su vida y que siempre había demostrado ser válido: proclamar las glorias de María. Entonces podía esperar que ella se manifestara, poderosa y victoriosa, a través de su propia vida y obra.

En una de las pláticas del curso, se refirió a María y a su posición y misión en la obra de redención de su Hijo con tanto acierto y profundidad como pocas veces lo hizo antes o después. Fue entonces cuando acuñó la expresión, que llegó a ser clásica en Schoenstatt: "Ella ha sido designada por Dios para ser la Compañera y Colaboradora permanente de Cristo en la obra de redención"

En el contexto de la guerra, que entonces, 1941, alcanzaba su punto culminante y en medio de la persecución nazi, la jugada decisiva en la estrategia del P. Kentenich para fortalecer a la Familia y ayudarla a enfrentar el duro período de pruebas que le esperaba, fue renovar su orientación mariana y fortalecer su alianza de amor con María. Con ello señalaba la actitud fundamental que correspondía asumir al Movimiento de Schoenstatt.

2. Segunda Acta de Fundación

En preparación a los años de prueba más oscuros para el Movimiento, se enfatizaron dos corrientes de vida espiritual que le son propias: el Poder en Blanco y la Inscriptio. Lo mismo cabe decir respecto de la Segunda Acta de Fundación, del 1º de octubre de 1939, vigésimo quinto aniversario de la fundación de la Obra de Schoenstatt.

En la Familia de Schoenstatt, las corrientes derivadas del Poder en Blanco y de la Inscriptio constituyen desarrollos y esfuerzos religiosos que reciben su carácter específico y se hacen comprensibles a partir de un doble trasfondo. El primero es la realidad de ser hijo y la correspondiente paternidad de Dios, que bosquejamos anteriormente. El otro, es el principio que rige en Schoenstatt a partir de la estructura fundamental de la alianza de amor: "Nada sin ti, nada sin nosotros".

Desde el punto de vista de nuestra condición de hijos de Dios, el Poder en Blanco significa la disposición a aceptar todo lo que Dios haya decidido escribir en el itinerario de nuestra vida. La Inscriptio, palabra tomada de san Agustín, el teólogo a quien se le atribuye la

Interior del santuario de Schoenstatt, altar. (Foto 1935-1939).

definición de amor como *"Inscriptio cordis in cor"*, es decir, la mutua inscripción de corazones, indica un crecimiento en la alianza de amor según el cual no sólo se acepta la cruz, sino que, por amor, se le pide en tanto cuanto esté contemplada en el plan divino.

Según el principio que dice "Nada sin ti, nada sin nosotros," María vincula su obrar desde el Santuario a la colaboración humana, conforme al sentido y carácter de la Alianza en el Nuevo Testamento. A partir de ese principio, el Poder en Blanco y la Inscriptio significan dar especial relieve a las "contribuciones al capital de gracias" (expresión y práctica que se inicia en la fase fundacional de Schoenstatt). Pero ahora ya no se trata de ofrecer a la Virgen obras, renuncias y sacrificios dispersos, sino, en primer lugar, la entrega de la persona misma que se consagra a ella mediante el Poder en Blanco y la Inscriptio.

El P. Kentenich conducía así a la Familia de Schoenstatt por caminos que el término medio de los católicos, tanto entonces como ahora, consideran extraordinarios. Sin embargo, no existe ninguna duda de que sólo intentaba conducir por el camino de la imitación de Cristo a aquellos que le habían sido confiados en el Movimiento de Schoenstatt, para que, como solía decir, pudieran participar en "la vida de sufrimiento y en la vida glorificada del Señor".

Además, el P. Kentenich estaba profundamente convencido de que los años de guerra y de sufrimiento de la Iglesia –que superaban la capacidad humana para soportarlos– sólo podrían ser sobrellevados mediante las actitudes descritas como *"Poder en Blanco"* e *"Inscriptio"*. Por eso guió a la Familia de Schoenstatt en forma tal que, en las distintas comunidades del Movimiento surgió un clima favorable a estas formas de entrega a Dios, y muchísimas personas se decidieron vivirlas. A su juicio, era especialmente importante que, con el tiempo, al menos los dirigentes de la Obra se comprometieran con los ideales y actitudes propias del Poder en Blanco y de la Inscriptio.

El 18 de octubre de 1939, día del jubileo de los 25 años de la fundación de Schoenstatt, coincidió con el momento en que la lucha con el nacionalsocialismo entraba en su fase decisiva y más dura. Hacía algo más de cuatro semanas que había estallado la Segunda Guerra Mundial, el 1° de septiembre. El 27 de septiembre, Himmler y Heydrich habían reunido en una sola entidad, la Dirección Superior de Seguridad del Reich, las dos organizaciones encargadas de dirigir la lucha contra la Iglesia: la Policía Secreta del Estado y el Servicio de Seguridad. De los documentos existentes se desprende que justamente en los días del jubileo de plata, en estas instituciones se activan las medidas en contra de Schoenstatt.

Entretanto, la Familia de Schoenstatt celebró el jubileo con actos que se prolongaron a lo largo de toda una semana. A causa de la guerra y del incremento de la vigilancia, las celebraciones tuvieron que ser más privadas que las ceremonias que tuvieron lugar cinco años antes, cuando trajeron desde Francia los restos de Hans Wormer y Hans

Brunner. La semana del jubileo comenzó el domingo 15 de octubre y se cerró el 22 de octubre. En la primera fecha asistieron representantes de las comunidades femeninas de Schoenstatt; en la última, representantes de las ramas de hombres y de jóvenes. El domingo en que se puso fin a la celebración tuvo un carácter especial, pues el obispo de Lages (Brasil), que permanecía por unos días en Schoenstatt, consagró como subdiáconos a 18 estudiantes de teología[76] en la Iglesia de Peregrinos. La semana culminó el 18 de octubre, que en esa ocasión cayó un día miércoles. La mayoría de los participantes eran sacerdotes y Hermanas de María. En la mañana, a las 10 horas, se celebró un servicio de acción de gracias en la Iglesia de Peregrinos, en el cual predicó el canónigo de la catedral de Fulda, Hermann Schmidt. El acto más significativo del día fue una liturgia vespertina que se realizó en el Santuario de la Madre tres veces Admirable, en la cual se renovó la alianza fundacional del 18 de octubre de 1914 y la entrega del Poder en Blanco, y se dio lectura a la *"Segunda Acta de Fundación"*.

El P. Kentenich no pudo estar en Schoenstatt durante la segunda semana del jubileo porque, para esos días, había aceptado dar ejercicios espirituales en Suiza. Antes de su partida redactó un mensaje para la Familia de Schoenstatt, que tituló: *"Palabras para este momento"*. Como él equiparó este texto a la Primera Acta de Fundación; la plática del 18 de octubre de 1918, pronto se le empezó a llamar *"Segunda Acta de Fundación"*. Tanto las *"Palabras para este momento"* como el Poder en Blanco tendrían importancia fundamental en el futuro. De hecho, fueron el fundamento de la vida y del actuar de la Familia de Schoenstatt en los años siguientes, hasta el fin de la guerra y de la represión, en la primavera de 1945. Las *"Palabras para este momento"*, al considerar retrospectivamente los 25 años de la historia de Schoenstatt, enfatizan lo más esencial de la Obra: que debía su origen y conducción a la divina Providencia, quien se sirvió de la

---

76   Ver nota 18.

Santísima Virgen como su instrumento. El "Poder en Blanco" orientó a la Familia de Schoenstatt hacia esta realidad y le dio la confianza necesaria para dejarse conducir por la Providencia.

Cuando el P. Kentenich viajó a Suiza, en octubre de 1939, tenía en su maleta una copia de las *"Palabras para este momento",* que fue descubierta y retenida por la policía fronteriza, entonces una rama de la Gestapo[77]. El P. Kentenich decidió hacer imprimir inmediatamente el texto, junto con la primera Acta de Fundación, a fin de facilitar su difusión. Esto sucedió antes de que terminara el año 1939, de modo que la prohibición y confiscación del texto no pudieron lograr su objetivo[78].

El 8 de diciembre de 1939, fiesta de la Inmaculada Concepción, la comunidad de las Hermanas de María procedió a coronar la imagen de la Mater ter Admirabilis, en su Santuario. La coronación simbolizaba tres cosas: en primer lugar, agradecimiento por la conducción de la Obra desde su fundación hasta ese momento: en su experiencia, a lo largo de la historia de Schoenstatt, María se había manifestado como una reina que guía y cuida a su pueblo. En segundo lugar, la disposición, tal como se manifiesta en el Poder en Blanco del 18 de octubre, de entregarse enteramente a su conducción. Y, finalmente, la total confianza en su poder de Reina y en su victoria final.

Una mirada retrospectiva, tanto al desarrollo de Schoenstatt bajo la dirección del P. Kentenich en los años relatados hasta aquí, desde que Hitler asumió el poder, como a las medidas tomadas contra Schoenstatt en el mismo lapso, nos muestra claramente dos cosas: la evidente intención, por parte de las autoridades del Tercer Reich, de terminar con el Movimiento de Schoenstatt, y la actitud que asumió el P. Kentenich frente a esta amenaza: con gran energía y decisión

---

77 Hans Buchheim, *Die SS, Das Herrschaftsinstrument, en Anatomie des SS Staates,* 71-181.
    (El SS, instrumento de la dominación, en Anatomía del Estado del SS.)
78 En B. Warth (editor) *Von del Herrlichkeiten Mariens,* (De las glorias de María).

preparó su Obra para el momento en que la Gestapo diera el zarpazo: la Familia de Schoenstatt no sólo tenía que estar en condiciones
de resistir la dura prueba sino que, al mismo tiempo, debía recorrer la
etapa de crecimiento querida por Dios hacia la imagen que él había
concebido para ella, cuando hubiese logrado su perfecta realización.

SEGUNDA PARTE

1941-1942

Capítulo 4
PRISIONERO EN COBLENZA

I. Arrestos

Casi al mismo tiempo que comenzó la guerra contra la Unión Soviética, el verano de 1941, la Policía Secreta inició una nueva campaña contra la Iglesia Católica que, de acuerdo a un plan elaborado por el gobierno central, significó la ocupación y expropiación de monasterios en mayor medida y en forma más ostensible que antes [79]. También aumentaron considerablemente los arrestos de sacerdotes alemanes y su detención en los campos de concentración [80]. Por ejemplo, entre los sacerdotes schoenstatianos enviados a Dachau están el capellán Dresbach, el 10 de junio de 1941; el capellán Hirschfelder, el 1° de agosto de 1941; el capellán Rindermann, el 15 de septiembre de 1941; el Vicario König, el 30 de septiembre de 1941.

Del círculo de colaboradores más estrechos del P. Kentenich, el primero fue el P. Fischer, el verano de 1941. Como se dijo anteriormente, ya había estado encarcelado por algunas semanas en la primavera de 1940. Después de ser dejado en libertad el 20 de abril de 1940, se había alejado de Schoenstatt para trabajar como director espiritual en la parroquia de Groß-Stiebnitz, en Adlergebirger (Sudeten-

---

79   Friedrich Zipfel, *Kirchenkampf.* Además, Johannes Neuhäusler, *Saat des Bosen* (Semilla del mal), ofrece una reseña de los monasterios clausurados.
80   Ver en Reimund Schnabel, *Die Frommen in der Hölle,* (Los justos en el infierno), los datos correspondientes en el listado de sacerdotes encarcelados en Dachau.

P. Dresbach, arriba, y P. Fischer, Coblenza, 1941.

land) [81]. Pero la Gestapo no le quitó los ojos de encima. El 24 de marzo de 1941, fue expulsado de su parroquia debido a un conflicto con la Juventud hitleriana del lugar. Además, le prohibieron predicar en toda la región de los Sudeten. Entonces, el P. Fischer se dirigió a Coblenza-Pfaffendorf, su patria renana.

En la semana de Pascua de Resurrección participó en unos ejercicios para sacerdotes que dio el P. Kentenich en Schoenstatt. Esa misma semana acudieron funcionarios de la Gestapo a casa de sus padres para llevarlo a un interrogatorio en el cuartel de la calle Vogelsang[82]. Al primer interrogatorio siguió un segundo, pocos días después. A raíz de éste no se le permitió volver a casa y fue llevado inmediatamente a la cárcel de Coblenza.

La orden de prisión preventiva[83], que se le entregó seis semanas después, fundamentaba su arresto en los siguientes términos: "A pesar de haber estado anteriormente en prisión preventiva, intentó, mediante reiteradas opiniones corrosivas para la comunidad del pueblo nacionalsocialista, causar inquietud y agitación en amplios círculos de la población y de socavar la confianza en la conducción del Estado". La semana después de Pentecostés, el 4 de ju-

---

81   Sudetenland, territorio de la Checoeslovaquia de entonces anexado por Alemania en 1938. (N. del T.)
82   Carta del P. Fischer al autor, del 10 de mayo de 1967.
83   Ver nota 99. (N. del T.)

nio de 1941, el P. Fischer fue trasladado desde Coblenza a Dachau, donde ingresó el 6 de junio.

Luego le tocó el turno al P. Albert Eise, uno de los más estrechos colaboradores del P. Kentenich, y quien, tal como el P. Fischer, no tenía una hoja en blanco en la Gestapo. A comienzos de agosto de 1941, dirigió una jornada para treinta estudiantes del Movimiento de Schoenstatt en Coblenza. La jornada no se hizo en Schoenstatt porque, a esas alturas, era muy peligroso hacerlas allí. Para no llamar la atención en Coblenza, las participantes se hospedaron en distintos lugares de la ciudad. Como medida extra de seguridad, los actos litúrgicos, conferencias y debates se celebraban cada día en distintos lugares. No sirvió de nada. La Gestapo no los perdía nunca de vista.

Con ocasión de un paseo al Rittersturz[84], la tarde del 4 de agosto, el P. Eise reconoció a un funcionario de la Gestapo en un hombre que lo rondaba constantemente. Entonces se alejó de las estudiantes y abandonó el Rittersturz, pero no consideró necesario interrumpir la jornada. En la misma tarde, la Gestapo le echó el guante. En medio de la plática vespertina, que se realizó en la capilla del convento de Santa Bárbara, apareció un pelotón de la Gestapo: nada menos que ocho funcionarios rodearon al P. Eise y se lo llevaron. Las últimas palabras que dirigió a las estudiantes fueron: "Ahora esto se pone serio".

En el cuartel de la calle Vogelsang, lo sometieron inmediatamente a interrogatorio. Otros funcionarios de la Gestapo se llevaron a las participantes de la jornada y las interrogaron separadamente; además, les exigieron entregar sus llaves para registrar sus alojamientos y maletas. Hacia las 3:30 de la mañana siguiente, terminaron los interrogatorios. Sólo retuvieron al P. Eise.

Después de todo esto, las estudiantes creyeron innecesario mantener la precaución de no dejarse ver en gran número en Schoenstatt,

---

84   Lugar de esparcimiento cerca de Coblenza. (N. del T.)

y se pusieron en camino hacia allá. El P. Kentenich fue una de las primeras personas que encontraron, pues justamente en ese momento, se revestía en la sacristía del Santuario para celebrar misa.[85]

Durante el interrogatorio, el P. Eise se encontró en una posición bastante desfavorable. Gracias a un soplón que había logrado mezclarse entre las participantes de la jornada, la Gestapo estaba bien informada acerca de las conferencias que había dado. Además, tenía en su portadocumentos, que había caído en manos de la Gestapo, una serie de apuntes tomados en las conferencias que el P. Kentenich había dado tiempo atrás. Entre éstos estaban los apuntes tomados en julio en los ejercicios de cuatro semanas. Y estos apuntes no estaban destinados a la Gestapo, precisamente.

Mientras tanto, el fundador de Schoenstatt había podido continuar con su trabajo, no sólo tranquilo en lo personal, sino que tampoco estorbado por la Gestapo. Tiempo atrás, cuando la Gestapo comenzó a aparecer en Schoenstatt, sus colaboradores se habían puesto de acuerdo en mencionar su nombre lo menos posible durante los interrogatorios, o mejor aún, sencillamente no mencionarlo. De hecho, habían logrado, hasta cierto punto, mantener al P. Kentenich fuera de la mira de la Gestapo. Parecía como si ésta no se enterara de su actividad incesante y su posición como Fundador y director del Movimiento. Sin embargo, mientras más estrechamente vigilaban a Schoenstatt, más material iba cayendo en sus manos y, en esa misma medida, se dieron cuenta de que detrás de la Obra tenía que haber un hombre de quien partía toda su actividad y hacia quien convergían todos sus hilos.

Durante el verano, el P. Kentenich había dado ejercicios tras ejercicios si bien, en las condiciones restringidas del Wasserburg[86] los par-

---

85   Conversación con Elizabeth Cordes, profesora de enseñanza secundaria, 18 de octubre de 1967.
86   *Wasserburg*, Casa de Peregrinos, cerca del Santuario.

ticipantes no podían ser tan numerosos como antes. Entre los sacerdotes que asistieron a los ejercicios del verano de 1941, se encontraba el P. Dr. Josef Wendel quien, posteriormente, fue arzobispo de Munich y cardenal. En ese tiempo era director de la comunidad de sacerdotes de Schoenstatt en la diócesis de Speyer y coadjutor de su obispo, Ludwig Sebastian. Quería prepararse, bajo la dirección espiritual de P. Kentenich, para su consagración como obispo, la cual tuvo lugar en la ciudad imperial de Speyer, en la fiesta de san Pedro y san Pablo.

A mediados de año, el P. Kentenich abordó un nuevo tema en sus ejercicios para sacerdotes. Hasta entonces había hablado sobre el "sacerdote apocalíptico"; ahora, en julio, comenzó a hablar sobre el "sacerdote mariano". No había elegido este tema por casualidad: desde un principio calificó el curso como su "canto del cisne". Estaba convencido, como lo hizo notar a sus colaboradores, de que el demonio haría todo lo posible para impedir que glorificara así a la Santísima Virgen. Y no se equivocó. Cuando dio estos ejercicios por primera vez, el último día, un 25 de julio, la Gestapo apareció repentinamente en Schoenstatt. Sus funcionarios ocuparon las Casas Wildburg y Sonnek y después hicieron interrogatorios en otras casas. Pero anduvieron rondando principalmente cerca del Santuario, donde se celebraba el acto litúrgico con que terminaron los ejercicios.

Después de un curso que el P. Kentenich dio en agosto y en la primera quincena de septiembre, dos funcionarios de la Gestapo se presentaron, la tarde del 14 de septiembre, en la Casa de Ejercicios de Schoenstatt, con el único propósito de hablar con él. Lo tenían vigilado más estrechamente desde el arresto del P. Eise. Entre el cuartel de Coblenza y sus superiores, el cuartel de la jefatura de Dusseldorf, desde principios de septiembre había tenido lugar un intercambio de comunicaciones escritas a propósito de la transcripción de una conferencia (muy probablemente dada en la fiesta del descubrimiento de la Santa Cruz, el 3 de mayo) que la Gestapo había descubier-

Calle de Coblenza en 1941.

to en el equipaje de una de las participantes en la jornada para estudiantes, de Coblenza.[87]

El funcionario que hacía de jefe ordenó al P. Kentenich presentarse al día siguiente, festividad de los Siete Dolores de María, en el cuartel de la calle Vogelsang, en Coblenza. El P. Kentenich le hizo presente que estaba a punto de iniciar unos ejercicios para sacerdotes que terminarían el viernes. Entonces, para no llamar la atención, el funcionario fijó el interrogatorio para el sábado 20 de septiembre.

Ese día el P. Kentenich se dirigió a la calle Vogelsang y ya no volvió a Schoenstatt. No se limitaron a interrogarlo, allí mismo lo arrestaron.

---

87   Archivo principal del Estado, Düsseldorf, actas de la Policía Secreta del Estado, No.31343.

2. "El Canto del Cisne"

El P. Kentenich sospechaba que lo arrestarían. Prueba de ello es que para ir a Coblenza se puso su sotana más vieja y un par de zapatos gastados. Más aún, el 19 de septiembre, un día antes de ser encarcelado, esta sospecha se revela especialmente en la plática con que cerró los ejercicios para sacerdotes, comenzados la tarde del día 14 de septiembre.

Esta conferencia es muy notable desde varios puntos de vista. En ella, el P. Kentenich expuso pensamientos y reflexiones que más tarde surgen, una y otra vez, como temas dominantes en los escritos que envió desde la prisión de Coblenza y desde el campo de concentración. Además, dio a conocer la estrategia que más tarde aplicó a todas las situaciones que le tocó vivir durante el tiempo de su confinamiento: una estrategia enteramente fundada y orientada hacia la realidad sobrenatural. Se la puede denominar, anticipándose a una expresión muy usada por él en Dachau, la estrategia del "hombre del más allá". Aparece en forma concentrada en la última parte de la conferencia. Su pieza fundamental es la estrecha comunidad de vida con la Santísima Virgen, que él describe como "morar en María". Reproducimos a continuación los trozos más significativos:

"En estos días –así comienza el párrafo que aquí nos interesa– hemos visto constantemente ante nosotros a la Madre de Dios. Queremos ahora contemplarla aun más de cerca, en su proximidad humana, como si fuera el rostro de Cristo y del Dios trinitario vuelto hacia nosotros. Si permanecemos fieles a María, sabremos que con ella es posible llevar bien una vida religiosa y sacerdotal. ¡Con ella se puede luchar heroicamente, con ella se puede morir gloriosamente!"

"Examinemos estas afirmaciones: ¿Se puede llevar una vida buena con la Madre de Dios? La veo como mi morada, la torre de mi castillo, mi fuente de la cual siempre brota alegría".

"Mi morada. Así como Jacob, al ver la escala que llegaba al cielo, se dijo, 'Aquí está la casa del Señor', así nosotros vemos en la Santísima Virgen la escala que llega al cielo, a la casa del Señor. San Bernardo dice de ella que es una morada que el Señor preparó para sí mismo… Una morada magnífica que el Señor construyó sobre siete columnas. Sabemos que Salomón se construyó un palacio revestido de oro. Esta morada es aún mejor. ¿Acaso no se construiría Cristo una casa más magnífica que la de Salomón? Pensemos en la Inmaculada Concepción, en la Santísima Virgen libre de todo pecado; pensemos en que ella tiene la plenitud de las gracias; en su Asunción a los cielos. Y esta morada, este hogar, nos pertenece también a nosotros, y por dos razones: porque el Señor la creó pensando en nosotros y porque ella misma se nos ofrece".

"El Señor la creó pensando en nosotros. Ella ha de ser para nosotros Madre de la misericordia. *'Ecce mater tua,* he ahí a tu Madre', nos dice el Señor. Con estas palabras él mismo nos obsequió el corazón de su Madre como nuestra morada. Aun cuando mi morada exterior sea muy pobre, yo vivo en un palacio. ¡Y qué no ha hecho Dios para que esta morada llegue a ser también para nosotros una cálida morada! Él permitió que su corazón experimentara todos los sufrimientos que puede sobrellevar el corazón de un hombre o de una mujer. Es una morada segura, porque Dios mismo nos la ha construido".

"Ella es la Torre de David, de la cual penden muchos escudos y está rodeada de una muralla defensiva. Quien allí habita, está seguro. Es también una morada de probada eficacia. ¡Cuántos seres humanos han encontrado protección en ella! ¡Cuántos se han alzado en ella hasta llegar a ser figuras heroicas llenas de vigor! En esta morada queremos aprender a aceptar con docilidad los planes y deseos de Dios, a reflexionar y preguntarnos siempre: 'Señor ¿qué quieres de mí?' (Hech 9,6)".

"Entonces nunca venderemos el derecho de primogenitura por un plato de lentejas. Así late el corazón de nuestra Madre: "Soy la esclava del Señor, hágase en mí según tu palabra". En las tempestades de estos tiempos, debemos estar de pie como María, alzándonos con un solo pensamiento: cumplir el deseo y la voluntad de Dios por sobre todo, aun cuando nos cueste la vida. ¡Cuán a menudo nos hemos ofrecido, hemos dado el Poder en Blanco! Vivir y realizar esto es algo que aprendemos en esta morada, en el corazón de María. Por eso, 'He ahí a tu Madre', en la cual debes detenerte y hallar un hogar".

"Pero la Madre de Dios es también la Torre de David, 'terrible como un ejército en orden de batalla'. Pertenecerle significa enrolarse en el ejército que ella conduce. Ella es la que aplasta la cabeza de la serpiente. Pero también sabemos que bajo este estandarte lucharemos y triunfaremos siempre. 'Ella te aplastará la cabeza': fue la promesa que Dios hizo al principio. Nuestra arma es la entrega incondicional a Cristo, al Crucificado. Queremos triunfar cargando la cruz. ¿Cómo será nuestra cruz? Una cosa es segura: va a ser la cruz que Dios talle para cada uno de nosotros".

"La Santísima Virgen es y seguirá siendo nuestra fuente de alegría. Por eso cantamos 'Cómo me alegré...' (Saimo 191), y unimos nuestras voces en el Magnificat... Mientras esté junto a la Madre de Dios, mientras habite en su corazón y colabore con su obra, ella será para mí la fuente que manará siempre alegría".

"¿Qué deseamos obsequiarle entonces? *'Morituri te salutant'*. Los que están dispuestos a morir te saludan. Así exclamamos nosotros. ¿Estamos dispuestos a morir? Hace tiempo que estamos preparados para la muerte por el bautismo, por los sacramentos. ¿No son todos ellos una preparación para la muerte? Estamos dispuestos a testimoniar estas consagraciones, pero ¿estamos también dispuestos a ponerlas en práctica?... Más que nunca, debemos morir a nosotros mismos. Queremos expresar conscientemente nuestra disposición: Lo que tú has preparado para nosotros en Dios, queremos aceptarlo gustosos. Sí, queremos extender las manos y decir *'Sitio'* y *'Deo gratias'"* [88].

"Eso es lo que nos hace tan livianos como una pluma: este total desprendimiento de nosotros mismos. No olvidamos que nada nos puede suceder que no esté previsto por Dios… y la Madre Santísima nos cuida, aun cuando aparentemente pueda ser duro lo que haya preparado para nosotros. Hemos de estar dispuestos a morir".

"Ahora tenemos que tomar en serio la vida diaria. No jugar con las palabras sino probar con hechos que le pertenecemos enteramente, que hemos muerto a nosotros mismos y para el mundo. Debemos ejercitarnos en morir llevando una vida disciplinada. No tenemos mucho tiempo para razonamientos. Ahora se trata de actuar, y si Dios quiere marcarme con las huellas de la muerte… una obra por la cual estoy dispuesto a dar mi vida, bien puede costarme sangre".

3. Interrogatorio y celda oscura

El P. Kentenich había sido citado a las ocho de la mañana y a esa hora entró a la casa de la calle Vogelsang. Su interrogatorio, no obstante, comenzó a la una de la tarde. Sobre el interrogatorio no sabemos mucho. El acta, que sin duda se levantó, no ha podido ser encontrada hasta ahora y pudo haberse perdido o haber sido destruida, como la mayoría de las actas del cuartel de la policía de Coblenza, en medio del desorden de la guerra. El propio P. Kentenich dio aquí y allá algunos detalles de lo que trataron con él los funcionarios de la Gestapo, pero no los suficientes como para reconstruir todo el interrogatorio.

Los hombres de la Gestapo tenían el evidente propósito de reprocharle, de acuerdo a su sistema habitual, que se dedicara, como

---

88   *Sitio*: "Tengo sed", palabras de Cristo en la cruz.

P. José Kentenich. Foto ficha de prisionero, Coblenza, 1941.

se decía entonces, a "explotar el odio contra el Estado y el Partido" y a "desintegrar la comunidad", lo cual era, en medio de la lucha por la existencia del pueblo alemán, un crimen especialmente aborrecible.

Reichsbank, cuartel de la gestapo en la calle Vogelsang.

Después de las declaraciones del P. Kentenich, se le leyeron frases de sus pláticas que, según se puede deducir de la primera cita, provenían principalmente de la ya mencionada, que dio con motivo de la Invención o Hallazgo de la Santa Cruz. El objetivo era probar que tenía una actitud "enemiga del pueblo". Por ejemplo: "Nos aferramos a nuestra cruz; que los otros se aferren a su cruz". O "Alemania debe hacer penitencia y expiar toda la inmundicia". O "la tarea de mi vida consiste en socavar el nacionalsocialismo para así superarlo".

Parece que el P. Kentenich, ante los reproches e inculpaciones de la Gestapo, rechazó resueltamente, ante todo, ser tildado de traidor del pueblo y de la patria. Dado que los nazis sólo podían acusarlo de traición si identificaban al pueblo alemán y a la patria con el Partido, el P. Kentenich fundó su defensa en que él no aceptaba esta identidad. Cuánto apreciaba a su patria, cuán grande era su amor por Alemania, era algo que podía probar con el texto de la Primera Acta de Fundación de Schoenstatt, publicado en la edición de "Sobre las glorias de María"[89] y que había llevado consigo a Coblenza; sobre todo

---

89   Sobre Actas de Fundación, véase Parte I, capítulo III, 2 y notas.

con el párrafo en que alentaba a sus jóvenes auditores a aprovechar la Primera Guerra Mundial, que recién había estallado, para trabajar en su autoeducación a fin de liberar de esta manera a la patria "de sus poderosísimos enemigos y colocarla a la cabeza del viejo mundo".[90]

Naturalmente, esos argumentos no interesaban a la Gestapo, y el P. Kentenich lo sabía. Era un hecho que ya no volvería a Schoenstatt, porque lo que en realidad querían, era aislarlo del Movimiento por ser su fundador y su cabeza. Se lo llevaron a una celda solitaria en el sótano de la casa, donde lo dejaron no menos de cuatro semanas en total oscuridad. Cuando bajaba con un funcionario por las escaleras del sótano, le dijo bromeando: "¡Por fin ahora puedo tener vacaciones!" Al hombre debe haberle parecido una muestra de humor negro, pues los sótanos de la calle Vogelsang no eran precisamente aptos para pasar las vacaciones. La casa de la Gestapo había servido de filial al Reichsbank, y las oscuras celdas del sótano eran las antiguas bóvedas de seguridad. No había calefacción; el piso, las paredes y el cielo raso eran de cemento armado y apenas dejaban entrar aire fresco. Muy pronto el P.Kentenich se sintió aterido de frío y su nariz comenzó a sangrar a causa del mal aire. Poco más se sabe, pues él guardó un silencio casi total acerca de lo que le ocurrió allá abajo. En algunas de las numerosas cartas que envió a Schoenstatt desde la cárcel de Coblenza, menciona su detención en la celda oscura; sin embargo, la mayoría de las veces lo hace en una frase a la pasada, pero de la cual se deduce que no fue juego de niños. Por ejemplo, en una nota enviada el 7 de diciembre de 1941, dice: "En toda educación sobre el cuidado de la salud y la forma de tratar nuestro cuerpo, no hay que descuidar, dentro de lo razonable, la capacidad de tratarlo con rigor. ¿Cómo habría podido resistir las cuatro primeras sema-

---

90   Sobre Actas de Fundación, véase Parte I, capítulo III, 2 y notas. *Von den Herrlichkeiten Mariens,* p. 18s. (Sobre las glorias de María). *Unter dem Schutze Mariens* (Bajo la protección de María) 1ª edición, p. 293.

nas si, como Pablo, no hubiera tratado siempre mi cuerpo a puñetazos? Prepárense todos ustedes a cosas parecidas".

En una carta escrita en la Navidad de 1941, menciona "lo que costaron las cuatro semanas", pero no da detalles. En otras ocasiones, describe el sótano y la celda oscura como una "tortura moderna" (carta sin fecha, después de la Navidad de 1941), o como "una máquina extraordinariamente agotadora" (carta a los sacerdotes de la dirección central del Movimiento de Schoenstatt, con motivo del Año Nuevo de 1942).

Otros prisioneros de la Gestapo que también fueron confinados en la celda oscura, a los pocos días sufrieron –¡y es muy comprensible!– un colapso nervioso y debieron ser sacados del sótano. Sin embargo, cuando terminó su arresto, el P. Kentenich subió, según el testimonio del sacerdote que entonces atendía la prisión, como un triunfador, íntegro en cuerpo y alma.[91]

La Gestapo no le aplicó torturas corporales, a pesar del temor que había en Schoenstatt porque, entre la ropa para el lavado que cada semana sacaban de la celda del P. Kentenich, se encontraban pañuelos ensangrentados. No sucedió así con los prisioneros de las celdas vecinas, desde las cuales le llegaba el ruido de golpes, las vociferaciones de la Gestapo y los gritos de los prisioneros.

Dos veces lo sacaron de la celda oscura por breves momentos: una vez para otro interrogatorio, que el P. Kentenich exigió el día del arresto; y la otra, para fotografiarlo. El interrogatorio tuvo lugar al día siguiente, el 21 de septiembre, un domingo. El P. Kentenich creyó necesario insistir en un nuevo interrogatorio porque durante todo su cautiverio, también después, en el campo de concentración de Dachau, siempre opinó que ante la arbitrariedad de la Gestapo, había que defenderse. Consideraba más bien su deber hacer todo lo

---

91   Conversación con el sacerdote de la prisión, monseñor Paul Fechler, el 28 de agosto de 1949.

posible por cumplir, tanto como fuera posible, aun estando prisionero, la tarea que Dios le había confiado como fundador de la Obra de Schoenstatt. Por lo tanto, se consideró también obligado, en primer lugar, –aun cuando sabía muy bien cuáles eran las intenciones de la Gestapo– a hacer todo lo posible para conseguir su libertad. Si no lo lograba, entonces podía estar seguro de que su cautiverio respondía a la voluntad de Dios.

En el segundo interrogatorio, el P. Kentenich utilizó el método de impugnar la autenticidad de los dichos que le atribuía la Gestapo. De hecho, todos los textos que le habían leído eran apuntes tomados en sus conferencias o copias que él no había autorizado. Respecto a algunas frases utilizadas en su contra, podía afirmar, y con buenos argumentos, que no podía haberlas expresado en esa forma. Pero la Gestapo no le creyó y lo mantuvo prisionero en la celda oscura del sótano de la calle Vogelsang.

4.   18 de octubre de 1941

En la mañana del 18 de octubre de 1941, el P. Kentenich tuvo una singular experiencia interior. Conmemoró con toda la Familia de Schoenstatt, si bien exteriormente separado de ella, el día de la fundación de la Obra, el 18 de octubre de 1914. Se sabía unido de manera especial a la comunidad de las Hermanas de María, quienes, desde febrero de 1941, se estaban preparando para hacer el acto de Inscriptio ese día. Es decir, no solo aceptarían anticipadamente todo lo que Dios dispusiera para ellas, como habían hecho dos años antes, el 18 de octubre de 1939, con la lectura de la Segunda Acta de Fundación y el Poder en Blanco [92]. Ahora darían un paso más allá, pedirían lo más difícil: todas las cruces y sufrimientos que Dios había previsto para ellas.

---

92   Véase Parte I, capítulo 3, 2. (N. del T.)

Durante el tiempo que pasó en el sótano, el P. Kentenich había llegado a la convicción de que, en los planes de Dios, el sentido de la pérdida de su libertad era despertar en la Familia de Schoenstatt el anhelo por alcanzar la libertad interior propia del verdadero cristiano, según se expresa en la Inscriptio, y que la condición para recobrar su libertad era que la Familia hiciera la Inscriptio y la viviera realmente. Como las Hermanas de María querían hacerla el 18 de octubre, el P. Kentenich se preguntó si Dios no le concedería ese mismo día la libertad. Por eso no tocó la poca comida que le llevaron para desayunar: si lo ponían en libertad, él quería estar en ayunas para poder celebrar misa en Schoenstatt.

Mientras se entregaba a estos pensamientos en la oscuridad de su celda, surgió en su interior una pregunta importante: ¿Y si Dios no quería que fuese liberado hoy, y no sólo hoy sino durante un largo tiempo, o quizás nunca? ¿Y si Dios quería que él desapareciera, que quedara totalmente relegado a un segundo plano, que nunca más tomara las riendas de la Obra por él fundada? ¿Y si, en total soledad, sólo tuviera que orar y ofrecer más sacrificios por su Obra, y extinguir y consumir sus fuerzas, desconocido y olvidado? Esa pregunta que, en sus propias palabras, le surgió en medio de una especie de somnolencia, tocó la raíz y el nervio de su existencia como fundador, lo estremeció profundamente y puso en movimiento todas sus fuerzas interiores. No dudó que era Dios quien le dirigía esa pregunta y pronunció sin titubear, ni siquiera un instante, un "sí" firme y sin reservas.

Cuando hubo vuelto plenamente en sí y por más que reflexionó sobre lo sucedido, no logró dilucidar si la pregunta le había sido hecha condicionalmente: "Si Dios decide no concederte nunca más la libertad ¿estás de acuerdo con ello?" O, si en realidad, se le había anunciado una decisión divina ya tomada: "Dios ha decidido no concederte nunca más la libertad ¿Estás de acuerdo con ello? Sea como sea, respondió aceptando alegremente lo que Dios quisiera o esperara de él.

De hecho, esa mañana abrieron la puerta de su celda y una voz le pidió que saliera. Subieron por la escalera del sótano y caminaron hasta la calle, pero no hacia la libertad ni de regreso a Schoenstatt sino a la prisión de Coblenza, que estaba en la esquina de la calle de los Carmelitas con la calle del Rhin, a unos cien pasos del cuartel de la Gestapo, lugar donde llevaban a los reos mientras se investigaba su caso.

5. En la prisión de la calle de los Carmelitas

Como muchos penales de Alemania, la prisión de la calle de los Carmelitas había sido un convento hasta comienzos del siglo XIX. Hasta 1803, lo habían habitado los monjes Carmelitas, quienes llegaron a Coblenza en 1664. La iglesia del convento, de estilo barroco, con hermosa fachada y cúpula sobre la intersección de las naves, siguió siendo usada para celebrar misa aun después de la secularización del convento. Bajo la soberanía prusiana, así como también después de la militarización de Renania en la primavera de 1936, sirvió de iglesia a la guarnición de la comunidad militar católica de Coblenza.

En 1944, el convento, convertido en prisión, y la iglesia fueron alcanzados por las bombas y sufrieron graves daños. Durante varios años quedaron convertidos en ruinas. En su lugar hay actualmente una ampliación de la Oficina Federal para la Adquisición de Material de Guerra del Ejército, que tiene su sede principal en el edificio colindante, en lo que otrora fue el Hotel Koblenzer Hof, y en el antiguo edificio de la gobernación del distrito de Coblenza.

El director y los funcionarios del establecimiento penal, probablemente quedaron un tanto sorprendidos al ver al nuevo prisionero, que ingresó la mañana del 18 de octubre de 1941. El primer día pidió una celda individual, lo que le fue concedido. Como el director le exigió que se quitara la sotana para que no lo identificaran como sacerdote, cumplió la orden y se puso un traje oscuro que ese mismo día mandaron a buscar a Schoenstatt. Pero con ese traje lo siguieron reconociendo como sacerdote.

Finalmente, cuando, como era usual, quisieron que el P. Kentenich pegara bolsas de papel, él lo rechazó, cortés, pero firmemente. Después de unos pocos días acudió a ese trabajo, pidió el papel tosco y gris, no porque hubiera decidido pegar bolsas sino para escribir cartas clandestinas a Schoenstatt.

La primera carta enviada con permiso de las autoridades, después de su arresto, la escribió en papel corriente y la hizo enviar a Schoenstatt, por conducto regular, a la dirección de su antiguo y leal compañero, el P. Friedrich Mühlbeyer [93]. Dado que sus mensajes, además de la censura de la prisión debían pasar por la Gestapo, la carta escrita el 21 de octubre sólo llegó a Schoenstatt diez días después, la víspera de la fiesta de Todos los Santos.

Decía así: "Querido co-frater: Como las cartas escritas en la cárcel adquieren después la categoría de relatos de mártires, escribo a regañadientes. Tengo que hacerlo, sin embargo, a fin de que usted tenga noticias mías. Por eso, brevemente y sin rodeos, un par de noticias. Cuénteles a todos los que se interesen por mí, que estoy bien. Durante las primeras cuatro semanas decía, como al rezar el Credo: "descendió a los infiernos". Pero desde el 18 de octubre digo "subió a los cielos", es decir, a alturas más luminosas en donde llevo la vida contemplativa de un monje carmelita [94]. El cuerpo y el alma se han acostumbrado pronto y bien al cambio. En suma, no hay razón para tejer leyendas ni historias espeluznantes…" Al final de la carta surge un tema central del "Canto del Cisne": "Si alguien quiere buscarme y visitarme, me encontrará siempre en el corazón de Dios y de la Virgen María".

---

93   P. Friedrich Mühlbeyer (1889-1959). En 1918 se ordenó sacerdote. En 1919 se unió al movimiento espiritual fundado por el P. Kentenich, quien era director espiritual en el colegio e internado de Schoenstatt. Desde 1922 hasta el final de su vida trabajó en el Movimiento de Schoenstatt. Desde 1946, se desempeñó como asesor espiritual del Instituto Secular de las Señoras de Schoenstatt.

94   Alusión al convento Carmelita convertido en cárcel.

Antes de esta carta ya había llegado a Schoenstatt, el 27 de octubre, un trozo de papel (no autorizado) que, entre otras cosas, decía: "Cordiales saludos a todos. Las cosas andan bien". Otra nota, escrita por razones especiales, le llegó el 29 de octubre a la superiora de las Hermanas de María, al Hospital San José de Coblenza. El mismo día, el P. Kentenich pudo, además, enviar furtivamente desde la prisión una pequeña imagen de Santa Teresita con un breve texto en el dorso.

En la prisión de la calle de los Carmelitas, el P. Kentenich volvió a ver al P. Eise, su cohermano arrestado en agosto. Durante el paseo diario por el patio de la cárcel lograron juntarse para conversar en voz baja. También durante la misa en la capilla de la prisión, buscaban lugares lo más próximos posible. Cuando cambiaron de celda al P. Kentenich, comprobó con alegría que la suya, pese a que la Gestapo lo había prohibido estrictamente, estaba separada de la del P. Eise, sólo por una pared. Inmediatamente empezaron a intercambiar señales por medio de golpecitos. Pero la alegría duró sólo un día porque, a mediados de noviembre, el P. Eise fue enviado al campo de concentración de Dachau.

Entretanto, al P. Kentenich le había dado buen resultado lo que en la jerga de las prisiones se llama la "perforación", es decir, un enlace, incluso un doble enlace, con el mundo exterior. En su caso, con Schoenstatt. El personal de la prisión, que nada tenía que ver con la Gestapo, en el fondo estaba bien dispuesto hacia el P. Kentenich, como se pudo comprobar con el tiempo. Dos gendarmes de su piso se dejaron ganar y tuvieron el valor de hacerse cargo, día tras día, de toda la correspondencia que salía y llegaba a la celda del P. Kentenich.

Uno de ellos, un protestante creyente, se puso a su disposición el 29 de octubre, once días después de su llegada a la prisión. El primer recado que transmitió fue una breve nota para la superiora del hospital San José, escrita en papel para bolsas. El otro gendarme era católico. Al principió tuvo una actitud más reservada: transmitía saludos, pero no corría riesgos hasta que, con el tiempo, adquirió más confianza en sí mismo. A causa de la diferencia de estatura que había entre ellos, para ocultar sus identidades los llamaban el "mensajero chico" y el "mensajero grande". Por razones de seguridad, ninguno de los dos sabía del otro. Sus idas y venidas fueron arregladas de manera que no se pudieran encontrar.

Gracias a la ayuda de estos dos mensajeros, el P. Kentenich recibió lo que necesitaba para celebrar misa: hostias y vino. El 13 de diciembre de 1941, comenzó a celebrar misa secretamente en su celda. También le trajeron otras cosas que pidió: un par de zapatos que no dejaran pasar el agua, para el paseo en el patio de la cárcel, muy húmedo durante el otoño; un chaleco tejido especialmente de manera que en sus ribetes pudieran ocultarse lápices delgados; y, finalmente, víveres, que compartía generosamente con sus compañeros de prisión.

En diciembre lo cambiaron nuevamente de celda, junto a un sacerdote de más edad que difícilmente podía estar solo en la prisión.

Los dos mensajeros no eran su único enlace con el mundo exterior. Poco antes de Navidad, el 20 de diciembre, dirigió la vista hacia la parte superior de la ventana, como tantas otras veces lo había hecho, a través de la cual se veía la torre azul gris y el techo de la iglesia de los Carmelitas. Sus ojos se quedaron fijos en una claraboya del techo. Ninguna duda: ¡Allí había una Hermana de María! El cuello blanco sobre el hábito azul oscuro la hacía fácilmente reconocible. Identificó de inmediato a la Hermana que estaba allí, mirando hacia la ventana de su celda. Luego vio que no estaba sola, había también otra Hermana muy conocida del prisionero. Esto abrió otra posibilidad de contacto con Schoenstatt. Sin embargo, en su siguiente mensaje les pidió que por el momento no se asomaran a la claraboya. Esta se veía desde demasiadas celdas y podría atraer la atención de muchos prisioneros, con el consiguiente peligro de que ello se prestara para comentarios que, eventualmente, llegaran a oídos de la Gestapo. Las

Cáliz y Patena, usados por el P. José Kentenich para celebrar misa en secreto. La Patena es la tapa de un reloj y el cáliz una copita para comer huevos que le han enviado las Hermanas.

Hermanas evitaron, por el momento, asomarse desde el desván de la Iglesia de los Carmelitas, aun cuando les habría gustado mucho ponerse en contacto con el Fundador justamente en los días de Navidad.

En enero de 1942, el P. Kentenich estuvo de acuerdo en que se asomaran de nuevo. Ubicaron un puesto de observación más disimulado y que estaba más cerca de la celda que ocupaba el P. Kentenich, en el hueco de una ventana de la torre de la iglesia. Con el tiempo, pudieron comunicarse desde allí incluso verbalmente. Un papel que salió clandestinamente de la celda, en febrero de 1942, decía: "Las posibilidades de comunicación se están haciendo cada vez más perfectas. Ahora puedo entenderles bien cuando hablan desde la torre". Por precaución, el P. Kentenich determinó que una conversación no debía durar más de quince minutos, contados desde el momento en que cada cual se percatara de la presencia del otro.

Así, la estrecha celda de la prisión de Coblenza se había convertido en una cátedra desde la cual el P. Kentenich, ininterrumpidamente, se dirigía a su familia de palabra y por escrito.

…t, muß die Hände falten,

…s Kreuzes Nähe halten,

…u viel Vertrauen schenken

…selbstlos weiterschenken;

…e und Treu im Herzen tragen

…h und stark das Leben wagen,

…bei dienend übersehen

…gute Hirt durchs Leben gehen.

…perfectam habebit curam

et victoriam

J. K.

Capítulo 5
LA LÍNEA INTERNA

I. Lucha solidaria por la libertad

En la extensa correspondencia que el P. Kentenich lograba enviar casi diariamente a Schoenstatt, gracias a los dos mensajeros antes mencionados, daba especial importancia a que sus seguidores vieran y entendieran, con los ojos de la fe, que su estadía en prisión era querida por Dios, a fin de que de ello extrajeran las consecuencias que correspondían a sus vidas y a sus esfuerzos.

En sus cartas se destacan dos pensamientos: para entender el verdadero significado de la prisión del P. Kentenich, hay considerarla a la luz de la solidaridad o, como dirá el 20 de enero de 1942, del entrelazamiento de destinos que, según la voluntad de Dios, siempre existió entre el fundador y su fundación. Ahora este lazo debía ser capaz de resistir una prueba de fuego. El otro pensamiento es que el sentido de la prisión, que afectaba de la misma manera al fundador y a la fundación en virtud de esta solidaridad, era un llamado a crecer en la entrega a Dios y alcanzar nuevas alturas en la vida y desarrollo de la Obra y de sus miembros. La Familia de Schoenstatt debía dar un paso más hacia la meta del "nuevo hombre en la nueva comunidad", y en forma acelerada. Y este paso debía reflejarse en una libertad lo más perfecta posible respecto del propio yo, de las ideas, planes y deseos propios, a fin de realizar la voluntad de Dios y cumplir con la misión que él había confiado a la Familia de Schoenstatt.

El hecho de la prisión del fundador contiene una misteriosa dialéctica: su reclusión tiene el sentido de estimular a sus seguidores en la lucha por alcanzar, en mayor grado, la libertad de los hijos de Dios. La lucha que debe sostener el fundador maniatado, y la Familia de Schoenstatt con él, es, por consiguiente, una lucha por la libertad que el P. Kentenich había proclamado como sello distintivo del hombre nuevo, y que el camino para lograrlo era comprometerse realizando el Poder en Blanco y la Inscriptio.

Estas ideas sobre el significado de su reclusión están contenidas principalmente en las cartas que escribió, con ocasión de la Navidad y Año Nuevo de 1941. El 27 de diciembre de 1941, escribió: "Mi destino está ligado al de toda la Familia. La lucha en torno a mí y conmigo es la lucha del *diabolos* contra la Familia (piensen ustedes en Job)[95]. Por eso mi liberación significa también la liberación de la Familia. Por otra parte, creen que al encarcelarme a mí han encarcelado también a la Familia. En el fondo, lo que sucede es que se ha desencadenado una lucha entre María, la que aplasta la cabeza de la serpiente, y la serpiente. No hay duda acerca de quién triunfará finalmente. Así deben comprenderlo ustedes. El que yo sea la barrera contra la cual se produzca el choque, es como debe ser y un gran honor. Pero ustedes también deben estar atentos a cómo Dios aprovecha y quiere que se aproveche en forma más universal esta reclusión, para el mayor bien de cada cual y de toda la Familia. Por eso debemos esmerarnos en no perturbar en lo más mínimo los planes de Dios".

La solidaridad que interesa al P. Kentenich es la solidaridad en el cumplimiento, lo más perfecto posible, de la voluntad de Dios. A ello alude en otro lugar de la misma carta: "Ustedes saben cómo estoy. En ninguna parte había podido descansar tanto como aquí. Tanta es la paz que tengo. Otros hombres espirituales también se han retira-

---

95 *Diabolos* = el demonio. "Piensen ustedes en Job": En el libro de Job se relata cómo Dios, a petición del demonio, le dio autorización para probar a Job hasta el extremo.

do a la soledad antes de algunos períodos importantes de sus vidas. Dios ha tenido que obligarme a hacerlo. No deseo, por lo tanto, salir de aquí hasta que él lo decida. Ustedes verán que, en el momento adecuado, estaré nuevamente allí, preparado para la lucha, íntegro de cuerpo y alma. Preocúpense de que la Familia también haya crecido y pueda recorrer conmigo los caminos de Dios".

El tema de la solidaridad aparece de nuevo en una carta escrita en la Navidad de 1941: "Estoy encarcelado no por culpa mía o por causa de alguna torpeza, sino por causa de la Familia, tanto por los más próximos como por los más lejanos. Por eso la Familia está prisionera conmigo y en mí. Ustedes también tienen que aprovechar esta prisión como yo lo hago, como una suerte y un destino personal". ¿Cómo puede suceder eso? Continúa el P. Kentenich: "Y eso es lo que ustedes hacen si, como hasta ahora, se consumen con inquebrantable fidelidad por los ideales de la Familia, aun cuando vengan nuevas pruebas".

Como siempre, el P. Kentenich está dispuesto a cumplir con su parte de la tarea común: "Espero y pido a Dios poder recibir y cargar yo solo muchos de los golpes previstos para la Familia. Pero –destaca entonces– todos no los podré cargar. Prepárense ustedes también para ello. En noble competencia trataremos de ser dignos unos de otros y de a ser cada vez más dignos de Dios y de la Santísima Virgen, a fin de que ellos puedan erigir con nosotros el gran edificio que quieren construir…"

En la carta de la Nochebuena de 1941, dice: "El mundo está actualmente tan pobre de amor. ¡Ojalá nuestra Familia pudiera llegar a ser una hoguera ardiente de un amor auténtico, creador, enaltecedor y universal! Por un bien tan grande, ningún precio es demasiado alto, ni siquiera la pérdida de mi libertad y la renuncia a las alegrías exteriores. ¡Gustoso pago este precio de rescate y cualquier otro que

Dios desee y exija para que nuestra Familia sea santa y fecunda hasta el fin de los tiempos!".

En esta misma carta aborda con frases encendidas el tema de la libertad y de la lucha por la libertad, según el sentido que tienen en el Poder en Blanco y la Inscriptio. Al hacer su aporte, el P. Kentenich destaca, en primer lugar, lo siguiente: "De todo corazón dono gustoso al Padre Dios la pérdida de mi libertad. Estoy dispuesto a sobrellevarla en todas las formas posibles y hasta el fin de mi vida, si con ello pago el precio necesario para la permanencia, la santidad y la fecundidad de ustedes y de toda la Familia, hasta el final de los tiempos". Y algunas líneas más adelante: "Lo más valioso que posee el hombre es su libertad. Con sincero y ardiente amor ofrezco mi libertad a fin de que el Padre Dios les obsequie siempre, con gran abundancia y para todos los tiempos, el espíritu de libertad de los hijos de Dios, que tan ardientemente he anhelado para ustedes…"

Cuando en la prisión el P. Kentenich ofrece su libertad "con sincero y ardiente amor", hace un acto de renuncia voluntaria y libre a fin de estimular a los suyos a realizar un acto similar, para que se esforzaran en lograr el grado más alto posible de libertad interior.

En esta carta envía a las Hermanas una oración que con propiedad puede ser llamada "Oración por la libertad". Se trata de una forma ampliada del *"Suscipe"* de san Ignacio de Loyola. El P. Eise la emplearía después en Dachau, una y otra vez, como expresión de su total entrega. El texto enviado a las Hermanas dice así:

> *Acepta, Oh, Señor,* **toda** *mi libertad,*
> *mi memoria, mi entendimiento,*
> **toda** *mi voluntad y todo mi corazón.*
> *Todo me lo has dado tú,*
> *todo te lo devuelvo sin reservas.*
> *Haz con ello lo que te plazca.*

Sólo dame una cosa:
tu gracia, tu amor y tu fecundidad.
Tu gracia, para que me incline alegremente ante tu voluntad y
tus deseos.
Tu amor, para que crea en todo momento que me amas
como a las pupilas de tus ojos,
para que lo sepa y a veces lo sienta.
Tu fecundidad, para que en ti y en la Virgen María
llegue a ser verdaderamente fecundo para nuestra obra común.
Entonces, seré suficientemente rico y no querré nada más.
(HP 386-392)

Los destacados en negritas, hechos por el propio P. Kentenich, señalan qué es lo que le importa: la entrega de toda la persona, incluyendo, y no en último término, todo el corazón, como sede y símbolo de los esfuerzos de la voluntad, del espíritu, de los sentimientos y del inconsciente. La oración es, sobre todo en lo que va más allá del texto de san Ignacio, muy característica del P. Kentenich: la libertad de la entrega total se fundamenta en la filialidad, se deja guiar por la conducción de la divina Providencia y está al servicio de la misión, de la obra común.

Decidirse por esta libertad y esforzarse con seriedad y constancia por alcanzar su espíritu, era, a los ojos del P. Kentenich, el precio y condición para ser rescatado de las manos de la Gestapo. Esta convicción suya vuelve a aparecer claramente en la decisión que tomó el 20 de enero de 1942, de la cual se hablará más adelante: "Sólo conozco un medio para ser libre: que la Familia tome en serio el Poder en Blanco y la Inscriptio" (pensamiento formulado a mediados de enero de 1942). "Concédanme un deseo: preocúpense de que la Familia tome en serio el Poder en Blanco y la Inscriptio... entonces recuperaré mi libertad. Ésa es mi respuesta de siempre..." (20 de enero de 1942). "No dudo de la liberación, con tal que la Inscriptio sea tomada en serio" (20 de enero de 1942).

2. El "Jardín de María"

Los conceptos programáticos "solidaridad" y "lucha por la libertad" que el P. Kentenich introdujo en la Familia de Schoenstatt a través de sus cartas, recibieron, en los días de Navidad de 1941, a través de un intercambio epistolar sencillo y francamente filial entre él y una Hermana de María que trabajaba en el Hospital San José de Coblenza, una expresión extraordinariamente fecunda para ese momento, y que demostraría serlo también en el futuro.

La Hermana, que entonces tenía 27 años de edad, no había querido, al principio, escribir al P. Kentenich. En los días previos a Navidad dirigió una carta al Niño Jesús pidiéndole la libertad del fundador y padre de la Familia de Schoenstatt: "¿No puedes tú, cuando desciendas a la tierra en la Noche Buena, enviar un ángel al padre?" El ángel le allanaría el camino hacia el Santuario de la Madre tres veces Admirable de Schoenstatt, a fin de que él pudiera vivir allí "el milagro de Noche Buena". Más adelante se hablaría también del retorno del P. Kentenich como un nuevo "milagro de Noche Buena".

La superiora del Hospital San José, que encontró la carta en el buzón asignado a ellas, supuso, y no sin razón, que esas líneas alegrarían al P. Kentenich y las hizo llegar a la prisión, junto con otras cosas, por medio de uno de los dos mensajeros. El P. Kentenich no sólo se alegró con la carta, también la interpretó –como hacía a menudo a propósito de cosas aparentemente insignificantes– como una señal de la divina Providencia, como escrita por el dedo de Dios, y respondió a la Hermana como si la respuesta viniera del Niño Dios.

Como la Hermana se llamaba Mariengard, hizo un juego de palabras con su nombre y le escribió lo siguiente: "Mi querida y pequeña Mariengard[96]: Cumpliré tu deseo cuando tu corazón y el corazón

---

96   El nombre de la Hermana, Mariengard, se relaciona con la palabra alemana *Mariengarten*, que quiere decir jardín de María. (N. del T.)

Hermanas de María, al centro, Hna. Emilie.

de toda la Familia llegue a ser un floreciente jardín de María. Por eso, el cumplimiento de tu ruego, el "milagro de Noche Buena", está en tus manos y en las de los hijos de Schoenstatt. Apuraos, para que no se haga demasiado tarde…"

En ese mismo contexto, el P. Kentenich dice que su liberación será obra de la gracia divina, pero que Dios la condiciona también a los esfuerzos y santidad de vida de los suyos, a sus luchas por alcanzar la libertad de los hijos de Dios, como brilla en la Virgen María, que es la más grande de sus criaturas. Para ilustrar este vínculo usó la antigua imagen, muy conocida por los místicos, del "Jardín de María": "Cuando tu corazón y el corazón de toda la Familia de Schoenstatt haya llegado a ser un floreciente jardín de María".

Esta imagen halló un gran eco en la Familia y puso en marcha un proceso tanto original como fructífero. El "Jardín de María" llegó a ser para la comunidad de las Hermanas de María la consigna que expresaba su lucha por alcanzar el más alto grado de libertad de los hijos de Dios, como condición para la liberación del P. Kentenich. Esta consigna fue la llave que permitió el acceso a ese mundo que, en la historia de la piedad cristiana, se conoce como "Jardín Cerrado", y que en la Biblia, con el nombre de "Plantío del Padre", desempeña un importante papel.[97]

3. "Nova Creatura in Jesu et Maria"

En enero de 1942, en la cárcel de Coblenza, el P. Kentenich empezó a escribir un trabajo más largo sobre la libertad de los hijos de Dios. Este trabajo, que llamó *Nova creatura in Jesu et Maria,* fue el primero de los escritos mayores que realizó durante el tiempo que permaneció en prisión.

El estímulo para iniciarlo provino del curso más joven de la comunidad de las Hermanas de María, el cual, en los primeros días de diciembre de 1941, había encontrado su ideal –*Sponsa ter admirabilis*– y quería hacer su consagración con este ideal el 5 de enero de 1942. Como el P. Kentenich no les podía hablar directamente, como acostumbraba hacerlo en estas ocasiones, envió a Schoenstatt una plática escrita en la cual exponía el ideal de Sponsa sobre el trasfondo de las circunstancias históricas del momento. Esa plática fue sólo un preludio; en los días siguientes, emprendió la tarea de desarrollar con mayor amplitud el ideal de Sponsa. Escribió este estudio, de considerable extensión e importancia, con lápiz, en hojas sueltas y de una sola vez. Fue sacado de la cárcel y llevado a Schoenstatt en nueve entregas.

---

97 Cf. Jean Daniélou: *Die Kirche: Pflanzung des Vaters. Zur Kirchenfrömmigkeit der frühen Christenheit* (La Iglesia, plantío del Padre. Sobre la piedad eclesial del cristianismo primitivo). En J. Danéliou (H. Vorgrimler, editor), *Sentire Ecclesiam,* homenaje a Hugo Rahner. Friburgo, 1961. El P. Kentenich emplea la expresión y el concepto de "plantío del Padre" en el tratado *Nova creatura in Jesu et María,* descrito en el párrafo siguiente.

Deportación de frailes de Niepokalanów (Ciudad de la Inmaculada), Polonia. 1942.

El punto de partida y núcleo de sus explicaciones, bastante densas, es el *in Christus* –en Cristo–, es decir, el hecho de que somos miembros de Cristo por la gracia, como lo expresa san Pablo en su imagen del cuerpo y los miembros, y san Juan en la metáfora de la vid y los sarmientos. Este *"in Christus"* es, para el P. Kentenich, el misterio medular de la Iglesia y de todos sus miembros; de los cristianos individualmente y de las distintas comunidades eclesiales. Pero, ante todo, de la virginal Madre de Dios, María, en quien el *in Christus* alcanzó su total perfección.

En su trabajo, el P. Kentenich traduce *in Christus* como "participación en Cristo", entendiéndolo como participación en su vida, sufrimientos, muerte, resurrección y glorificación. Ello significa que como la existencia del cristiano está determinada en su esencia por su relación con Cristo, por cuanto es miembro de Cristo, su vida debe regirse por la misma ley que rigió la vida del Hombre-Dios aquí en la tierra.

En la existencia de un cristiano ha de darse y hacerse presente, una y otra vez, la vida de Cristo en sus aspectos y fases decisivas. La vida y el destino de Cristo son, por tanto, la clave para comprender la historia de la Iglesia, de las comunidades cristianas y, en último término, de la propia vida y de los propósitos que el Padre eterno tiene para ella.

La parte principal del trabajo es una introducción a la vida y obra de Jesús. A fin de hacerla más comprensible, la presenta como una exploración de sus aspectos "dichosos, de los agobiantes y de los que más entusiasman". Esta introducción revela una familiaridad extraordinaria con las Sagradas Escrituras e, igualmente, una gran percepción del inmenso dramatismo de la historia de la salvación. Le interesa conducir a las Hermanas –a quienes destinó este trabajo, en primer lugar– a un "dejarse asir por Cristo en mayor grado y con más fuerza, y a una más auténtica y mayor intimidad con Cristo", porque no quisiera "morir antes de que la Familia haya comprendido claramente su ideal de entrega a él, antes de que cada uno de sus miembros se haya dejado captar por este ideal."

La situación en que se encontraba entonces la Familia de Schoenstatt y su propia prisión, hacen comprensible que el P. Kentenich privilegie los aspectos "agobiantes" de la vida de Jesús e interprete la existencia cristiana a partir de "la participación en los sufrimientos de la vida del Señor", que él no limita al arresto, condena y crucifixión, sino que abarca también todos los demás momentos dolorosos de su vida en la tierra: su soledad, la incomprensión, sus fracasos, hasta el repudio definitivo y la catástrofe de la cruz; todo el proceso en que se despoja de sí mismo y se humilla: la *kenosis*, de la cual habla san Pablo en la epístola a los filipenses. (Filp 2, 6 y 7)

Algo característico en el P. Kentenich es relacionar esta humillación del Dios-Hombre, que llega a la impotencia de la cruz, con la libertad del ser humano. El Hijo de Dios se presentó bajo la imagen servil de la impotencia para pedir y hacer posible la libre respuesta de amor, en su más alto grado, de las personas. La vida, los sufrimientos y la muerte de Cristo, según los ve el P. Kentenich, no sólo sirven de expiación: en último término apuntan a la *Nova creatura* en cuanto a ser humano libre.

Cristo encarna la imagen más elevada de este ser humano libre, que el P. Kentenich describe y que los demás ven realizado en él.

Libremente y por amor, el Dios-Hombre acató la voluntad de Dios aun cuando significaba una humillación sin precedentes y, finalmente, la muerte. Con la mirada puesta en Cristo, el P. Kentenich escribe: "Nos inclinamos reverentes ante la divina grandeza del Mesías, que se entrega al sufrimiento y a la muerte por decisión personal y enteramente libre. 'Porque yo lo quiero': así llegan sus palabras hasta nosotros. 'Porque yo lo quiero', exhala cada hálito de su vida".

Nadie como su Madre acató en mayor medida, libremente y por amor, la voluntad del Padre. Hacia ambos, Jesús y María, se orienta, por lo tanto, la *Nova creatura* que ha hecho suyo el ideal de la libertad de los hijos de Dios.

"Así vemos a la *Nova creatura* en Cristo y su Madre: vive sin reservas la actitud de Inscriptio. Para que ésta alcance la perfecta libertad de los hijos de Dios, es necesario estar libre hasta de las más finas ataduras naturales. Es ésta una altura que no se puede alcanzar sin milagros de gracias. Es el tesoro en el campo, la perla escondida, y quienes la encuentran están dispuestos a darlo todo… Ojalá ese raro milagro llegue a ser una realidad diaria en nuestra Familia: el ser humano plenamente maduro en Cristo y su Madre, que sólo conoce un ideal: 'Mi alimento es hacer la voluntad de Aquel que me envió y consumar su obra'".

Este ideal, que el P. Kentenich presenta a las Hermanas, con tanto fervor y en forma tan atrayente, la total entrega a la voluntad de Dios, él lo vivió en ese tiempo hasta el extremo de no sólo estar dispuesto a aceptar el sacrificio más extremo, sino también de anhelarlo y tender hacia él.

En las primeras páginas del trabajo sobre la *Nova creatura*, hay una conmovedora oración que, como pocas salidas de su pluma, permite vislumbrar lo más íntimo de su corazón, su completo desprendimiento del propio yo y su total entrega a la voluntad de Dios.

Esta oración, dirigida primeramente al Señor y luego a la Madre de Dios, culmina hacia el final al repetir *"Ad sum"* ("Me pongo a tu disposición"). Dice así:

¡Oh, Señor! si no me consideras digno
de anunciarte a tus elegidos,
déjate conmover por tu Madre
y elige otro instrumento.

Entonces, al menos desde un segundo plano,
para agradecerte ese regalo divino
quiero obsequiarte la salud, las fuerzas y la vida.
No permitas que fuertes tempestades amenacen a la Familia
sin que antes conozca y ame lo más excelso.

Madre, hasta ahora has conducido a tus hijos hacia el Señor,
pero exiges nuestra colaboración consciente y profunda
para perpetuar y hacer perfecto tu actuar.

No dejes a los tuyos mar afuera
antes de que ellos, por medio de tus instrumentos,
hayan completado aunque sea una parte de su tarea.

Para lograr este objetivo
estoy a tu disposición con todo lo que soy y tengo.

Si quieres mi trabajo: Ad sum! ¡Aquí estoy!
Si quieres que todas las fuerzas de mi espíritu
lentamente se desangren: Ad sum! ¡Aquí estoy!

Si quieres mi muerte: Ad sum! ¡Aquí estoy!
Pero procura que todos
los que tú me has confiado
amen a Jesús,
vivan para Jesús
y aprendan a morir por Jesús. Amén.(HP, 629-631)

Esta oración nos muestra en toda su hondura y sinceridad la lucha por la libertad interior que el P. Kentenich libró en su propio corazón, y que llevó al punto de ofrecerse enteramente por los suyos. Nos hace comprender su aspiración a lo más alto y, aun más, que había llegado a la cumbre. Los acontecimientos relativos a su persona y su destino, que tuvieron lugar en enero de 1942, habrían de confirmar esta aseveración.

Capítulo 6

LA DECISIÓN

1. El 20 de enero de 1942

. El 17 de enero de 1942, llegó a Schoenstatt una nota del P. Kentenich con una mala noticia: "Me acaban de hacer un examen físico para verificar si estoy o no en condiciones de ser enviado a un campo de concentración. Resultado: Sí, lo estoy. No obstante, nadie debe preocuparse".

Por cierto que esta noticia alarmó enormemente a todas las personas responsables de la conducción de Schoenstatt. El examen significaba que la Gestapo pensaba recluir al P. Kentenich en un campo de concentración y que el traslado estaba próximo. ¿Qué había sucedido?

El 13 de enero de 1942, lo habían sometido a un nuevo interrogatorio, pero más duro y agresivo que en las otras ocasiones; y como no sólo querían información sino también una confesión, lo presionaron con la amenaza del campo de concentración. Pero el P. Kentenich no se dejó impresionar.

Tres días después del interrogatorio, se le realizó un examen bastante superficial. Por ejemplo, y así lo comunicó el P. Kentenich en una nota enviada desde la prisión, no tomaron en cuenta para nada ni el corazón ni los pulmones. El examen fue sólo de una formalidad, porque la Gestapo ya había tomado una decisión[98]. Prueba de ello es

98   Cf. Circular de Heydrich del 24 de octubre de 1941, a todos los cuarteles de la Policía del Estado sobre el "trato de los enemigos confesionales". Allí se ordena que, en vista de las

que lo dejaron en prisión de resguardo, aun cuando ya había permanecido cuatro meses encarcelado[99].

Desde Schoenstatt se echaron a andar todos los contactos que se había logrado establecer a partir del 20 de octubre de 1941. Al fin y al cabo, para el Movimiento nadie era tan indispensable e irremplazable como el P. Kentenich. Si no volvía del campo de concentración, su Obra quedaría cuestionada y en grave peligro de desaparecer.

Lograron que el médico que le había hecho el examen consintiera en hacerle otro. Para ello sólo se ne-

Reinhard Heydrich.

cesitaba que el prisionero informara acerca de sus limitaciones físicas y llenara un formulario con la solicitud correspondiente. En ese caso, el médico se declaró dispuesto a revocar el resultado del primer examen y a certificar que el P. Kentenich no era apto para ingresar a un campo de concentración.

La decisión, por lo tanto, quedó en manos del P. Kentenich. Desde Schoenstatt, se desató una tempestad de ruegos para que aceptara pedir otro examen médico. Enviaban a su celda un mensaje tras

---

     desfavorables experiencias habidas con motivo de las expropiaciones de conventos en el verano de 1941, se evitara todo aquello que pudiera debilitar la resistencia "en el ánimo" de la población y ser exhibido como un "ataque planificado y por razones de principio" contra las Iglesias. Sin embargo, algunas medidas, como la del traslado a un campo de concentración, debían ser "aplicadas sin vacilar y en un grado más severo". Archivo Federal, Coblenza, R. 58/266.

99   "Prisión de resguardo" en el Tercer Reich: La persona en cuestión era, supuestamente, tomada bajo la protección de la policía para protegerla de la "ira del pueblo". Posteriormente se le dio la connotación de "protección del pueblo alemán contra parásitos y traidores".

otro. Desde la ventana de la torre, sus colaboradores más cercanos, tanto sacerdotes como Hermanas, hacían lo posible por convencerlo. También lo intentaron los dirigentes de las comunidades diocesanas de Schoenstatt, que en esa época, como todos los años, se reunían en Schoenstatt.

Dicha declaración era perfectamente justificada pues, en su juventud, el P. Kentenich había sufrido una grave afección pulmonar que casi le cuesta la vida. Una radiografía a los pulmones hubiera mostrado claramente las secuelas. Sin embargo, y a pesar de todos los esfuerzos de la Familia de Schoenstatt, el P. Kentenich no quiso aceptar esta oportunidad de librarse del campo de concentración que se le ofrecía. El 19 de enero, cuando la presión de los suyos se hacía más intensa, les comunicó lo siguiente: "Muchas gracias por las gestiones hechas ante el médico. Por favor, no tomen a mal que no mueva los hilos que me han preparado. Por ahora no puedo comunicarles las razones íntimas que explican mi actitud".

El propio P. Kentenich, inmediatamente después del interrogatorio del 13 de enero, había redactado una defensa que entregó a la Gestapo, en la cual hacía presente los vicios de que adolecía el procedimiento contra él. Y eso era todo lo que se creía obligado a hacer.

El 20 de enero, después de almuerzo, vino a su celda el capellán de la prisión a informarle que, antes de las 17 horas, tenía que entregar una declaración por escrito informando acerca de su enfermedad para que el médico lo examinara de nuevo. El último plazo vencía en ese momento.

Las cartas y breves notas escritas el 20 de enero de 1942, atestiguan cuán dura e inflexiblemente luchó el P. Kentenich contra sí mismo para persistir en la decisión que había tomado. Pasó en vela, orando, la noche del 19 al 20 de enero. Una nota, que envió durante el curso del día, dice: "Sé lo que está en juego y pienso en la Familia y en la

Obra… Pero justamente por ellas creo que debo actuar así. 'Buscad primero el Reino de Dios… y lo demás se os dará por añadidura…' "

Una carta enviada la mañana del 20 de enero al P. Alex Menningen, a su colaborador y sacerdote más cercano y de mayor confianza, decía lo siguiente: "Justamente durante la santa consagración me llegó la respuesta a la pregunta que hasta ayer había quedado pendiente: nuestros sacerdotes deben tomar en serio el Poder en Blanco y la Inscriptio, especialmente algunos de los más antiguos. Entonces quedaré libre nuevamente". Aquí podemos ver que el P. Kentenich no se aparta de su visión de las cosas: condiciona su liberación al esfuerzo, al menos de los dirigentes de Schoenstatt, por lograr el·grado más alto de libertad cristiana. La carta continúa diciendo: "Comprendan esta respuesta a partir de la fe en la realidad sobrenatural y del entrelazamiento de destinos entre los miembros de nuestra Familia".

Con ello, el P. Kentenich indica que no deseaba que su liberación se debiera a empeños humanos, pues él fundaba todos los acontecimientos de su vida en la realidad sobrenatural, especialmente en la realidad sobrenatural según se había manifestado en Schoenstatt, comenzando por la Alianza de Amor del 18 de octubre de 1914 que, desde entonces, es para Schoenstatt su realidad más íntima.

Su decisión también se funda en el "entrelazamiento de destinos de los miembros de la Familia", la ley de la solidaridad que rige especialmente entre él, como fundador y cabeza, y la Familia de Schoenstatt. De acuerdo con los planes de Dios, que él ausculta en las circunstancias concretas de su vida y de su Obra, sólo podía y debía ser liberado cuando la Familia solidarizara, junto con él, en la perfecta entrega a la voluntad de Dios.

El plazo fijado para las 17 horas había expirado. El P. Kentenich no utilizó el formulario que le trajeron a su celda. No se declaró enfermo y quedó vigente el resultado del examen del 15 de enero. La decisión era definitiva. Al respecto, en una nota del día anterior, había escrito: "¿No crees que no sería muy "correcto" de mi parte evitar ir al campo de concentración? Allí esperan muchos conocidos. Y, además, las primeras cuatro semanas fueron peores que el campo de concentración... Verás que por sobre nuestras vidas hay un poder más alto que todo lo dirige hacia lo mejor".

2. Visión de la fiesta de la Candelaria

Transcurrieron casi dos meses antes de que lo trasladaran al campo de concentración, tiempo que pasó en la prisión de Coblenza. Tal como lo había hecho desde el 13 de diciembre de 1941, pudo celebrar la Santa Misa casi todos los días. También la vinculación con Schoenstatt continuó como antes, sin contratiempos. Solo una vez casi fracasó debido a la envidia de un gendarme. Los schoenstatianos pudieron seguir subiendo a la torre de la iglesia de los Carmelitas regularmente, siempre con las necesarias precauciones. Pero llegado el tiempo de cuaresma, el P. Kentenich expresó el deseo de hacer un sacrificio y no comunicarse con la torre para tener un retiro espiritual desde el 8 al 20 de marzo. Ahora lo podía hacer porque desde el 1° de febrero disponía nuevamente, para el solo, de la celda que durante algunas semanas había compartido con otro sacerdote.

En estas semanas y hasta su traslado a Dachau, los días 22 de enero y el 2 de febrero tuvieron especial importancia: el 22 de enero el P. Kentenich recordó a Vicente Pallotti, fundador de la comunidad de sacerdotes a la que él mismo pertenecía. Pallotti había muerto el 22 de enero de 1850, en Roma, sin haber logrado completar su Obra: "Apostolado Católico", cuyo objetivo era coordinar y movilizar todas las fuerzas de la Iglesia. Ello no se debió tanto a su muerte, relativamente temprana, el santo murió cuando tenía 55 años, como a la incapacidad de sus contemporáneos, hasta en las esferas eclesiásticas más eminentes, para comprender la esencia de su propósito y su importancia, tanto para esa época como para el futuro desarrollo de la Iglesia: época de la técnica, de los trabajadores y de las masas.

El P. Kentenich se había vinculado a Pallotti por una doble razón: como miembro de la comunidad de sacerdotes fundada por él y, ante todo, porque desde 1916, a partir de circunstancias que aquí no cabe explicar más detalladamente, había llegado a la conclusión de que Dios había confiado la misión de Pallotti a Schoenstatt y, desde allí, quería ponerla nuevamente en marcha.

El P. Kentenich dedicó el aniversario de la muerte de Pallotti a reflexionar una vez más sobre su relación con él y con la Sociedad de los palotinos, y a ponderarla en oración con Dios. Desde el nacimiento de Schoenstatt, su relación con la Sociedad no había estado exenta de dificultades. Sin embargo, poco a poco, y gracias a las iniciativas del propio P. Kentenich, se había producido un acercamiento que, según sus planes, debía culminar cuando la Sociedad de los palotinos asumiera la tarea de ser oficialmente la principal portadora e inspiradora de la Obra de Schoenstatt.

Por esa razón, su lucha por la libertad y su decisión del 20 de enero incluía a los palotinos, y también por eso escribió al P. Menningen lo siguiente: "Preocúpese usted también de que nuestra PSM[100] actúe tal como nosotros. Entonces ganará la batalla. Se despertarán e instigarán poderes contrarios a Dios, pero serán vencidos".

La paz y claridad que inundó el alma del P. Kentenich después del 20 de enero, como una gran luz, le hizo pensar que Dios quería que Pallotti, su misión para todo el mundo y Schoenstatt constituyeran una unidad. En otras palabras, Schoenstatt estaba llamado a hacer realidad el "Apostolado católico", o bien, como lo formuló posteriormente, a la realización de la Confederación Apostólica Universal. A través de ella, los esfuerzos de la Iglesia por la redención del

---

100   PSM = *Pia Societas Missionum,* es decir, Pía Sociedad de las Misiones. Desde 1854 hasta 1947, ése fue el nombre oficial de los Padres Palotinos. Desde entonces pasó a ser SAC, *Societas Apostolatus Catholici*, es decir, Sociedad del Apostolado Católico.

mundo y la salvación de los hombres debían adquirir una forma tan adecuada a los tiempos que se vivían y tan eficaz como fuera posible.

Con la renovación de esta creencia, el 22 de enero surgió en el P. Kentenich una gran confianza en que Dios no quería su muerte en cautividad, sino que volvería libre a Schoenstatt. Más aun, que ello ocurriría pronto, a pesar de la orden de prisión preventiva de la Gestapo, que significaba casi con certeza su traslado a un campo de concentración, y de su propia decisión del 20 de enero.

El 23 de enero escribió al P. Menningen: "De acuerdo a la nueva situación, creo quedar libre pronto. Por cierto, siempre que se cumpla la condición para que esto suceda". En otra carta del 23 de enero, se lee: "Si todos actúan como usted, puedo decir: 'Nos veremos de nuevo, alegres y pronto'". Cinco días después, el 28 de enero, expresaba la misma convicción: "No dudo de la liberación, con tal de que la Inscriptio sea tomada en serio".

A fin de mes, creyó que tal vez sería liberado en la fiesta de la Candelaria, el 2 de febrero. Días antes compuso el *"Cántico de gratitud"*, en el cual celebra su liberación y regreso como si ya hubieran sucedido:

> *¡Cayeron las cadenas!*
> *Resuene en las voces de todos*
> *un jubiloso cántico de gratitud que se eleve*
> *desde los santos recintos de Schoenstatt.*

> *En el difícil camino de peregrinación,*
> *Dios se ha manifestado ante nuestra comunidad*
> *en su grandeza y sabiduría,*
> *para gloria y alabanza suyas.*

> *Cuanto el poder y la astucia de Satanás*
> *idearon como infortunio,*

*lo transformó la mirada del Padre
en nuestra suprema felicidad.*(HP, 612-614) [101]

Aun cuando pasó el 2 de febrero y las puertas de la prisión siguieron cerradas, en él no disminuyó la convicción de que sería dejado en libertad. "Desde el 20 de enero, tengo una gran fe en mi pronta liberación; desde el 22, esa certeza ha aumentado. El 2 de febrero tienen que haber tomado la decisión. ¿Cuándo la aplicarán?" (Carta al P. Menningen, del 5 de febrero de 1942)

El 7 de febrero, el P. Kentenich informó que el 2 de febrero se había tomado, efectivamente, una decisión crucial para él: "Pienso, ahora como antes, que el 2 de febrero se decidió mi destino. De hecho, después de esa fecha, escuché que alguno de la Gestapo de este lugar había estado en Berlín una semana antes". (Al P. Menningen, 7 de febrero de 1942)

Respecto a la certeza de su liberación, las expresiones del P. Kentenich de fines de enero y comienzos de febrero de 1942 no son concluyentes. Por una parte, estaba firmemente convencido de que iba a ser dejado en libertad, y esta convicción era tan fuerte que, como había surgido en él durante la fiesta de la Candelaria, más tarde la llamó "Visión de la fiesta de la Candelaria". Por otra parte, desde un principio dijo, sin dejar lugar a dudas, que su liberación dependía del cumplimiento de una condición: "Si la Inscriptio es tomada en serio", "si todos obran como ustedes". Al menos los círculos dirigentes de su Obra, a través de sus representantes más significativos, debían comprometerse a vivir seriamente la Inscriptio, en virtud de un acto consciente y radical de entrega a Dios.

---

101 Son éstas las primeras tres estrofas. Una detallada relación sobre el *Cántico de gratitud* se encuentra en El origen del Cántico de gratitud, de Quentin Berg, en *Regnum,* revista trimestral del Movimiento de Schönstatt. Marzo de 1971, p. 97-105. La versión completa se encuentra también en el libro de oraciones *Hacia el Padre,* Ed. Patris, Santiago, Chile, 11a edición, 1999, n. 612-624. Traducción del P. Joaquín Alliende Luco.

Como ya dijimos, la comunidad de las Hermanas de María había hecho la Inscriptio el 18 de octubre de 1941. A pesar de lo que pensaba el P. Kentenich, ellas seguirían siendo, por el momento, la única comunidad que se atrevió a hacer confiadamente este acto de entrega total. Por eso, lo que el P. Kentenich dijo en una carta escrita, tal vez a comienzos de febrero, no correspondía a la realidad: "Lo que a mí me da la garantía de ser liberado es la confianza en que Dios ha aceptado el precio de mi rescate".

En realidad, no todas las comunidades de la Obra de Schoenstatt llamadas a hacerlo habían pagado aun el precio del rescate que él les pidió. Solo más tarde, en el campo de concentración de Dachau, pudo verificar que no se había cumplido lo que él supuso en la cárcel de Coblenza. Asimismo, después se enteró de que, el 2 de febrero, la Gestapo y la Dirección Superior de Seguridad del Reich habían tomado la decisión de no ingresarlo, como se había decidido inicialmente, al campo de concentración de Mauthausen, en Austria, conocido como "Mordhausen"[102] sino al campo de concentración de Dachau, destinado a sacerdotes prisioneros.

El 9 de marzo de 1942, el primer día de sus ejercicios espirituales privados, el P. Kentenich, quien en la cárcel de Coblenza disponía de un sistema de comunicaciones que funcionaba bien, se enteró de que dos días después iba a ser trasladado a Dachau. Inmediatamente transmitió la noticia a Schoenstatt y agregó indicaciones acerca de cómo debían proceder:

"El miércoles, a Dachau. No deben dar a conocer esta noticia antes de confirmarla... Permanezcan serenos, desprendidos, fieles y fuertes... Resumo así la situación:

1. El cambio de aire hace bien, por lo tanto, es un acto de amor especial que se nos regala.

---

102 Mauthausen, Mordhausen: Hay en ello un juego de palabras. Mord = asesinato. Mordhausen sería, pues, casa del asesinato. (N. del T.)

2. Los sacrificios que ello implica serán pararrayos para la Familia. Ésta, sin embargo, debe también prepararse para duras tempestades. Por lo tanto:
   a) fidelidad,
   b) unidad,
   c) sana independencia,
   d) Inscriptio: yo por ustedes y ustedes por mí.

Si el precio del rescate es tomado en serio por la Familia, volveré 'pronto', a pesar de todo..."

En vista del curso que tomaban los acontecimientos, la Familia ya no consideró la petición del P. Kentenich de no asomarse a la claraboya de la torre hasta el 20 de marzo. Desde Schoenstatt, llegaba a la torre una visita tras otra. Las cartas iban y venían nuevamente. El P. Kentenich escribió a las Hermanas que, como es de suponer, estaban muy preocupadas por su fundador: "Para mí, el camino de hoy es, sin duda, el mejor. De no ser así, Dios no me conduciría por él. Ahora rige para mí aquello de que nadie tiene un amor más grande..."

Tanto ahora como antes, en los días de la fiesta de la Candelaria, estaba convencido de que iba a ser dejado en libertad, pero cuando Dios lo dispusiera; de ahí su petición de que en adelante cantaran diariamente y hasta su regreso todas las estrofas del "Cántico de gratitud".

En otro lugar escribe:

"Llegará el día en que veremos más claramente por qué ha sucedido todo esto. En todo caso, todos los días de nuestra vida tengamos presente que amamos y, por lo tanto, todo saldrá bien. Dios sigue siendo magnánimo, aun cuando no lo comprendamos. Déjense conducir por la Madre de Dios y por el Padre celestial hacia el Salvador, profundamente, entrañablemente, permanentemente".

La mañana del 11 de marzo, el P. Kentenich fue llevado a la estación principal de Coblenza junto con otros prisioneros destinados a Dachau. Para acceder al andén, utilizaron la escala que normalmente no usaban los demás viajeros, al norte de la sala de espera de la estación. No sólo las Hermanas de María fueron a despedirlo, también llegó, vestido de civil, el protestante, el "mensajero chico", con su señora.

Lápiz usado por el P. Kentenich
en sus escritos y cartas.

TERCERA PARTE

1942-1943

Capítulo 7

LOS PRIMEROS MESES EN DACHAU

I. El ingreso

En esta oportunidad no haremos una descripción detallada del campo de concentración de Dachau, de su origen, historia y organización[103], pero mencionaremos algunas cosas que facilitarán la comprensión de los hechos y acontecimientos que describiremos más adelante.

El campo de concentración de Dachau, situado al sureste de la ciudad bávara del mismo nombre, no lejos de Munich, tiene especial notoriedad en la historia de la tiranía nacionalsocialista y, sobre todo, en la historia del Schutzstaffel (SS). Uno de sus prisioneros más destacados, Edmond Michelet, jefe de la Resistencia francesa, y posteriormente, durante muchos años, Ministro en diversos gobiernos de Francia, definió este campo de concentración diciendo: "Este es como san Juan de Letrán, como la iglesia madre de todos los campos de concentración".[104]

---

103 Ver descripciones más detalladas en: Johannes Neuhäusler, *Wie war das?* (¿Cómo fue aquello?). Reimund Schnabel, *Die Frommen in del Hölle. Zum System der nationalsozialistischen Konzentrationslager,* (Los hombres piadosos en el infierno. Sobre el sistema del campo de concentración nacionalsocialista). Véase especialmente Martin Broszat, *Nationalsozialistische Konzentrationslager*; Hans Buchheim y otros, *Anatomie des SS-Staates* (Anatomía del Estado del SS), tomo II, p. 9-160.

104 Edmond Michelet, *Die Freiheitsstraße,* p. 65.

Entrada al campo de Dachau.

Aquí se encontraba, desde el 22 de marzo de 1933, el campo de prisión preventiva, instalado inicialmente en una fábrica de municiones de la Primera Guerra Mundial, que era el campo de concentración propiamente tal. El SS tenía aquí también su casa central, por así decirlo, y su campo de concentración central, con cuarteles, talleres, bodegas, hospital, oficinas de pago y lugares para ejercicios y deportes. Ahí recibían instrucción básica los comandantes de los otros campos de concentración.[105]

En Dachau, Theodor Eicke, que se desempeñaba en un alto cargo en el SS, en el verano de 1934, fundó las primeras tristemente célebres Unidades de las Calaveras del SS. A fines de junio de 1933, fue nombrado segundo comandante del campo de concentración, a las órdenes de Wäckerle, alto jefe del SS. Puede decirse que Eicke fue el organizador del campo de concentración en su calidad de miembro de la *élite* del NSDAP. Después del estallido de la Segunda Guerra

---

105 Eugene Kogon, *Der SS-Staat,* p. 36.

Mundial, Eicke –que entretanto había ascendido a jefe de la Unidad de las Calaveras del SS e inspector de todos los campos de concentración– formó la primera división del SS destinada a combatir en el frente. Con este fin habían llevado transitoriamente a los prisioneros a otros campos de concentración, como Mauthausen, cerca de Linz, en Austria; Flossenburg, en Oberpfalz; y Buchenwald, cerca de Weimar.

En un lugar junto a Dachau, en Allach, Heinrich Himmler –Jefe para todo el Reich del SS y Director de la Policía Alemana– había establecido una fábrica de porcelana que pertenecía al SS. Como ejercía un cargo policial en Munich, el 20 de enero de 1943 había ordenado construir el campo de concentración en Dachau Moos[106]. Aquí se extendían, inmediatamente al lado del campo de concentración, las "plantaciones" ideadas también por Himmler como regalo para Hitler. Estas tierras tenían unos 240 Morgen[107] y habían sido rescatadas por los prisioneros de las tierras pantanosas de Dachau Moos para cultivos que, supuestamente –dados los esfuerzos del gobierno por lograr un alto grado de autarquía–, ayudarían a hacer de Alemania un país económicamente tan independiente como fuese posible.

Cuando el P. Kentenich ingresó al campo de concentración de Dachau, vivían allí, en vez de los 5 mil prisioneros para los cuales había sido originalmente construido, más de 12 mil seres humanos privados de su libertad. Provenían de las más diversas naciones. No todos habían llegado a Dachau en calidad de opositores al nacionalsocialismo o por oponerse a sus políticas. Además de los prisioneros políticos había personas internadas por el solo hecho de pertenecer a determinadas categorías humanas: judíos, eruditos en temas bíblicos, gitanos, vagabundos, homosexuales y, principalmente, delincuentes que, una vez cumplida su condena, eran trasladados por la Gestapo al campo de concentración.

---

106   Es el nombre de la región. *Moos* quiere decir tierras pantanosas. (N. del T.)
107   *Morgen:* medida de campo en la región. Equivale a unas 90 hectáreas. (N. del T.)

Desde fines 1942, Dachau adquirió una característica que lo distinguía de los otros campos de concentración nazi: la Gestapo empezó a internar también allí a sacerdotes encarcelados contra todo derecho y contra toda ley [108]. Languidecían, pues, en Dachau, más de 1.700 sacerdotes polacos, hacinados en los barracones 28 y 30. Los sacerdotes alemanes convivían con los de otras nacionalidades en el barracón 26, denominado "bloque".

Cuando llegó el P. Kentenich, el sacerdote de más alto rango era el obispo polaco Michael Kozal, que ya el 7 de noviembre de 1939, pocas semanas después de la ocupación de Polonia, había sido encarcelado en su patria y luego enviado a Dachau el 25 de abril de 1941. Entre los prisioneros más destacados del clero católico se contaba también el prelado Johannes Neuhäusler, posteriormente obispo de Munich, encarcelado en la primavera de 1942. No lo pusieron con sus cohermanos en el bloque 26, lo mantuvieron "dignamente" prisionero en una celda individual del así llamado "bunker", dándole el mismo trato que al más conocido prisionero de la Iglesia Evangélica, Martin Niemöller.

Desde el comienzo, los sacerdotes del bloque 26 gozaron de un precioso privilegio: en el cuarto N° 1 de su barracón se instaló una capilla provisional, en la cual celebró misa por primera vez, el 22 de enero, el entonces capellán del campamento, el sacerdote polaco P. Paul Prabutzki.[109] Desde entonces, se había podido mejorar el aspecto de la capilla y celebrar misa diariamente. Por desgracia, en el oto-

---

108 Los sacerdotes encarcelados en Buchenwald llegaron a Dachau el 7 de diciembre de 1940; los de Sachsenhausen, el 15 de diciembre. Véase Johann Maria Lenz, *Christus in Dachau*, op. cit., p.75 y 131. Esto impedía que algunos sacerdotes fueran enviados, en casos especiales, a otros campos de concentración.

109 Según Reimund Schnabel, *Die Frommen in der Hölle*, op. cit., p. 154, la autorización para celebrar la santa misa concedida a los sacerdotes internados en Dachau fue el resultado de negociaciones que condujo el Vaticano, en el verano de 1940, con el gobierno del Reich. También fue decisiva la acción de la Nunciatura en Berlín y la actuación del obispo Heinrich Wieneken.

Celebración de la misa en el barracón.

ño de 1941, los sacerdotes polacos fueron separados de sus coher-manos provenientes del resto de Europa y excluidos de la participa-ción en la santa misa.

Otro privilegio acordado a los sacerdotes de Dachau –eximirse del trabajo corporal en los grupos de trabajo del campo de concen-tración– fue suspendido el 2 de enero, poco antes del ingreso del P. Kentenich; pero de hecho fueron incorporados a los comandos, sal-vo unos pocos sacerdotes, sólo a fines de abril o comienzos de mayo. Del mismo modo, desde el 11 de febrero de 1942 quedó suspendido el permiso para dar a los sacerdotes vino diariamente y medio litro de chocolate tres veces por semana, aportados por la Iglesia.[110]

El otoño de 1941, el P. Kentenich hizo el viaje en tren desde Co-blenza a Dachau con el director de Caritas, Hans Carls, de Wuppertal, quien fuera arrestado por la Gestapo el 7 de noviembre de 1941. En

---

110 Johann María Lenz, *Christus in Dachau,* op. cit., p. 132. Según Sales Heß, en *Dachau, eine Welt ohne Gott* (Dachau, un mundo sin Dios), p. 135, el consumo de vino ya había sido in-terrumpido el 25 de enero y el de chocolates una semana después.

Traslado de prisioneros.

su libro *"Dachau"*, Carls relata lo siguiente sobre su encuentro con el fundador de la Obra de Schoenstatt: "Afuera, en el patio de la prisión de Coblenza, me encontré con el P. Kentenich, también destinado a Dachau. Como nos conocíamos de antes, desde ese momento permanecimos juntos durante todo el viaje. En el andén de la estación, tuvimos que esperar mucho tiempo la llegada del tren, estrechamente vigilados por funcionarios de la policía. En el otro extremo del andén, vimos a dos Hermanas de María de Schoenstatt, pero no se atrevieron a acercarse más; cuando nos condujeron al otro lado del andén, el P. Kentenich pudo saludarlas brevemente. Las Hermanas demostraron gran alegría al volver a verlo después de seis meses[111]. En el andén N° 2 había mucha gente que nos miraba con interés".[112]

El viaje al sur pasó primeramente por Frankfurt sobre el Meno. El director de Caritas prosigue su relato: "Después de cuatro horas llega-

---

111 Hans Carls no sabía que las Hermanas habían podido ver ocasionalmente al P. Kentenich durante la prisión en Coblenza, desde la torre de los Carmelitas.
112 Hans Carls, *Dachau*, op. cit., p. 52.

mos a la estación de Frankfurt. Ya bastante antes de que el tren entrara a la estación, oímos fuertes ladridos. Habían venido a buscarnos policías con perros… Nos llevaron a un espacio muy reducido dentro del edificio de la estación, donde esperamos una hora. Durante la noche nos encerraron en la bodega del subterráneo. Había en total 178 prisioneros".[113]

"A las nueve de la mañana del día siguiente, se nos distribuyó la ración de comida para el viaje y fuimos llevados nuevamente a la estación. La siguiente parada fue Würzburg, a las tres de la tarde. Aquí nos esperaba una nueva sorpresa. En el andén fuimos encadenados de dos en dos, con grilletes de acero"[114]. Muchas de las personas que estaban junto a la reja de la estación reconocían a los sacerdotes prisioneros y movían la cabeza en señal de tristeza y desacuerdo. Algunas mujeres prorrumpieron en llanto. Hans Carls, dirigiéndose a ellas, dijo que estaban orgullosos de tener que soportar esto por la Iglesia.

La estadía en Würzburg fue, por lo demás, más agradable que las otras: "Por primera vez nos dieron un albergue limpio, sopa caliente con fideos… Dormimos en colchones y con frazadas".[115]

Durante la marcha hacia la estación, al día siguiente, los sacerdotes no fueron esposados. El párroco Herman Quac, de la diócesis de Speyer, y un hermano laico de Mainz se unieron al P. Kentenich y a Carls; en la última etapa del viaje a Dachau compartieron con ellos la celda para prisioneros del tren. Aproximadamente a las tres de la tarde llegaron a la estación de Dachau.

El SS sabía disponer el recibimiento en la estación, antes del ingreso al campo de prisión preventiva, de manera que no les quedara

---

113 Ibíd.
114 bíd., p. 53.
115 Ibíd. Según otra versión, que proviene de una declaración ocasional del P. Kentenich, la segunda estación del viaje a Dachau debió ser Nüremberg, no Würzburg. Aunque es verdad que en una exposición oral más extensa, dada el año 1963, dijo que Würzburg fue el segundo lugar donde pernoctaron.

Recepción de prisioneros en Dachau.

duda alguna sobre la suerte que les esperaba. Como salvajes, la dotación de la guardia maltrataba a los prisioneros que descendían del vagón de carga, aun empalados por el viaje en ferrocarril y (lo que no es de extrañar) también hambrientos. Les gritaban, injuriaban, abofeteaban. Desde el primer momento había que inculcar a esas víctimas indefensas que de ahora en adelante no tendrían ningún derecho.

El párroco Quack describe la llegada del P. Kentenich a Dachau de la siguiente manera: "Al ingresar al campo de concentración y pasar por todas las formalidades, que requerían varias horas, fui testigo de cómo ambos sacerdotes (es decir, Carls, el director de Caritas, y el P. Kentenich) recibieron toda clase de burlas e insultos por parte de los hombres del SS. Yo salí algo mejor librado porque no me reconocieron como sacerdote debido a mi traje azul. Las burlas continuaron en los días siguientes".[116]

Carls describe los siguientes episodios: "El P. Kentenich llevaba entonces una larga y hermosa barba, lo cual llamó la atención. Uno

---

116 Carta al P. Fischer del 11 de agosto de 1954.

de los hombres del SS le preguntó: "'¿Eres judío?' '¿No?' '¿Qué eres?' 'Sacerdote católico' '¿Por qué usas barba, entonces?' No recibió respuesta".[117]

Inmediatamente después de entrar al campo de concentración, antes de que los prisioneros ingresaran a la prisión preventiva propiamente tal, tenían que pasar a la "Sección Política", es decir, a la oficina de la Gestapo, cuyo barracón estaba inmediatamente antes de la entrada al campo de concentración. Ahí se registraban sus datos, recibían su número de prisionero y se les tomaba una fotografía. El P. Kentenich recibió el número 29392. Uno de los jefes del SS desahogó su cólera en el P. Kentenich y comenzó a increparlo violentamente y a lanzarle toda clase de preguntas. Como no recibiera respuesta y el P. Kentenich lo mirara con el semblante más bien relajado y un poco sonriente, alzó la mano para golpearlo. Sin embargo, evidentemente desconcertado por su tranquilidad, la retiró. Días después, se encontraron nuevamente en la Sección Política. El propósito de esta entrevista era que los prisioneros informaran acerca de su vida. El jefe le gritó: "¡El misionero puede limpiarme la bicicleta!" Para su sorpresa, recibió una respuesta poco común en esas circunstancias: "Sí, yo puedo hacerlo, pero no porque tenga que hacerlo sino como hombre libre, para prestarle a usted un servicio".

Mientras escribía su trayectoria de vida, el jefe se puso detrás de él. El P. Kentenich se volvió y le preguntó serenamente: "¿Por qué me increpó ayer con esa violencia tan terrible?" Se entabló entonces una conversación durante la cual el jefe SS lo llevó a un cuarto aparte y le contó toda la historia de su vida. Le dijo, entre otras cosas, que había sido bautizado y educado como católico y que provenía de una buena familia, muy piadosa. Un tío suyo era miembro del capítulo de la catedral de una ciudad episcopal bávara. Cerró la conversación con

---

117   Hans Carls, *Dachau*, op. cit., p. 54.

estas palabras: "Si usted sale de aquí alguna vez, no diga dónde me encontró".[118]

De la Sección Política se pasaba, a través de una puerta de hierro con una inscripción que decía "El trabajo hace libre", al campo de prisión preventiva. Pero antes, a la así llamada "sala de acceso". Ahí los recién llegados tenían que quitarse la ropa y ponerla en un saco. Entregaban sus objetos de valor, como relojes o lapiceras, contra un recibo y nuevamente los anotaban en un registro. De la sala de acceso se pasaba, sin ropa, al baño. En el trayecto era rapados. Después de la ducha, que el personal del SS encargado de la vigilancia regulaba para que quedara demasiado fría o demasiado caliente, recibían la vestimenta del campo de concentración. Como ya a comienzos de 1942 no tenían suficiente ropa, al P. Kentenich no le dieron la vestimenta listada de blanco y azul sino una de brin[119] blanco marcada en la espalda con una cruz roja[120]. El uniforme de los prisioneros se componía, además, de un par de calcetines y un par de zapatos con suela de madera o simplemente zuecos. Como les lanzaban la ropa a la cabeza desde un gran montón, no había forma de hacer coincidir las distintas partes. Posteriormente, en el bloque de acceso, los prisioneros trataban de procurarse prendas que hicieran juego, al menos lo mejor posible.

Una vez duchados y vestidos, entraban al patio donde se les pasaba revista. Este se extendía entre el edificio de la administración y los barracones del campo de concentración. Luego, los venía a buscar el más antiguo del bloque de acceso o el más antiguo jefe de pieza. Al P. Kentenich lo ubicaron en el bloque de acceso, es decir, en el ba-

---

118 Este tío del jefe SS, según cuenta el P. Kentenich en el relato recién mencionado (nota 13) del año 1963, había estado en Schoenstatt sólo 14 días antes del arresto del P. Kentenich y allí había hecho, en el Santuario, su consagración a las Madre tres veces Admirable.

119 Tela de lino, ordinaria y gruesa.

120 Según testimonio del Dr. Pesendorfer, dado después de su liberación en enero de 1943, la camisa del P. Kentenich mostraba grandes rasgaduras, y toda su ropa era de "un brin delgado y raído".

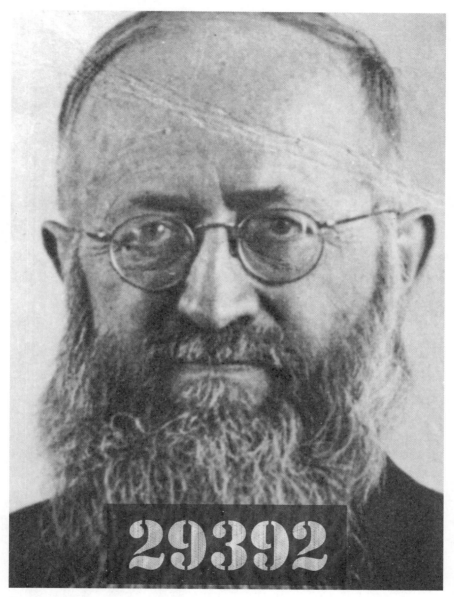

Kosé Kentenich, prisionero No 29392.

Selección de trabajadores.

rracón N° 13 para prisioneros recién llegados, donde debían permanecer en cuarentena durante un tiempo determinado.

Paralela a la administración del SS, en el campo de concentración de Dachau, como en todos, había una auto-administración a cargo de los propios prisioneros. El puesto de jefe del campo de prisión preventiva[121] correspondía, por parte de los prisioneros, al más antiguo del campo; el de jefe de un bloque, al más antiguo de un barracón; el de jefe de los distintos grupos de trabajo, al "capo" de los prisioneros; bajo las órdenes de los más antiguos del bloque estaban, en cada una de las cuatro piezas de cada bloque, los prisioneros que le seguían en antigüedad.

Al P. Kentenich se le asignó, en la tarde del 13 de marzo de 1942, la pieza N° 1 del bloque de acceso. Sobre los funcionarios de la au-

---

121 El jefe del campo de prisión preventiva estaba, a su vez, subordinado al comandante del campo de concentración general de Dachau. Generalmente tenía a sus órdenes un segundo o tercer jefe de campo de prisión preventiva, con los cuales se relevaba en el servicio. Del mismo modo, entre los más antiguos de los prisioneros se elegía, a veces, un segundo o tercer jefe (Reimund Schnabel, *Die Frommen in der Hölle,* op. cit., p. 64).

to-administración a cargo de los prisioneros recaía una gran responsabilidad. Así, el más antiguo del bloque de acceso tenía, ante todo,
la tarea de poner a los recién llegados al corriente del ordenamiento
del campo, sus normas y usos. En esos días, el más antiguo del bloque de acceso y, al mismo tiempo, suplente del más antiguo del campo de concentración, era Hugo Guttmann, un suizo oriundo del can-
tón de Appenzell.

Joseph Joos reproduce en su libro *"Vida hasta nueva orden"*,
una muestra del tipo de introducción que Guttmann solía dirigir a los
prisioneros recién llegados: "Están ustedes, pues, en Dachau. Aquí
la vida es una porquería y los castigos son terribles. Al que roba pan,
se le mata a palos. Dachau es un campo de concentración para políticos, los que tienen una marca roja[122] Llegar al campo de concentración por ideas políticas no es ninguna vergüenza. Pero... ¡por un
delito común!... ¡Tú, allá atrás, ya puedes hacer tu testamento! ¡No
saldrás vivo de aquí! Y ahora, ¡retírense a sus piezas y cosan su marca y número en su ropa!"[123].

Guttmann, quien dijo haber sido católico y que una de sus tías
era superiora de un convento, parece haberse sentido impresionado
desde un principio por el P. Kentenich. Pocos días después del 13 de
marzo, fue, como lo hacía frecuentemente, al bloque 26 de los sacerdotes. Se sentía a gusto con ellos y le agradaba conversar de temas filosóficos, psicológicos y pedagógicos. Esta vez, durante el curso
de la conversación, les dijo: "La Gestapo ahora ya no trae al campo

---

122 Según la categoría a que pertenecían los prisioneros, tenían que llevar una marca de determinado color en su vestimenta; los políticos (por lo tanto, también la mayoría de los sacerdotes), una marca roja, los criminales, verde; los antisociales, negra, etc.

123 Joseph Joos, *Leben auf Widerruf,* (Vida hasta nueva orden), p. 28. Jean Bernard describe
de la siguiente manera la recepción por parte de Guttmann: "Teníamos que rendirle cuentas al escribano del bloque. El más antiguo del bloque nos apartaba, uno a uno, y nos alec-
cionaba: "Deben acostumbrarse a esto. De no ser así, están perdidos. Yo tengo experiencia, niños. La mitad del campo de concentración ha pasado por mis manos. Muchos tienen
que agradecerme solamente a mí el estar aun vivos..." *Pfarrerblock 25487* (Bloque de los
párrocos No. 25487). p. 26.

de concentración hombres de valía. En nuestro tiempo las cosas eran distintas. Por cierto que hay excepciones en las últimas remesas: un Carls y un *Kentemich*[124]. Cuando me puse delante de los recién llegados y les dije: 'Pueden dejar en casa a su Señor Dios. Aquí no hay Dios. Nadie de nosotros lo ha visto en el campo de concentración', entonces Kentenich me contestó: 'Pero entonces han visto al demonio'. Y cuando de nuevo insistí en el tema, replicó tranquilo: 'Pero usted tampoco cree eso' ".[125]

Según una breve relación que hizo el propio P. Kentenich, pocos años después de la guerra, sobre el recibimiento de que fueron objeto por parte de Guttmann, las cosas habían sucedido así: En su alocución, se había dirigido inmediatamente a los sacerdotes recién llegados, diciéndoles: "Ustedes, los frailes, hablan del señor Dios. Nunca he encontrado aquí a Dios". Al decir esto, fijó sus ojos en el P. Kentenich y luego le preguntó: "¿Tal vez tú?" El aludido había contestado tranquilamente: "Si usted aun no ha encontrado a Dios aquí, seguramente ha encontrado al demonio".

La simpatía que Guttmann manifestó por el P. Kentenich se fundaba, más que en ese coraje tranquilo y certero, en otra actitud suya que seguramente observó desde los primeros días de su llegada. Joseph Joos escribe en su libro sobre Dachau, que el P. Kentenich, desde su ingreso al campo de concentración, no se comía toda su mezquina ración de pan sino que siempre reservaba una parte para dársela a otros prisioneros hambrientos. También rechazaba toda ración extra, por ejemplo, una repetición, algo más de sopa, pedía que se la dieran a otros o se las pasaba él mismo. Al observar esta actitud, Guttmann exclamó lleno de asombro: "Vean ustedes, ¡esto sí que me impresiona!"[126].

---

124 Así pronunció el apellido.
125 Joseph Joos, *Leben auf Widerruf,* op. cit., p. 27.
126 Joseph Joos, *Leben auf Widerruf,* op. cit. El párroco Hermann Quack, que había ingresado a Dachau con el P. Kentenich, relata lo siguiente: "Durante los primeros seis meses que pasa-

Guttmann se propuso, después de unos pocos días, liberar al P. Kentenich de los ejercicios, similares a los ejercicios militares, que él y los más antiguos de su pieza debían hacer con los recién llegados en el patio y en la calle del campo de concentración. Lo devolvió al bloque y le encargó que trabajara en el dormitorio. Hay que considerar que entonces el P. Kentenich tenía 56 años y era, por lo tanto, bastante mayor que el promedio de los demás prisioneros.[127]

El P. Kentenich demostró poseer un sentido práctico que muchos no habían sospechado en él. Hizo bien todos los trabajos que le asignaron, primero en el bloque de acceso, como coser la marca roja y el número de los prisioneros, y la confección de camastros. Y todo con exigencias exageradas que no tenían otro fin que atormentarlos.

2. Encuentros y primeras cartas

Cuando el P. Kentenich ingresó a Dachau, en el bloque de los sacerdotes había un grupo de schoenstatianos: el P. Joseph Fischer (desde el 6 de junio de 1941) y el P. Albert Eise (desde el 4 de noviembre de 1941), sus dos amigos que habían trabajado en la dirección central de Schoenstatt; los capellanes Heinz Dresbach (desde el 29 de agos-

---

mos en el campo de concentración, la alimentación fue sumamente mala, al punto de que justamente en ese lapso murieron de hambre muchos sacerdotes. Aun cuando el P. Kentenich no lo pasaba mejor que los demás, habitualmente compartía con otros su extraordinariamente escasa ración, especialmente con los que más la necesitaban. A menudo me admiraba cómo podía hacerlo, pues no tenía buena salud". (Carta al Padre Fischer del 11 de agosto de 1954.)

El P. Cegielka, otro prisionero, atestigua lo mismo: Cuando el P. Kentenich fue trasladado al bloque de los sacerdotes polacos, le robaron un trozo de pan que había guardado. En Dachau el hurto de pan por un compañero era considerado como uno de los delitos más graves. El P. Kentenich no solo no comunicó el robo, sino que, además, le dijo al Padre Cegielka: "Por cierto que hay entre nosotros prisioneros que tienen mucha más hambre que yo. En adelante vamos a guardar más para poder darlo". Cegielka le preguntó cómo lograba hacerlo, y el P. Kentenich le contestó: "Esto lo hace Dios, que me conserva bien. Aquí en el campo de concentración estoy completamente tranquilo; por eso mi cuerpo no necesita tanto alimento". (Relación oral del Padre Cegielka, 22 de julio de 1971).

127 Según Reimund Schnabel, *Die Frommen in der Hölle*, op. cit., p. 87, la edad promedio de todos los sacerdotes era de 37,3 años. La de los alemanes, 42,8.

to de 1941) y Hans Rindermann (desde el 5 de diciembre de 1941), y el Vicario Heinrich König (desde el 5 de diciembre de 1941). De los schoenstatianos que había en el bloque, el que había servido un período más largo de detención era el diácono Karl María Leisner, de Kleve, Niederrhein, que estaba prisionero desde el 9 de noviembre de 1939. En marzo de 1940, fue llevado al campo de concentración de Sachsenhausen y, desde allí, el 8 de diciembre de 1940, a Dachau.[128]

De entre ellos, el primero que se entrevistó con el P. Kentenich fue el P. Fischer, la tarde del día de su ingreso, en la calle grande del campo de concentración. Esa misma tarde estuvo con el párroco Joseph María Böhr, quien llevaba consigo el Santísimo; al saludarlo pudo dárselo como el obsequio más precioso. Al día siguiente, un sábado, se reunió con el P. Fischer y el P. Eise, ocasión en que les comunicó las noticias más recientes de Schoenstatt; intercambiaron experiencias e impresiones sobre el campo de concentración y los resultados de los interrogatorios de la Gestapo. Ese 14 de marzo, también conoció a los capellanes Dresbach y Rindermann. El primero lo describió posteriormente, en sus notas sobre Dachau: "Llevaba una vestimenta de lino blanco con una marca roja. Se nos acercó tan contento y despreocupado y exclamó: *"Nos cum prole pia!"*[129]. Entonces nos presentamos y él nos preguntó dónde habíamos desempeñado nuestra labor sacerdotal. Nos dirigió, de paso, algunas palabras alentadoras y luego tuvimos que retirarnos muy rápidamente del alambrado del bloque de acceso".[130]

---

128 Véase, mas adelante, Parte V, capítulo 20, 2, del presente libro. K. M. Leisner fue beatificado por el Papa Juan Pablo II el 23 de junio de 1996. Juan Pablo Catoggio, *Karl Leisner, sacerdote y mártir,* biografía en castellano de Leisner, Editorial Patris, de los Padres de Schoenstatt en Chile. (N. del T.)

129 Saludo usado entre schoenstatianos: "Con Cristo, su Hijo" – "Bendíganos la Virgen María" (Traducción libre).

130 El bloque de acceso estaba separado por un alambrado del resto del campo de concentración y al P. K. le estaba prohibido el contacto con los miembros de su Obra de Schönstatt mientras permaneciera en el bloque de acceso. E. Monnerjahn, *José Kentenich, una vida para la Iglesia.* Ediciones Encuentro, Madrid 1985, p. 191-2. (N. del T.)

Cada catorce días, había un "domingo de cartas" en que los prisioneros podían escribir a los suyos. Del mismo modo, dos veces al mes podían recibir cartas de sus parientes. Evidentemente, toda la correspondencia, tanto la que salía como la que llegaba, pasaba por la censura de la jefatura del SS.

El primer domingo de cartas, después del ingreso del P. Kentenich, cayó un 22 de marzo. Haciendo uso de la oportunidad, con su estilo conciso, exacto y pleno de significado, escribió a Schoenstatt: "Seguramente ustedes estaban esperando, desde hacía tiempo, una carta desde mi nuevo hogar; aprovecho, por eso, la primera oportunidad para cumplir ese deseo. ¿Cómo estoy? Pablo contestaría: "Todo lo puedo en aquel que me conforta". Por lo tanto, estoy bien. ¿Qué más? Por otra parte, estoy espiritualmente en todo momento con los míos y espero poder servirles más que hasta ahora. Cuando el segundo pecado original se había hecho realidad y el Señor se decidió a sufrir y a aceptar la agonía, según el deseo del Padre, pronunció esas palabras memorables: 'Para que la semilla dé fruto, primero debe ser enterrada y morir'. Así pienso yo también. Y ustedes, toda la Familia, esfuércense en tomar las cosas en serio, en entregarse totalmente. Para todos, saludos y bendiciones. J. Kentenich".

La carta del P. Kentenich no contiene ninguna información acerca de los acontecimientos que tuvieron lugar desde su despedida en Coblenza. Su único objetivo era aconsejar a los suyos y fortalecerlos espiritualmente. El P. Fischer, en cambio, en una carta dirigida a su familia cuenta detalles sobre la situación del P. Kentenich: "Sí, ahora también el tío está en el frente. Fue, sin embargo, una fina disposición de la Providencia que, el mismo sábado en la tarde, él pudiera conversar con sus dos hermanos, en un sector del frente, durante una hora. Es fácil imaginar cuán especial fue este reencuentro: intercambiaron abundantes experiencias, se contaron muchas cosas sobre la Familia. Fue también un hermoso regalo de lo alto el hecho de que

Carta escrita por el P. Kentenich desde Dachau.

él pudiera comulgar dos veces, incluso en el día de su santo, si bien no ha tenido todavía oportunidad de participar en la misa de campaña. Naturalmente, desea unirse a su vieja compañía, a los camaradas de antes. Tenemos la esperanza de que esto resulte pronto. Desde el punto de vista externo, sería un alivio para él. Estoy convencido de que el tío, con su acostumbrado idealismo, optimismo y heroísmo, va a tener éxito en la dura lucha y que comunicará este espíritu a los camaradas (…)"

Si se tiene presente el contexto, no es demasiado difícil descifrar el mensaje velado con que el P. Fischer reviste sus informaciones: el "tío que está en el frente", es, naturalmente, el P. Kentenich, que ha ingresado al campo de concentración. Los dos "hermanos" son los cohermanos sacerdotes, el P. Eise y el P. Fischer. La "misa de campaña" es la celebración de la santa misa que podía realizarse diariamente en la capilla del bloque 26. La "vieja compañía" y los "camaradas de antes" son la comunidad de sacerdotes del bloque 26 y, en especial, la pequeña comunidad de sacerdotes schoenstatianos.

También el P. Kentenich emplea en sus cartas un lenguaje velado. Mientras que el P. Fischer se refiere a él como al "tío" o, más tarde, como "Theo", el P. Kentenich empleó para sí mismo el nombre del apóstol san Pablo y describe las condiciones de Dachau como si se tratara de las circunstancias en que éste vivió en su tiempo. Un párrafo de la carta escrita el 19 de abril, después de un mes largo de permanencia allí, dice lo siguiente: "Recientemente he descubierto que a Pablo lo comprenden sólo aquellos que saben y tienen presente que vivió y actuó en una ciudad de paganos, de esclavos, de locos y de muerte".[131]

En la carta siguiente, del 3 de mayo, hace una descripción concisa y resumida del traslado a Dachau: "Les sugiero, para estimular-

---

131 Joseph Joos usó esta descripción del campo de concentración de Dachau en su libro *Leben auf Widerruf,* op. cit., p. 21.

los, que Alex[132] les explique cómo san Pablo, el sin barba[133], logró permanecer siempre alegre y conquistar en todas partes una profunda influencia, aun cuando en el camino hacia la cárcel estaba firmemente encadenado; los vigilaban a veces con perros y siempre con soldados armados. Y en la cárcel, andrajoso y hambriento hasta quedar desfigurado, estuvo expuesto al capricho y al peligro del maltrato. Que esto los estimule a ustedes a servir con desprendimiento de sí mismos y fidelidad a la Familia. Para todos, saludos y bendiciones".

El segundo domingo de cartas, las condiciones en el campo de concentración de Dachau –que ya en la primavera eran bastante malas– empeoraron aun más pues la hambruna se extendió y aumentó peligrosamente. Casi todos los sacerdotes, entre ellos, el P. Eise y el P. Fischer, fueron asignados a los distintos comandos de trabajo. La muerte comenzó a hacer una abundante cosecha. Con esta realidad como trasfondo, el P. Kentenich escribió el 27 de mayo: "Al estudiar a Pablo, Alex no puede ver ni describir los lados sombríos en forma suficientemente negra; pero tampoco puede pasar por alto el hecho de que Pablo fue capaz de resistir corporalmente, en tanto que eran incontables los que morían a su lado; él no gozaba de los privilegios de sus colaboradores[134], por lo cual debía trabajar tanto más y hacer sacrificios por su Obra".

La permanencia de un recién llegado en un bloque de acceso aislado duraba, en general, entre cuatro a seis semanas[135]. Llama la atención que el P. Kentenich sobrepasó largamente ese tiempo: estuvo allí más de cinco meses, hasta el 23 de agosto de 1942, junto a otros sacerdotes ingresados igualmente en marzo, entre ellos Carls, el director de Caritas; el cura párroco Quack; el prior Buchremer; el sa-

---

132 El P. Dr. Alex Menningen.
133 Alusión al hecho de que en Dachau no pudo usar barba.
134 Esto quiere decir, ante todo, que no podía participar en la Santa Misa.
135 Cf. Reimund Schnabel, *Die Frommen in der Hölle,* op. cit., p. 109; Joseph Joos, *Leben auf Widerruf,* op. cit., p. 132.

cerdote jesuita Benninghaus. Y cuando sus compañeros fueron trasladados al bloque de los sacerdotes alemanes, a él lo enviaron al bloque 28, donde estaban sus cohermanos polacos.

En una carta a su familia, escrita el 31 de mayo, el P. Fischer lamenta que el P. Kentenich tuviera que permanecer en el bloque de acceso: "¡Lástima que el tío, a causa de su condición, no pueda asistir a ninguna función eclesial!" Poco más adelante dice: "...las reuniones marianas de todas las tardes, junto al camastro en que dormía, y en las que participaban sus muchas visitas y el círculo de sus amigos, seguramente eran para él, en cierta medida, un hermoso sustituto".

Con esta alusión velada, el P. Fischer señala la actividad apostólica que el P. Kentenich comenzó a desarrollar en el bloque de acceso. Para él, el sentido de su estadía en la cárcel de Coblenza y en Dachau no consistía en salir de allí tan indemne como fuera posible, sino en descubrir, en todos los acontecimientos, lo que Dios quería decirle. Vivió toda su vida a partir de una fe activa, y no sólo pasiva, en la divina Providencia.

En una conversación con el P. Fischer, el P. Kentenich interpretó de la siguiente manera su permanencia inusualmente larga en el bloque de acceso: "Puede ser que la Gestapo intente jugarme una mala pasada dejándome en el bloque de acceso. Es verdad que eso no me permite asistir a misa. Pero vea usted: ¿no me es más fácil ejercer ahí una actividad apostólica de más amplio alcance que en el bloque para sacerdotes?"

La Dirección Superior de Seguridad del Reich dispuso la separación de los sacerdotes del resto de los prisioneros e hizo cercar con una malla de alambre los barracones destinados a ellos. Lo hizo, entre otras cosas, para dificultar lo más posible su influencia sobre los demás prisioneros.

Mientras el P. Kentenich estuvo en el bloque de acceso pudo tomar contacto con todos los prisioneros que iban llegando. Buscaba, sobre todo, a los sacerdotes, y trataba de reunirlos en torno a él. Después de que, el mismo día de su ingreso, tuvo la alegría de recibir al Señor en la eucaristía de manos del párroco Böhr, se esforzó en proporcionar la misma alegría a otros cohermanos. Para lograrlo, la colaboración del P. Fischer era indispensable. El capellán Hans Kostron, sacerdote del Sudetenland, relata lo siguiente: "Creo que estuve con él dos o tres días en el bloque de acceso. Aun recuerdo claramente que un día por la mañana se me acercó y me dijo: 'Hans, ¿quiere usted comulgar? Le traigo al Señor'. Entonces, sacó de un papel una pequeña partícula, aproximadamente un sexto de una hostia, y me la dio".

Lo mismo relata sobre aquella época el sacerdote de Baden, Franz Weinmann: "Cuando llegué, me pusieron en el bloque de acceso. Al caer la noche, cuando estaba a punto de trepar por primera vez al camarote del "tercer piso", para tratar dormir en ese lugar tan angosto bajo el techo de madera, me tiró de la manga un cohermano de más edad, me dio un papelito doblado y me dijo en voz baja: *"Species consecrata"* (especies consagradas)… Le miré asombrado y desaparecí allá arriba. Sin ser visto ni molestado, observé el "pequeño misterio" que había en el papel. ¡Era realmente el Señor! Las manos realmente me temblaban cuando saqué la santa forma del pan. Entonces adoré al Señor en el sacramento, me uní a él y agradecí con el corazón rebosante de alegría este secreto encuentro con Cristo, el primer día del año que estuve en Dachau"[136]. El "cohermano de más edad" al que se refiere el párroco Weinmann era el P. Kentenich.

Pronto los prisioneros nuevos empezaron a acercarse al p. Kentenich para recibir el sacramento de la confesión. En la calle de los blo-

---

136 *Eine Heimsuchung. Seelsorgsbriefe aus der Verbannung,* (Una tribulación. Cartas pastorales desde el destierro), p.161. El mismo servicio le prestó el P. Kentenich, en la misma noche, al decano Oswald Haug, actual párroco de Neustadt/Schwartzwald. Véase su informe *Nazizeit: Verfolgung der Kirche,* (La época nazi: persecución contra la Iglesia), p. 279.

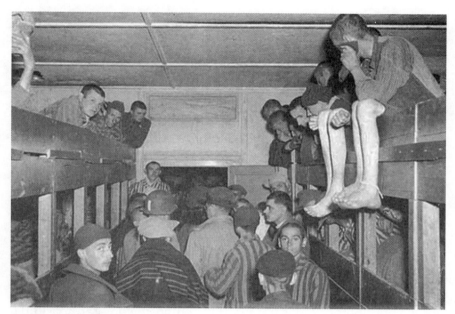

Camarotes de las barracas.

ques, paseándose, él escuchaba confesiones de sacerdotes y laicos. Esto no dejaba de ser peligroso, porque, como tantas cosas en Dachau, escuchar confesiones era duramente castigado.[137].

El P. Kentenich estuvo siempre a disposición de sus cohermanos sacerdotes. El director de Caritas, Carls, relata al respecto: "Estamos profundamente agradecidos del P. Kentenich por su permanente apoyo espiritual; al caer la noche, en la calle del bloque o más tarde en un rincón de los dormitorios, nos proponía temas de meditación. Durante largo tiempo fue el único incentivo religioso que recibimos. Con Guttmann como jefe de bloque, después de la revista podíamos sentarnos en torno a una mesa en el cuarto de estar, al caer la noche, y conversar sobre temas religiosos". [138]

---

137 Johann Maria Lenz, *Christus in Dachau,* op. cit., p. 196.
138 Hans Carls, *Dachau*, op. cit., p. 85.

Durante el mes de mayo[139], estos puntos de meditación vespertina versaron sobre la Virgen María: son las *"Conferencias marianas"* que menciona el P. Fischer en su carta del 31 de mayo.

Desde el comienzo de su prisión en Dachau, el P. Kentenich ejerció otro tipo de apostolado dirigido a los no creyentes, tanto comunistas como socialistas. Llama especialmente la atención el hecho de que gozara de una gran confianza entre un grupo bastante numeroso. Hugo Guttmann, ya varias veces mencionado, fue uno de los primeros en acercarse a él y establecer una relación de confianza. Con el tiempo, cada vez acudían más personas a conversar con él, y con mayor frecuencia.

Aparte de Guttmann, en el bloque de acceso estaba el más antiguo de la pieza N° 1, Willy Bader, un comunista de Ludwigsburg, Würtemberg, quien, desde 1933, languidecía en el campo de concentración. Llevaba el número 9, uno de los más bajos de entre todos los prisioneros. Bader trataba al P. Kentenich con gran solicitud y respeto; a su vez, el padre elogiaba en Bader su índole naturalmente noble, que le llevaba a preguntarse todos los días al anochecer si habría causado algún agravio a algún compañero de prisión[140]. Un tercer comunista del bloque de acceso que también se hizo amigo del P. Kentenich fue el "capo" de los dormitorios, Steiner, hombre un tanto hosco, rudo y seco.[141]

Entre los socialdemócratas encarcelados en Dachau y con los cuales el P. Kentenich tuvo una buena relación, cabe mencionar, entre otros, a Henrich Stöhr, posteriormente diputado del parlamento bávaro, y que se hizo acreedor de muchos méritos como enfermero en el campo de concentración.

---

139 Mes de María en el hemisferio norte.
140 Joseph Joos, *Leben auf Widerruf*, op. cit., p. 61s.
141 Sobre Steiner, cfr. Hans Carls, *Dachau*, op. cit., p. cit., p.77

Respecto de su relación con otro socialdemócrata llamado Lüder Winter, Joseph Joos entrega datos más precisos: "Yo trabajaba en el archivo de la enfermería con un colega ex redactor de un periódico, y que había pertenecido a la extrema izquierda de la Social Democracia. Se llamaba Lüder. A mí me resultaba casi inabordable, por lo hermético; sólo hablábamos de nuestro trabajo en la enfermería. Me tenía desconfianza y hablaba de los "frailes". No obstante, cosa rara, al caer la noche, cuando podía tomarse un rato libre, iba justamente a pasearse con el P. Kentenich por la calle del campo de concentración. Lüder nunca me contó nada de esto. Yo tampoco le pregunté. El P. Kentenich también calló como una tumba".[142].

Tal vez Lüder Winter era el compañero de prisión a quien el P. Kentenich, según cuenta en su Informe de Sudamérica, le dijo al despedirse, cuando éste iba a ser trasladado a otro lugar: "Si usted quiere darme un motivo de alegría, prométame leer cada día algo de la Sagrada Escritura".[143]

Como desde la prisión de Coblenza el P. Kentenich había podido continuar con la conducción espiritual de la obra de Schoenstatt, es explicable que pensara hacer lo mismo desde Dachau. Por cierto que el único medio de que disponía eran las cartas sujetas a censura oficial. Un ejemplo de cómo aprovechaba el pequeño espacio de esas cartas se aprecia en la que escribió el 5 de abril de 1942, y que envió a Schoenstatt con motivo de la Pascua de Resurrección. En ella hace una sucinta meditación sobre el misterio de la glorificación del Señor resucitado, la cual, por él y desde él, alcanza también a los bautizados, y no sólo en la otra vida sino también en la tierra. El cristiano,

---

142 Carta al P. Fischer del 27 de julio de 1962.
143 Según Ferdinand Maurath, en *Erlebnisse aus dem Konzentrationslager Dachau,* (Experiencias del campo de concentración de Dachau). Archivo diocesano de Friburgo, tomo 90, Friburgo, 1970, p. 145,. Winter, oriundo de Bremen, primero fue redactor y años después alcalde de Limbach, Sajonia. En la revolución de 1918 fue temporalmente jefe del gobierno provisional del Estado de Sajonia, en Dresden. De Dachau pasó al campo de concentración de Nueuengamme, cerca de Hamburgo.

captado por la fuerza del Resucitado y que vive de ella, posee la forma más elevada de libertad, a la cual quería el P. Kentenich conducir a los suyos a través del Poder en Blanco y de la Inscriptio.

Dice esta carta: "Hoy me vienen siempre a la mente los versos de la canción que me une diariamente a los míos: *'¿Buscas también con estos requerimientos de amor / a herederos de tu santa transfiguración? / Si es así, mira la grey de los que son tuyos, / a esta porción signada con la pequeñez y la pureza / y por misericordia únelos a ti / para en ellos aparecerte nuevamente al mundo'*[(144)]. Éstos son también mis deseos de Pascua de Resurrección para ustedes y toda la familia. ¿Qué encierra este deseo? Probar y saborear profundamente nuestra participación en la gloria de Cristo, como lo garantiza la fe, tanto en este mundo como en el más allá. La participación en la gloria del mundo del más allá equivale a la *visio beata,* la bendita visión de Dios, que nos vivifica, abraza también nuestro cuerpo y nos permite participar de manera perfecta en las cualidades maravillosas de la vida del Señor. Él nos ha merecido esta gracia y quiere renovarla para todos nosotros, para que comprendamos más profundamente su alcance y su fuerza plasmadora de vida. Nos es fácil, por lo tanto, decir con Pablo: 'Pienso que los sufrimientos de este tiempo no se pueden comparar con la gloria que nos espera'. Estas palabras nos iluminan también acerca de la glorificación de este mundo. Reflexionen ustedes sobre esta realidad".[(145)]

El tema de la participación en la vida gloriosa del Señor y la libertad cristiana que ésta posibilita, es también el punto central de la carta del 19 de abril: "Mi gran deseo... es conocido. Sigue siendo siempre el mismo: la entrega total de los míos. En esta dirección van tam-

---

144 P. José Kentenich, *Hacia el Padre,* op. cit., n. 620-621. Estrofa del *Cántico de gratitud.*
145 Sobre el contenido de la carta, cf. Jos. Kentenich, *Christenleben als Teilnahme am leidenden und verklärten Heilandsleben, (José Kentenich, La vida del cristiano como participación en la vida del Salvador sufriente y glorificado)*, en *Regnum*, febrero 1967, p. 81-85.

bién mis deseos cordiales para la boda del curso *Demut*[146]. Pienso en el cántico que dice "En agradecimiento, que nuestras almas escojan al Cordero de Dios…"[147]. Que el día de las bodas llegue a ser para todos los participantes una verdadera glorificación, de modo que sus almas participen de la manera más perfecta posible en las cualidades del cuerpo glorificado del Señor, y que también sus cuerpos reciban un título a la gloria y al resplandor del Señor glorificado… Así adquiere sentido profundo ese verso tan conocido: 'Que surjan hombres nuevos, libres y fuertes aquí en la tierra…' "[148].

La dura prueba del campo de concentración fue entendida por el P. Kentenich e interpretada por la Familia de Schoenstatt como una invitación de Dios a hacer un esfuerzo por asemejarse a Cristo, de la manera más perfecta posible, y mantenerse abiertos a las gracias especiales que Dios otorga y suele unir a los tiempos de prueba.

Éste es el sentido de los deseos que el P. Kentenich expresa en una carta del 17 de mayo, dirigida a otro curso de las Hermanas de María: "A nuestra pequeña María, le deseo y pido para ella, con motivo de su bautizo y cumpleaños, gracias de glorificación abundantes y eficaces. Que el *semen gloriae*, la *semilla de gloria*, infundida en ella por el bautismo, penetre de tal manera todo su cuerpo y su alma que, a mi regreso, el cuerpo haya madurado hasta llegar a la santa naturalidad, la belleza del alma, la intocabilidad virginal llena de Dios; y que el alma haya alcanzado un alto grado de recogimiento y cobijamiento en Dios y en la Madre de Dios y se haya abierto a las inspiraciones del Espíritu Santo y logrado una permanente alegría espiritual…"

---

146 *Demut:* en alemán, humildad. (N. del T.) Se alude al ingreso de las Hermanas de María, del curso *Humilitas*.
147 P. José Kentenich, *Hacia el Padre*, op. cit., n. 619, estrofa del *Cántico de gratitud:* En agradecimiento nuestras almas / escojan al Cordero de Dios / para desposarnos con él por la eternidad / y ser contados entre los que permanecen fieles".
148 Ibid., n. 617, estrofa del *Cántico de gratitud:* "…a fin de que nazcan hombres nuevos / los cuales, libres y fuertes aquí en la tierra / se comporten como Cristo / en las alegrías y dificultades".

En el mismo día del "bautizo" y en carta del 31 de mayo de 1942, el P. Kentenich se refiere, entre otras cosas, a un punto que desde los comienzos de Schoenstatt había enfatizado: la persona completamente compenetrada en Dios es y debe ser una persona muy natural. La carta aludida dice así:

"Hoy es el día del bautizo. Ojalá que nuestro Benjamín, en noble competencia con sus hermanos de más edad, crezca de tal modo en edad, sabiduría y gracia ante Dios y los hombres, que el padre, cuando regrese, pueda reconocer y amar en él todos los rasgos naturales y sobrenaturales glorificados de la Santísima Virgen. Dios se hizo hombre para que nosotros podamos tener no solamente el espíritu de Dios, sino también para que lleguemos a ser verdaderas personas. Quien cultive en plenitud, como irradiación de lo divino, todo lo humano –lo que es virginal, tierno y delicado; lo que es fuertemente desprendido de sí mismo y maternal; y la alegría en la compañía de los demás– es hoy, para Dios, el puente más útil y la orientación más segura para los hombres…"

Cuatro semanas después, en la carta del 28 de junio, el P. Kentenich destaca la dependencia recíproca y el entrelazamiento de destinos entre la Familia de Schoenstatt y su persona, lo cual se confirmaba una y otra vez en Dachau y con abundantes bendiciones: "Grande es el efecto de la perfecta fusión de corazones. Así comenzó la carrera victoriosa del apóstol de los gentiles y mantuvo el mismo paso gracias a la entrega total de su rebaño, porque ésta alejaba el único obstáculo que podía oponerse a la total revelación y realización de los planes divinos respecto a la misión universal. Ella convirtió su prisión y su dureza en fuente de abundantes bendiciones y lo puso en contacto con casi todos los pueblos y corrientes; hizo de él un rey no coronado, el favorito y el epicentro de su entorno, y lo envió como instrumento apto para la construcción de su obra…"

3. Primer apostolado schoenstattiano

Los grupos de sacerdotes se formaron a fines de 1941, especialmente en el verano y otoño de ese año, después de que varios sacerdotes del Movimiento fueran internados en Dachau. El P. Fischer dirigió el primer grupo, al cual también pertenecía el P. Karl Leisner. Cuando el P. Eise llegó a Dachau asumió la conducción de este grupo, que tenía diez integrantes. En su carta del 14 de diciembre de 1941, cuenta que: "Con Albert y algunos fieles mantengo una hermosa comunidad. ¡Saludos a todos!". El P. Fischer se dedicó a formar grupos nuevos, y con éxito, pues la carta del 25 de enero comunica que "Albert y tres comunidades de sacerdotes de Schoenstatt los saludan".

Vimos cómo los schoenstatianos, superando grandes obstáculos, buscaron al P. Kentenich tan pronto como éste llegó a Dachau. Sin embargo, él no pudo participar activamente en los grupos mientras permaneció aislado en el bloque de acceso. Ni siquiera cuando fue incorporado a un comando de trabajo. Pero todos los días se juntaba con el P. Eise y el P. Fischer, porque estaban en el mismo comando, y por medio de ellos tenía contacto con los demás.

Desde un principio, el P. Kentenich pensó en la necesidad de no limitarse a los grupos schoenstatianos. No en vano dice en la carta del 28 de junio de 1942, que el campo de concentración lo había puesto en contacto con "casi todos los pueblos y corrientes". En esa época aún no había fundado todas las comunidades que debía abarcar el Movimiento de Schoenstatt para llegar a su plenitud. ¿No sería que la divina Providencia lo había llevado a Dachau para que ahí tuviera oportunidad de encontrar y ganar nuevas fuerzas para su obra?

De las notas que envió al P. Menningen, desde la prisión de Coblenza, se deduce que tenía en mente fundar la comunidad de los Hermanos de María, instituto paralelo al de las Hermanas de María y con una misión equivalente a la que ellas desarrollaban en los grupos de mujeres, pero en los grupos de hombres, Así lo expresa en una carta a todos los sacerdotes que colaboraban en Schoenstatt, fechada en los días inmediatamente anteriores al año nuevo de 1942: "Tal vez Alex" –sabemos que así le decía al P. Menningen– "se familiarice algo más con el proyecto de la comunidad de Hermanos. Obras como ésa requieren mucha energía, tiempo, amor, desprendimiento y trabajo minucioso, pero reportan también muchas bendiciones". El 13 de febrero de 1942, le escribe: "La experiencia que tú tienes ahora es también una valiosa preparación para los "hermanos". No hay que perder de vista la meta". Evidentemente, no era la primera vez que confiaba al P. Menningen su intención de fundar los Hermanos de María y su deseo de encargarle la responsabilidad principal por el Instituto. Una carta escrita en Dachau el 31 de mayo de 1942, dice: "Bueno es que la perfecta fusión de corazones sea recíproca y podamos esperar del amor de Dios que nos conduzca y ayude en todas las necesidades... ¡Ojalá que ésta llegue a ser el fruto duradero de mis ruegos de mayo para toda la Familia! Esto fue lo que dio a Pablo consuelo y fuerza cuando se le hizo imposible celebrar el santo misterio, rezar el breviario y las lecturas... No puedo aseverar con seguridad si también hizo que él encontrara allí, donde no lo esperaba, al portador de la hermandad que proyectaba desde hacía tiempo". Este último es el párrafo que aquí interesa. ¿A qué se refiere?

Durante el mes de abril de 1942, el P. Kentenich había conocido a un prisionero alemán llamado Fritz Kühr. Aun no se sabe cómo se conocieron, tal vez a través de Joseph Joos, el conocido político del Centro Católico[149] y jefe de los trabajadores católicos, quien, a poco de ingresar el P. Kentenich a Dachau, se puso en contacto con él. Fritz Kühr y Joseph Joos se conocían debido a su común actividad política y social en la época de la República de Weimar. Kühr había nacido en 1885, en Sauerland, hijo de un médico evangélico de ascendencia ju-

---

149 Centro Católico: Partido político alemán que integró el parlamento y el gobierno de la República de Weimar (después de la Primera Guerra Mundial).

día. Después de haber participado en la Primera Guerra Mundial, obtuvo un doctorado en sociología, se convirtió a la fe católica e ingresó, en 1922, a la Secretaría General del Centro Católico como experto en asuntos económicos y financieros. El Dr. Brüning, quien fuera después Canciller del Reich, en 1929 lo llevó a la "Sociedad de formación política", fundada por él. En los años inmediatamente anteriores al gobierno de Hitler, el Dr. Kühr pertenecía al "Círculo de Königswinter"[150], entre cuyos miembros se contaban sociólo-

Fritz Kühr.

gos tales como Theodor Brauers, Götz Briefs, Gustav Gundlach, Paul Jostock, Osvald von Nell-Breuning y Wilhelm Schwer.[151]

En 1933, el Dr. Kühr debió abandonar Alemania. Después de una breve estadía en Sudáfrica y de una actividad docente igualmente breve en Praga, obtuvo un puesto en los sindicatos obreros de Austria. En 1938, al ingresar las tropas alemanas a este país, fue inmediatamente encarcelado y enviado al campo de concentración de Sachsenhausen y luego a Dachau, donde se desempeñó como escribano en la enfermería.

Éste fue, pues, el Dr. Kühr que el P. Kentenich conoció en Dachau en la primavera de 1942. Como se interesó vivamente por Schoenstatt, al principio y en la medida de lo posible en Dachau, le dio una información muy básica acerca del espíritu y el mundo de su Obra. Lo que escuchó el Dr. Kühr fue tan de su agrado que puso en contacto con el P. Kentenich y Schoenstatt a uno de sus mejores amigos en el

---

150 Königswinter, ciudad junto al Rhin.
151 Cf. Emil Ritter, *Die katholisch-soziale Bewegung Deutchlands im 19. Jahrehundert und der Volksverein,* (El movimiento católico de Alemania en el siglo XIX y el *Volksverein*), Colonia, 1954, p. 472. *(Volksverein:* agrupación de carácter social). Ver, además, la contribución de Joseph Jochum en *Regnum,* 1966, p. 41-43.

campo de concentración, el joven jurista austriaco, Dr. Eduard Pesendorfer. Como consejero en asuntos de seguridad de un distrito de su tierra natal, también había sido encarcelado por la Gestapo y llevado a Dachau el día de Corpus Christi de 1938. El Dr. Pesendorfer se desempeñaba como enfermero jefe en la sección de cirugía de la enfermería y gozaba de gran prestigio en el campo de concentración, tanto por sus conocimientos como por su disposición a ayudar y por su prudencia y tacto.[152]

El 29 de mayo de 1942, un viernes, el Dr. Kühr se lo presentó al P. Kentenich. En esa oportunidad, debe haber sucedido algo semejante a lo que relata el Evangelio de san Juan sobre el llamado a los primeros discípulos. Para sorpresa del Dr. Pesendorfer, en su primer encuentro con el P. Kentenich, éste le reveló que quería crear en Schoenstatt una comunidad de Hermanos, equivalente a las Hermanas de María que había fundado allí, y que estaba firmemente convencido de que el Dr. Pesendorfer le había sido enviado por Dios para que juntos fundaran esta comunidad. Si bien Pesendorfer permanecía soltero a pesar de sus casi 40 años, nunca había pensado en ingresar a una comunidad de esa naturaleza.

En realidad, lo que aquí se le proponía era algo más que ingresar a una comunidad de Hermanos: se le pedía ser instrumento para una nueva fundación. Si esto le pareció extraordinario, más extraordinario aun le pareció el hombre y sacerdote que le hacía tal ofrecimiento. Por eso, durante la conversación que sostuvieron no se atrevió tratarlo de "tú", como era usual entre los prisioneros. "Fue el primer hombre a quien, como prisionero, le dije 'usted'", contó casi un año después de haber sido liberado, cuando visitó Schoenstatt por primera vez.

---

152   Cf. Johann Maria Lenz, Christus in Dachau, op. cit., p. 216; Johannes Neuhäusler, *Wie war das*, (Cómo fue aquello); Stimmen von Dachau, (Voces de Dachau), Carta circular No. 18, p. 15.

Esa tarde del 29 de mayo, el P. Kentenich no quiso hablarle más sobre su propuesta, pero le dijo: "Vuelva pronto; entonces conversaremos más sobre este tema, pero sólo si usted quiere". Evidentemente, el P. Kentenich quería que decidiera libremente si quería o no aceptar su ofrecimiento.

Dos días después, volvieron a conversar. El Dr. Pesendorfer manifestó entonces el deseo de conocer más detalladamente el proyecto para la fundación de los Hermanos de Schoenstatt. Ambos estuvieron de acuerdo en que dicho proyecto podía y debía llevarse a cabo si ésa era la voluntad de Dios y el deseo de la Madre de Dios. Y para que Dios les aclarara su voluntad, el P. Kentenich le pasó una breve oración y le pidió que la rezara tan a menudo como fuera posible: "Madre tres veces Admirable de Schoenstatt, condúceme hacia donde más te agrade". Esto sucedió el 31 de mayo. A partir de esa fecha, el Dr. Pesendorfer empezó a reunirse con el P. Kentenich alrededor de una hora todos los días, al atardecer, para recibir la formación e instrucción que necesitaba.

El P. Kentenich se reunía también con el Dr. Kühr, y de esas conversaciones nació la idea de que tal vez el Dr. Kühr fuera el instrumento que Dios le enviaba para realizar otro proyecto, también largamente meditado y del que solía hablar desde hacía décadas: el Movimiento Familiar de Schoenstatt. Como el Dr. Kühr estaba consciente de los desarrollos que se producían tanto en el mundo como en la Iglesia, comprendió inmediatamente la importancia que tendría un Movimiento como ése en una sociedad dominada por la cultura de masas. En eso estaban de acuerdo, pero el Dr. Kühr necesitaba más tiempo para discernir con claridad si él estaba o no llamado a la fundación propuesta por el P. Kentenich, decisión tanto más difícil porque era indispensable considerar la opinión de su esposa, que estaba en el lejano Brasil.[153]

---

153 La señora Kühr estaba en la Colonia Rolandia, en el Estado de Paraná, fundada por el Dr. Johannes Schauff.

En la siguiente oportunidad –carta del 14 de junio de 1942– el P. Kentenich transmitió a Schoenstatt las primeras noticias detalladas y motivos de su proceder: "Nuestro investigador sobre Pablo, es decir, el P. Menningen, quisiera saber, como parte de sus estudios eruditos, por qué el Apóstol, recién estando en la cárcel fundó su *societas sacrorum fratrum* y, como alma del Movimiento de familias, la *societas sacrorum familiarum*. La respuesta la da el mismo Pablo, aludiendo a la ley de la puerta abierta. En primer lugar, Dios tenía que darle tiempo, fuerzas, seguridad y ocasión para tomar la iniciativa en las dos obras que quería confiar a hombres más jóvenes…" Fue así como Schoenstatt recibió noticias sobre las dos oportunidades que se le habían presentado al P. Kentenich, durante el primer trimestre de su estadía en Dachau.

La carta del 28 de junio confía a la comunidad de las Hermanas de María, especialmente al curso más joven del noviciado, la preocupación, tanto suya como del Dr. Pesendorfer, por esta nueva empresa. La carta del 14 de junio ya les había informado que el 16 de julio, el mismo día en que las Hermanas querían renovar la Inscriptio, iba a celebrarse en Dachau el "bautizo" del joven "sano y vigoroso", recién nacido, es decir, la comunidad de los Hermanos de María de Schoenstatt. Sin embargo, antes de asistir a ese "bautizo", el P. Kentenich había tenido que pasar por una situación muy peligrosa.

4. Salvado del transporte de inválidos

Pocos días después de que el P. Kentenich ingresara a Dachau, la jefatura del SS tomó decisiones de gran importancia que afectaban a los campos de concentración y a los prisioneros allí internados. El 16 de marzo de 1942, el jefe del SS y de la Policía Alemana, Heinrich Himmler, dispuso traspasar la administración de los campos de concentración, hasta ese momento a cargo de la Dirección superior del SS, a la Central de Economía y Administración del SS (SS-WVHA),

Heinrich Himmler inspecciona el campo de concentración.

recién creada el 1° de febrero de 1942 y dependiente de las oficinas centrales de Presupuesto y Construcción, y de Administración y Economía. A la cabeza de aquélla, como sección D, quedó un alto jerarca del SS, Oswald Pohl.[154]

El objetivo de este cambio era ocupar un mayor número de prisioneros en la producción de material bélico, en vista de que la situación de la guerra se tornaba cada vez más crítica. La ordenanza del 2 de enero de 1942, que disponía el trabajo forzado de los sacerdotes internados en Dachau, respondía a esas disposiciones. Ello no significaba, en modo alguno, que los campos de concentración ya no sirvieran para eliminar personas consideradas indeseables o que se diera un respiro a los prisioneros porque sus vidas, al menos por el momento, tuvieran más valor. ¡Al contrario! Dado que, de ahora en adelante,

---

154 Cf. Martin Broszat, *Nationalsozialistische Konzentrationslager,* op. cit., p. 132; Reimund Schnabel, *Die Frommen in der Hölle,* op. cit., p. 34, fija como fecha del oficio de Himmler el 3 de marzo de 1942.

los campos de concentración debían incorporarse "productivamente" a la economía de guerra, decidieron deshacerse, con los métodos habituales del SS, de todos los prisioneros "improductivos", es decir, los demasiado viejos o muy enfermos, aun cuando se hubiesen enfermado a causa de la dureza del trabajo o por la mala alimentación.

Ya a fines de 1941, en Dachau se había separado a los prisioneros no aptos para trabajar. Joseph Joos describe la siguiente escena: "Un día nos dijeron: '¡Presentarse todos al barracón de los enfermos! ¡A tomarse la temperatura!'. El médico jefe del SS recorría rápidamente las filas y hacía un gesto. ¡Estábamos en la lista del horror!".[155]

Según disposiciones emanadas de Oranienburg, donde estaba la sede del inspector del campo de concentración (que posteriormente fue la sección D de la Central de Economía y Administración del SS), se fijó un número redondo de 4.000 prisioneros para el "transporte de inválidos", y a esa cifra se atuvo el doctor que los examinó. El transporte partió de Dachau en febrero de 1942. Antes, se había logrado sacar de la lista los nombres de 14 prisioneros, entre los afortunados estaba Joseph Joos, de modo que, en lugar de la cifra redonda, "sólo fueron enviados a la muerte 3.896. Sobre la índole de su muerte, las primeras vestimentas enviadas de vuelta no dejaban dudas: los infelices eran empujados sin ropas a las cámaras de gas".[156]

Medio año después, temprano en la mañana del 24 de junio de 1942, se esparció por el campo de concentración la alarmante noticia de que había llegado de Berlín una comisión para enviar más gente al "transporte de inválidos". Los que pertenecían a un comando de trabajo no tenían que temer tanto la horrible noticia pues se suponía que estaban sanos y eran útiles. ¡Ay de los que no tenían trabajo o permanecían en la enfermería o en sus barracones! Ese día tuvieron que presentarse en el enorme patio donde se hacían las revistas. Y

---

155 Joseph Joos, *Leben auf Widerruf,* op. cit., p. 91.
156 Ibid, p. 93.

Prisioneros al ingreso de la cámara de gas.

allí estaban, desnudos, a la espera de la comisión. El examen consistió esta vez en una rápida mirada. Los prisioneros eran apartados a la derecha o a la izquierda. La izquierda significaba que ya no recuperarían la capacidad de trabajar y, por lo tanto... ¡al transporte, a la muerte!

Esa mañana, el P. Kentenich corría un gran peligro pues no estaba asignado a un comando de trabajo. Su jefe de bloque solía destinarlo al aseo de los dormitorios, labor que no era considerada como trabajo de comando. Si se salvó fue gracias a su amistad con el jefe de bloque, el comunista Hugo Guttmann, quien recurrió a toda su experiencia y a todo su valor para librarlo de ser enviado al transporte de inválidos. Él mismo relató más tarde los sucesos de ese día: "La mañana del 24 de junio estaba en la ventana de su pieza mirando hacia la capilla y tratando de participar, en silenciosa adoración, en la misa del día. Esto era posible, en cierta medida porque, a comienzos de junio, el bloque de acceso había sido trasladado desde el barracón 13 al 24, al lado del barracón de los sacerdotes alemanes, donde estaba la capilla. De pronto apareció Hugo Guttmann y le explicó brevemente que había llegado la comisión de Berlín. No podía esconderlo en el bloque de acceso porque seguramente los barracones serían registrados. Condujo al P. Kentenich rápidamente al cuarto de costura del comando de desinfección a cargo del *capo* Jacob Koch[157], de Zell sobre el Mosela, en

---

157 Jacob Koch fue un compañero de prisión que en este libro merece especial gratitud. Siendo un joven empleado de sentimientos antiprusianos, se había unido al Grupo Separatista. A causa de ello, cumplió una condena de tres años de trabajos forzados. Después, se desempeñó en diversos puestos, incluyendo Schoenstatt, con las Hermanas de Steyler, en la casa de Marienau. En 1939, al estallar la guerra, fue inmediatamente ingresado al cam-

el cual trabajaban el P. Eise y el P. Fischer. Ahí debía quedarse durante todo el día y hacer como que pertenecía a ese comando. Esto era posible porque, el 24 de octubre, ambos estarían ocupados en otro bloque reparando sacos de paja. En caso de control, el P. Kentenich debía disimular su identidad con el nombre y número del P. Fischer. A pesar de todas las precauciones, la operación para salvar al P. Kentenich era bastante riesgosa. Pero resultó. Los sacerdotes mencionados se enteraron sólo en la tarde, cuando todo había pasado, de la exitosa operación de salvamento".[158]

Cuando se fue la comisión y pasó el peligro, Hugo Guttmann decidió que era demasiado arriesgado que P. Kentenich siguiera sin pertenecer a un comando de trabajo. En caso de una nueva visita de la comisión, él ya no podría repetir la hazaña del día 24. El P. Kentenich estuvo de acuerdo, y como tenía buenos contactos en el comando de desinfección, pidió a su jefe, Jacob Koch, que lo admitiera. El 28 de junio habló con Koch y ya el día 29, festividad de san Pedro y san Pablo, comenzó a trabajar remendando sacos.

El 12 de julio, el P. Fischer comunicó a sus familiares lo sucedido, empleando, como de costumbre, un texto en clave: "La Madre de Dios será la gran misionera, va a obrar maravillas y a menudo "re-

---

po de concentración de Sachsenhausen. Allí, entre otras cosas, presenció cómo el conocido renano partidario del federalismo, Profesor Benedikt Schmittmann, fue torturado hasta la muerte por un hombre del SS. En Dachau, Koch estaba entre los laicos que iban a confesarse con el P. Kentenich.

158 Después de la guerra, el P. Kentenich vino a Chile y estuvo en Valparaíso, ciudad donde se originó el Movimiento de Schoenstatt en Chile. Allí le mostraron las *Actas de la Fundación del Movimiento de Valparaíso*, en las cuales las señoras y señoritas que lo iniciaron habían dejado constancia de lo siguiente: "...el 23 de junio de 1942, decidimos ingresar al Movimiento Apostólico de Schönstatt. Ese 23 de junio de 1942 fue una fecha memorable. Nosotras hicimos la consagración después de la Misa celebrada por el P. Kögler. Fue una Misa en que el sacerdote estaba tan emocionado como nosotras. Nos ofrecimos especialmente a la Santísima Virgen para que ella aceptara todo lo que quisiera de nosotros, con tal que ayudara a salvar la vida del padre fundador, por supuesto, si estaba en los designios de Dios". En esa ocasión, el P. Kentenich hizo ver la notable coincidencia entre ese episodio y lo sucedido en Dachau el 24 de junio... (N.del T.)

Carro con víctimas de Dachau.

sonará jubiloso hacia lo alto un cántico de gratitud entonado por todos". Leo con gusto, al menos los domingos, el libro estimulante de Holzner ("Paulus")[159]. Últimamente tuve la alegría de enterarme que Paulus (es decir, el P. Kentenich), tras haberse salvado de un gran peligro el día de san Juan (el 24 de junio, fiesta de san Juan Bautista), cinco días después se unió a sus discípulos Timoteo y Tito (es decir, el P. Fischer y el P. Eise) para trabajar en la confección de carpas por largo tiempo y, de esa manera, sumergirse enteramente en Dios y en los planes de Dios".

159 Josef Holzner, *Paulus. Sein Leben und seine Briefe,* (Pablo, su vida y sus cartas). Primera ed., Friburgo, 1937. El P. Fischer menciona esta conocida obra para referirse al P. Kentenich. Los versos citados, "resonará..." etc., pertenecen al *Cántico de gratitud.* (Véase Parte II, capítulo 6, 2).

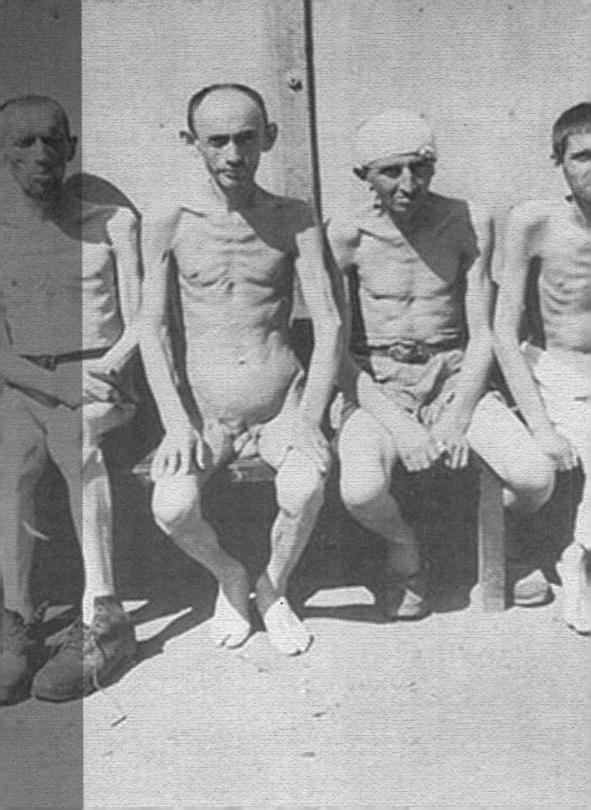

Capítulo 8

EL VERANO DE HAMBRE, 1942

I. El hambre

El verano de 1942 vio a Hitler en la cima de su poder. El territorio dominado por él alcanzó su máxima extensión. Hacia el este, después de la caída de Sebastopol, la península de Crimea había quedado enteramente en manos germanas; sus divisiones avanzaban desde Ucrania, siguiendo la ruta del Donetz y el Don hasta el bajo Volga, hacia Stalingrado y los campos petrolíferos de Bakú, en el Mar Caspio, alcanzando la cumbre del Cáucaso. El 21 de agosto de 1942, izaron la bandera de combate del Reich en Elbrus, en el límite entre Europa y Asia.

En el teatro meridional de la guerra, en el norte de África, Rommel ocupaba, con su "Afrika Korps", una posición junto a El Alamein después de una primera ofensiva exitosa en enero y febrero de 1942; en una segunda embestida, en junio, hizo retroceder al ejército británico más allá del límite de Egipto. De esa manera, el delta del Nilo y el Canal de Suez quedaron amenazados como nunca antes lo habían estado.

Ese verano, Hitler parecía estar cerca de la meta que había descrito en *"Mein Kampf" (Mi lucha)*. Ya había tenido lugar la famosa conferencia del 5 de noviembre de 1937, en la que además de Hitler participaron Blomberg, Fritsch, Raeder, Göring, Neurath y Hoßbach (como jefe del protocolo). Su objetivo: conquistar más espacio vital para el pueblo alemán, especialmente en Europa oriental. La conferencia se conserva en el *"Documento de Hoßbach"*[160]. También parecía pronto a lograr otra meta que había proclamado junto con la de establecer la supremacía de Alemania en toda Europa: la eliminación de todas las fuerzas opositoras y "parasitarias", especialmente el pueblo judío. El 20 de enero de 1942, el mismo día en que el P. Kentenich renunció a la posibilidad de no ir al campo de concentración, se realizó aquella decisiva conferencia en Berlín, en la sede de la Interpol, Grosse Wansee 56-58 –razón por la cual fue llamada conferencia "Wansee". En ella se dieron a conocer las pautas para la ejecución práctica de lo que se denominó "la solución final de la cuestión judía", es decir, la aniquilación de todos los judíos que habitaran territorios dominados por los nazis.[161]

A fines de diciembre de 1941, en Chelmno (Kulmhof), 60 kilómetros al norte de Lodz, empezó a funcionar el primer campo para cámaras de gas[162]. Belzer, Treblinka, Majdanek y, sobre todo, Auschwitz-Birkenau, siguieron después[163]. El verano de 1942, el Secretario del Ministerio de Transportes del Reich, Dr. Ganzen Müller, informó a Carl Wolff, alto jefe del SS que presidía el estado mayor personal de Himmler, cabeza del SS, que desde el 22 de julio corría diariamente un tren con 5.000 judíos, desde Varsovia a Treblinka y otro desde Przemysla a Balzac.[164]

La cumbre del poder de Hitler fue también su punto de inflexión, el comienzo de su declinación. El ataque contra Stalingrado y la ofensiva contra El Alamein demostraron ser funestas, más aún, fatales. Y como señal de advertencia para todos los que estaban a cargo de la aniquilación de las "fuerzas enemigas del Reich" en el frente interno,

---

160 Sobre el *Documento de Hoßbach*, véase Walter Hofer, *Der Nationalsozialismus*, (El Nacionalsocialismo), pp. 193-196.
161 Cf. Helmut Krausnick, *Judenverfolgung*, (Persecusión de los judíos) en *Anatomie des SS-Staates,* (Anatomía del Estado SS), tomo II, pp. 391-405. Además, Hofger, op.cit., p. 275.
162 Helmut Krausnick, *Judenverfolgung,* op. cit., pp. 413-415.
163 Ibíd., p. 413-415.
164 Ibíd., p. 420.

es decir, en el ámbito geográfico dominado por los nazi, a mediados de 1942, Reinhard Heydrich murió a consecuencias de un atentado por parte de un grupo de patriotas checos. Heydrich fue jefe de la Dirección Superior de la Seguridad del Reich y, después de la renuncia de Neurath, Protector del Reich en Bohemia y Moravia.[165]

En el campo de concentración de Dachau –como en todos los campos de concentración nacionalsocialistas– los prisioneros de todas las naciones experimentaron el despliegue del poder de Hitler de la manera más terrible. Quienes vivieron en Dachau en el verano de 1942 y han escrito sobre ello, lo describen como uno de sus peores períodos. El obispo Frantisek Korszynski[166], de Wloclawek, se refiere a todo ese año como "aquel año inolvidable (en que sufrimos hambre y se registró el mayor número de muertos por inanición"[167]. Según Korszynski, un prisionero en Dachau apenas pesaba entonces 40 kilos[168], dato aplicable especialmente a los sacerdotes polacos, quienes fueron sometidos a un trato especialmente duro. El P. Johan María Lenz relata que la debilidad de los sacerdotes aumentó a tal punto durante ese verano que muchos de ellos, como ya no podían ponerse de pie o sentarse erguidos durante la celebración de la misa, asistían tendidos en el suelo con la cabeza vuelta hacia el altar[169].

En el *Informe de Sudamérica,* el P. Kentenich habla de "figuras vacilantes y cadáveres ambulantes", que llenaban el campo de concentración de Dachau en el verano de 1942. Hasta qué punto rondaba el hambre y cómo hacía estragos la disentería lo demuestran de

---

165 Como venganza, es sabido que el pueblo de Lídice, cerca del lugar del atentado, fue arrasado hasta los cimientos: sus hombres fueron fusilados; sus mujeres llevadas a un campo de concentración y los niños entregados a otras familias.

166 Frantisek Korszynski, *Un vescovo polacco a Dachau,* p. 78, Brescia, 1963. (Traducción italiana del original polaco *Jasne promienie w Dachau.*)

167 Ibid., p.97

168 Ibíd.

169 Johann Maria Lenz, *Christus in Dachau,* op. cit., p. 141. Cf. Weinmann, Eine Heimsuchung (Una tribulación), p. 177.

manera terrible las cifras oficiales de muertos en los distintos meses de ese verano. Jan Domagala, último jefe de la secretaría del campo de concentración de Dachau, pudo sacarlas junto con otra documentación y, una vez terminada la guerra, las publicó en Polonia, su patria. Según estas cifras, en marzo de 1942 se registraron oficialmente 66 muertos; en abril, el número subió a 79; en mayo, a 98. Después de una leve disminución en junio, a 84, subió bruscamente en julio a 173, para llegar en agosto a 484, la cifra más alta de todo el año[170]. En septiembre murieron 319 personas. De acuerdo con una lista de sacerdotes entonces prisioneros en Dachau, difundida hace algunos años, sólo en agosto de 1942 murieron no menos de 24 personas de habla alemana.[171]

Hasta qué punto ascendió la mortalidad en el conjunto de todos los campos de concentración durante la mitad de ese año, lo comprueba una estadística de la Sección D III de la central de Economía y Administración del SS (organismo de sanidad e higiene de los campos de concentración), de los 95 mil prisioneros allí anotados, durante la segunda mitad de ese año murieron no menos de 57.503, es decir, alrededor del 60%, entre el 1º de julio y el 31 de diciembre de 1942.[172]

Hambre, eso significaba que los verdugos del SS no les daban ni siquiera el mínimo indispensable de alimentos, y eso sucedía en una época en que, a pesar de la guerra, aún nadie sufría hambre en Alemania. La alimentación de los prisioneros no sólo era insuficiente, en muchos casos era también incomible[173]. Para el sustento de un prisionero, en tiempos de paz, no se podía gastar más de 55 a 60 *pfen-*

---

170 Citamos los datos de Domagala, siguiendo a Johannes Neuhäusler, *Wie war das*, p. 27.

171 De acuerdo con una nómina, en todo el año 1942 murieron 54 sacerdotes alemanes (incluyendo a los austríacos).

172 Martin Brozart, p. 150. Otra estadística oficial que apunta en el mismo sentido, se encuentra en Eugen Kogon, *Der SS-Staat,* op. cit., p. 152.

173 Reimund Schnabel, *Die Frommen in der Hölle,* op. cit., p. 147; Eugen Kogon, *Der SS-Staat,* op. cit., p. 118.

Almuerzo en Dachau.

nigs diarios, y las condiciones empeoraron cada vez más durante el curso de la guerra.

De acuerdo con el P. Fischer, en 1942, un menú diario típico consistía en café negro para el desayuno[174]; al mediodía, un litro de sopa de repollo o legumbres, casi sin grasa, con un par de papas sin pelar; por la noche, la tercera parte, y a veces sólo un cuarto o un quinto de un pan de mala calidad, que debía alcanzar para el desayuno del día siguiente, con algo de margarina o una rebanada de salchicha. Además, tres noches por semana, daban una sopa de harina (3/4 de litro), y té, los otros tres días. Tan raras veces había grasa y en tan poca cantidad, que la dividían con un hilo para que a nadie le faltara. Durante un tiempo, los sacerdotes fueron excluidos de la "alimentación complementaria" que ofrecía el campo de concentración, el así

---

174   Naturalmente, era lo que entonces se denominaba "café" en Alemania.

llamado "pan extra", que consistía en una rebanada de pan de mala calidad untado con algo, porque estaban en un comando de trabajo donde este pan extra no se entregaba.[175]

Los prisioneros perdían peso rápidamente; los recién ingresados perdían entre 20 y 25 kilos en los primeros dos o tres meses[176]. Como el cuerpo recibía en tan miserable cantidad las substancias necesarias para la vida, se deshacía el tejido celular; se formaban flemones (infección del tejido conjuntivo que formaba heridas extensas que supuraban y ardían), imposibles de sanar sin más y mejor alimentación. El P. Fischer padeció, desde la primavera hasta el invierno de 1942, de un flemón en la pierna, que cerró por un breve tiempo gracias a los cuidados que recibió de un prisionero que trabajaba como enfermero; luego se abrió nuevamente pues la curación había sido sólo superficial.

No debe pasarse por alto que, a pesar del hambre, los prisioneros debían realizar trabajos prolongados y, en muchos casos, extremadamente penosos; que eran vejados y maltratados por sus guardianes y también, desgraciadamente, por otros prisioneros: por algunos "capos" y "ayudantes de capo", como se les decía a los jefes de bloques y de piezas.[177]

Hasta 1943, la jornada diaria en los comandos de trabajo duraba un promedio de nueve a diez horas[178]. Esto no significaba que los prisioneros dispusieran del resto del día para dormir o para recreación. De acuerdo con la mayoría de los relatos, lo peor era que no les permitieran descansar por muy agotados que estuvieran, *lassis non dabatur requies,* (Lamentaciones, 5, 5). Además del trabajo forzado, ejercían sobre ellos una presión permanente, exigiéndoles "movimiento"

---

175   Cfr. Reimund Schnabel, *Die Frommen in der Hölle*, op.cit.
176   Eugen Kogon, Der SS-Staat, op. cit., p. 19.
177   El P. Fischer fue pateado y golpeado por su jefe de bloque el 21 de julio de 1941.
178   Martin Broszat, *Nationalsozialistische Konzentrationslager*, op. cit., p. 142. .

y "rapidez", de modo que ni el cuerpo ni el espíritu tenían oportunidad de renovar sus fuerzas ya exigidas al máximo.

2. Hombres filiales y sobrenaturales

Si la vida en el campo de concentración significaba, en condiciones más o menos normales, una prueba permanente de resistencia, es claro que una situación considerablemente empeorada y amenazante, como lo fue la hambruna del verano de 1942, fue un desafío durísimo, especialmente para los sacerdotes. ¿Serían capaces de soportar tan extremas penurias, considerando que la mayoría de ellos estaba acostumbrada a las agradables condiciones de vida de un buen burgués? ¿Cómo enfrentar la permanente cercanía de la muerte, y más aún, de esa muerte miserable e indigna?

Cuando, el 29 de junio, llegó el P. Kentenich al comando de desinfección, lo que le permitía reunirse todos los días con el P. Eise y el P. Fischer, comenzó inmediatamente, junto con ellos, a prepararse para el desafío que significaba sobrevivir al campo de concentración. Sentían cómo los debilitaba el hambre y estaban concientes de que si no mejoraban las condiciones de vida iban a morir extenuados. El P. Eise, quien había formado parte de un regimiento de elite en la Primera Guerra Mundial, alto y de contextura vigorosa, sufría tal vez más que nadie a causa del hambre. Cuando en una oportunidad el P. Kentenich le preguntó: "Albert ¿tienes hambre?", él contestó inmediatamente y, a pesar de todo, con un dejo de humor: "¡Vaya que sí!".

Pensando en sus dos compañeros mientras trabajaba remendando sacos, desarrolló una línea espiritual que se puede sintetizar en dos conceptos: "el hombre sobrenatural y filial". Aquí podemos reconocer fácilmente la continuación y aplicación de una línea que había trazado ya antes de la guerra, por ejemplo, en los ejercicios sobre la filialidad cristiana (1937-1938) y, especialmente, en sus escritos sobre la lucha por la libertad, enviados desde la cárcel de Coblenza.

En los últimos meses, hablaba cada vez con mayor frecuencia e intensidad del "hombre sobrenatural", capaz de "vivir aquí en la tierra como en el cielo" acentuando la necesidad de llevar a la práctica este ideal, especialmente en las circunstancias que vivían y que se tornaban cada vez peores a causa de la guerra y de las persecuciones contra la Iglesia. El "hombre sobrenatural" es, para él, la persona que "está segura en la oscuridad de la fe y de la confianza" (28 de noviembre de 1941); que aborda las cosas "a partir de la fe en la realidad sobrenatural," las comprende según esta fe y es consecuente en su obrar (20 de enero de 1942); que entiende su vida como una participación en la vida del Salvador sufriente y glorificado (5 de mayo de 1942); que acoge alegremente los deseos de la eterna sabiduría (2 de agosto de 1942); que interpreta de buen grado y sigue fielmente la exhortación de san Pablo: "Vuestro peregrinar sea en el cielo"; es decir, que sabe que hay que sentirse en el cielo como en la propia casa y quedarse allí (18 de abril de 1942). Ante la catástrofe que los amenazaba, el ideal de "el hombre sobrenatural" adquiría especial actualidad, pues solo un hombre así podía resistir las horribles condiciones de esta "ciudad de paganos, de esclavos, de locos y de muerte". Sería capaz de superarlas interiormente porque eso era lo que Dios le pedía. Pero para tener éxito en esta prueba de resistencia, había que ser, a la vez, un "hombre filial", cualidad que el Padre entiende en un sentido teológico y cristiano, es decir, la filialidad consiste en vivir con sencillo espíritu de niño la realidad de ser hijos de Dios; en tener una confianza sin reservas en él, una confianza tan firme y clarividente que aun estando prisionero en las manos asesinas del SS se logre descubrir la mano paternal de Dios.

La carta del 22 de junio de 1942, dice lo siguiente sobre el hombre filial: "Frente al ídolo del hombre primitivo, producto de una escala primitiva de necesidades, valores, derechos y sanciones, él (es decir, "Paulus", el P. Kentenich) invoca fervientemente el ideal del hombre filial, capaz de dominar todas las dificultades de la vida…"

El P. Kentenich formuló esta línea espiritual y sacerdotal de la siguiente manera: "Nosotros, los sacerdotes prisioneros en el campo de concentración de Dachau, no queremos reaccionar en forma primitiva en medio de las condiciones más primitivas, sino con sencillez filial, y si Dios lo quiere, morir heroicamente como personalidades recias, libres y sacerdotales. Y si recuperamos la libertad externa, esperamos retornar como sacerdotes maduros a trabajar celosamente por el Señor, para que nuestra labor sea fecunda".

Según un observador tan atento a la vida en los campos de concentración como fue Eugen Kogon, con esta consigna el P. Kentenich señalaba un peligro al cual, tarde o temprano, se veían expuestos todos los prisioneros: el de transformarse en seres primitivos a causa de las condiciones allí existentes. Opina que en este ambiente nadie podía evitar la "primitivización espiritual"; incluso, la considera positiva, en cierto sentido, pues hacía las veces de "costra protectora", una forma de autoprotección, una defensa del alma siempre en peligro de hundirse en la oscuridad de la depresión o de caer en la histeria.[179]

El P. Kentenich, sin embargo, veía una alternativa al primitivismo: el candor, la confianza cristiana. Kogon también la menciona como una de las más hermosas alternativas para enfrentar la vida en un campo de concentración indigno de seres humanos, que los asesinaba. Dice así: "Superaba esto el *"anima cándida"*, el alma luminosa y pura que se esforzaba por sobrellevarlo todo bien, con ánimo equilibrado, sin disgustarse por nada de lo que pudiera acontecerle, y que apartaba firmemente de sí todo mal. Seres humanos así también pasaron por el campo de concentración, y de ellos se puede decir, empleando palabras del Evangelio: *"Pertransierunt benefaciendo"*, 'Pasaron haciendo el bien e iluminando a los demás'".[180]

---

179 Eugen Kogon, *Der SS-Staat*, op. cit., p. 369.1
180 Ibíd., p. 371

Es esta actitud, propia del "hombre sobrenatural y filial", la que se manifiesta en el P. Kentenich –con ocasión de la festividad de la Visitación de María y pocos días después de incorporarse al trabajo en el comando de desinfección– cuando invita a sus compañeros a tomar en serio la maternidad de la Virgen María, que atrajo tan grandes bendiciones, "en la montaña de san Juan", en casa de Zacarías, sobre todos los que estaban presentes. Esta misma actitud lo llevó a proclamar a la Madre tres veces Admirable de Schoenstatt como Madre del campo de concentración y del pan, y abogada y reina del campo de concentración.

El P. Fischer relata que la idea de nombrar "Madre del pan" a la Madre tres veces Admirable, les pareció muy novedosa pues estaban acostumbrados, desde hacía décadas, a que el P. Kentenich se refiriera a ella, casi exclusivamente, como la Madre de Gracias que velaba por la vida sobrenatural de los hijos de Dios. Ahora los alentaba a confiarle todas sus penurias y necesidades terrenales y corporales, y a esperar de ella nada menos que *"magnalia, mirabilia et miracula"*, hechos grandes, maravillosos y milagrosos. La propuesta de su antiguo maestro fue aceptada con alegría por los padres Eise y Fischer, y ese mismo día procedieron a proclamarla Madre del campo de concentración y del pan, y abogada y reina del campo de concentración.

En los temas de meditación diaria, el P. Kentenich procuró fundamentar y profundizar aun más la confianza filial en la Virgen María como "Madre del pan". María, les dijo, precisamente porque es Madre de Gracias no puede quedar indiferente ante las aflicciones y penurias corporales de sus hijos, porque existe una relación íntima y recíproca entre cuerpo, alma y espíritu. Además, como segunda Eva y Vencedora del demonio, Dios le encomendó la misión de suavizar las consecuencias del pecado original, entre las que se encuentran sufrimientos físicos tales como el hambre; y, a través de su cuidado maternal, dirigir los acontecimientos de modo que redunden en el bien de sus hijos. Ella, como madre y discípula de Jesús, quien pasó por la tierra "haciendo el bien", ayudando a los enfermos y hambrientos, se compadece de las penurias de los seres humanos.

Durante su escaso tiempo libre, el P. Eise y el P. Fischer compartían estos valiosos estímulos espirituales con los demás sacerdotes schoenstatianos y otros cohermanos. El propio P. Kentenich no podía tomar parte en este apostolado porque seguía aislado en el bloque de acceso, y sólo podía abandonarlo durante las horas de trabajo en el comando de desinfección. Junto a estos estímulos espirituales, el P. Fischer y el P. Eise regalaban a sus cohermanos las pocas imágenes de la Madre tres veces Admirable que habían logrado introducir en el campo de concentración, sobre todo a los que sufrían más duramente las consecuencias del hambre y las enfermedades.

En cuanto al trabajo de grupo, hasta entonces los sacerdotes schoenstatianos se reunían semanalmente en el bloque 26, para sacerdotes, ya no pudo realizarse con la regularidad acostumbrada debido al creciente debilitamiento de los asistentes. Por eso, el 2 de julio, el P. Kentenich aconsejó flexibilizar las reuniones, pero intensificando el contacto entre ellos, para así honrar a la Madre de Dios como madre, abogada y reina del campo de concentración.

3. Comienzo de nuevas comunidades schoenstattianas

La festividad de la Visitación de la Virgen María, en julio de 1942, fue el primer punto culminante en la vida de la pequeña comunidad schoenstattiana. Catorce días después, el 16 de julio, le siguió otro de gran importancia: el día de la Virgen María del Monte Carmelo se iniciaron en Dachau dos nuevas comunidades de la Obra de Schoenstatt: la Obra Familiar y el Instituto de los Hermanos de María.

Desde fines de mayo, el P. Kentenich conversaba acerca de sus planes para formar estas nuevas comunidades, con sus compañeros de prisión, el Dr. Kühr y el Dr. Pesendorfer. A pesar de los grandes obstáculos que oponían a estos planes, logró instruirlos adecuadamente. Del relato del Dr. Pesendorfer sobre la formación que le correspondió a él, se desprende que al P. Kentenich le interesaba, en primer lugar, ayudarlo a reflexionar sobre su vida, iluminado por la fe en la Providencia, a fin de reconocer las señales y llamados de Dios y ser capaz de dar una respuesta decisiva a la propuesta del P. Kentenich. Teniendo esto en mente, analizaron, por ejemplo, las fiestas de la Iglesia que caían en las semanas siguientes: la del Corazón de Jesús, el 12 de junio, y la Visitación de María.

Del mismo modo, entre el 12 de junio y el 13 de julio, el P. Kentenich meditó con ellos acerca de la vida del Señor y de la libertad con que decidía sus respuestas a los deseos del Padre celestial. Los últimos días, antes del 16 de julio, se dedicaron a la preparación del acto de fundación: el 13 de junio, el P. Kentenich les habló sobre el servicio desinteresado, que debía llegar a ser en ellos una segunda naturaleza; el 14, sobre un tema que ya había transmitido a Schoenstatt en la carta del día 12: "Vivimos una época de hazañas divinas sin precedentes, cuya aroma y medida dependen de la naturaleza y grado de nuestra confianza". El 15 de julio, la conversación entre él y el Dr. Pesendorfer fue más larga que de costumbre. En esa oportunidad, el P. Kentenich le anticipó las ideas fundamentales de la plática que quería dar al día siguiente, pero relacionándolas con su situación personal.

Estas dos celebraciones de fundación implicaron un riesgo que exigió no poco valor, aun cuando externamente fueron muy modestas. En una carta a su casa, del 26 de julio, el P. Fischer las caracterizó como "celebraciones serias en circunstancias y espíritu auténticamente cristianos".

La celebración con el Dr. Kühr se realizó a las cuatro de la tarde en el bloque 14, pieza 3, donde el P. Kentenich estaba trabajando con el P. Eise. Éste había armado un pequeño altar sobre la mesa de trabajo, entre unos almohadones. Puso una caja con el Santísimo sobre su mejor pañuelo blanco y, junto a ella, una pequeña imagen de la Madre tres veces Admirable. Ardían dos velas. El P. Fischer no pudo tomar parte en esta celebración porque el 20 de julio le habían ordenado trabajar por un tiempo en el bloque N° 6. Joseph Joos tomó su lugar, como amigo de confianza del Dr. Kühr.

En la alocución introductoria, el P. Kentenich destacó la importancia del momento, celebrado como en las catacumbas, para la vida del Dr. Kühr, para el Movimiento de Schoenstatt y, confiado en la Madre de Dios, para la Iglesia y el mundo: el Dr. Kühr asumía, por medio de su consagración en plena edad adulta, una importante tarea al servicio de la familia cristiana. El Movimiento de Schoenstatt recibía una nueva comunidad que prestaría al mundo y a la Iglesia un servicio extraordinariamente necesario.

El acto de consagración del Dr. Pesendorfer se llevó a cabo dos horas después, a las seis de la tarde, en el mismo lugar. Después de la exposición del Dr. Pesendorfer, adoraron al Santísimo e invocaron al Espíritu Santo. A continuación, el P. Kentenich habló sobre el "fervor mariano, la semejanza con María y la disposición interior mariana", características fundamentales de la futura comunidad de los Hermanos de María y camino seguro para dejar atrás al hombre viejo y conformar, en Cristo, al hombre nuevo.

La consagración, realizada en el contexto de la Alianza de Amor, culminó con las oraciones "Oh, Señora mía, oh, Madre mía", "Recibe, Señor, toda mi libertad", la bendición con el Santísimo y el "Cántico de gratitud" ("Cayeron las cadenas"). Para terminar, el P. Kentenich tomó la palabra una vez más para hablarles sobre la fidelidad de la Madre de Dios y sobre el triple don que les ofrecía en virtud de la consagración realizada: seguridad en la existencia, seguridad en la fecundidad y seguridad de gozar de la visión beatífica en la eternidad.

Después de celebrar la fundación con el Dr. Pesendorfer, los tres padres renovaron su Inscriptio, para estar así unidos a los padres de la dirección central de Schoenstatt que la harían ese mismo día. A propósito de esto, el P. Kentenich subrayó, con una breve explicación, el sentido de la Inscriptio como una forma de glorificar a Dios y a la Virgen María, y de sellar la propia misión, libremente aceptada.

Para el P. Fischer, el 26 de julio de 1942, además de las celebraciones descritas, fue un momento muy especial. Se encontraba en el comando de trabajo del bloque N° 6 cuando, súbitamente, por la mañana, como sucedía muy a menudo en Dachau, les dijeron: "¡Preparar el campo para una visita!". Generalmente se trataba de alguien importante a quien había que mostrar el "campo modelo de Dachau". La orden significaba, concretamente, que todos los prisioneros no asignados a un comando de trabajo debían concurrir inmediatamente a un bloque especial, en donde eran apiñados en algunas piezas y mantenidos ocultos de la visita, mientras los bloques habitacionales eran desocupados y acicalados lo más rápidamente posible. Las ventanas y las puertas de todos los bloques debían estar abiertas de par en par, de manera que se pudiera mirar sin impedimento desde el primero hasta el último bloque. La dirección del campo de concentración quería "causar impresión", como se decía en la jerga de aquellos años.

El P. Fischer también tenía que hacerse invisible porque no pertenecía al bloque N° 6. Para ayudarlo, el jefe de este bloque le dio permiso para quedarse ahí, pero bien escondido para que no lo descubrieran. Este permiso no le pareció mal al P. Fischer. Tomó un almohadón y se tendió en el suelo entre dos hileras de camastros; decidió… ¡qué alivio!… aprovechar la inesperada pausa y tomarse un bienvenido descanso. Él mismo relata lo que sucedió:

"Me quedé en la pieza donde había estado trabajando; tomé un almohadón y me tendí en el suelo, entre dos hileras de camastros, para descansar. De repente sonó en la habitación el llamado de atención; la puerta se abrió y apareció en el dormitorio el jefe del campo de concentración, Hofmann, un hombre muy temido y brutal, con un oficial de la Fuerza Aérea. Seguí con la vista el recorrido de ambos. Se dirigieron directamente al pasillo donde yo estaba. Las botas del oficial de la Fuerza Aérea se veían ya al centro del último camastro antes del pasillo. Entonces, de mi pecho se escapó un ruego: "Madre tres veces Admirable, ¡ayúdame!" En ese mismo momento, Hofmann dobló hacia el pasillo contiguo y se marchó con el visitante. Le explicó la construcción de las camas y la costura.[181]. Después de un par de minutos, ambos se alejaron. Fue como si una piedra se me hubiese salido del pecho. ¡Qué me hubiera pasado si me descubren! El jefe del bloque, que entró después muy agitado, me dijo: "Seguramente habrías sido llevado de un ala al *"bunker"* y te habrían dado 25 azotes[182]. Y todo el personal del bloque habría sido suspendido". Gracias a Dios, el susto había pasado. Le comuniqué la feliz noticia al Padre. Este pequeño preludio aumentó la alegría de los grandes acontecimientos de la tarde…"

4. La muerte hace su cosecha

Si el P. Fischer había escapado a este peligro gracias a la protección de la Madre de Dios, no se libró de la disentería provocada por la falta de alimentos y aumentada por el calor del verano, y que se prolongó durante meses. Fue el primer sacerdote schoenstattiano en caer. Se desplomó el 31 de julio, durante la revista vespertina. El párroco Christoph Hackethal, un sacerdote de la diócesis de Hildesheim, se encargó de él y lo acompañó desde el patio hasta el barracón, donde se tendió en uno de los camastros. El capellán, Dr. Bernard Wensch,

---

181 Se refiere a la costura de jergones, que era un importante requisito para la fabricación de camas militares.

182 Era uno de los castigos más terribles: el prisionero era atado a un potro y recibía 25 azotes en los glúteos, administrados por dos hombres del SS con látigos de nervios de buey humedecidos. El procedimiento terminaba a veces en la muerte del prisionero. Cf. Johannes Neuhäusler, *Wie war das,* op. cit., p. 46.)

Traslado de enfermos al bloque enfermeria.

de Dresden, su compañero de mesa y colaborador del grupo de sacerdotes de Schoenstatt, le preparó un poco de té, gesto bueno para su
espíritu pero inútil para su cuerpo extenuado. A la mañana siguiente
fue a la enfermería, pero el capo le negó el ingreso. Sin embargo, al
ver que el P. Fischer no se indignaba ante el rechazo, cambió de opinión y después de examinarlo lo envió al bloque de enfermería N° 7,
pieza 3. Afortunadamente no lo mandaron a la mal afamada pieza
4, considerada la "pieza de la muerte". El enfermero de la pieza 3,
un comunista, se hizo cargo de él y lo cuidó con esmero. Como aún
disponía de algunos medicamentos, le dio un poco de carbón y una
especie de tiza en polvo. Más tarde, el P. Fischer escribió lo siguiente:
"Agregué, a los dos días de ayuno, que había hecho antes, el 30 y el
31 de julio, un tercero, y pude después comer de nuevo, lentamente,
una dieta liviana. Estaba en un lugar tranquilo de la pieza; me quedé
muy quieto y me recuperé lentamente".

El P. Kentenich y el P. Eise siguieron trabajando solos, aunque no por mucho tiempo. El 4 de agosto recordaron el encarcelamiento del P. Eise, el año anterior, en el convento de Santa Bárbara, en Coblenza. El 5 de agosto iniciaron una nueva novena para pedir libertad interior y exterior. Se acercaba la festividad de la Asunción de María. Al segundo día de la novena, el P. Eise no pudo tenerse en pie. El hambre había hecho estragos en su salud. Fue recibido en la enfermería durante los primeros días, pero, desgraciadamente y a pesar de todos los esfuerzos del Dr. Pesendorfer, fue enviado a la pieza 7/4, la pieza de los candidatos a la muerte, donde yacían los enfermos con más necesidad de atención y cuidados. De hecho, sin embargo, recibían el peor trato de toda la enfermería, porque el enfermero no servía para nada.

En carta del 9 de agosto, el P. Fischer, con el acostumbrado lenguaje en clave, escribió a sus familiares que: "La situación se ha agravado. Albert debe estar en el hospital. Por consiguiente, se habrán encontrado los dos hermanos[183] y, por el momento, el tío estará trabajando totalmente solo".

En una carta del mismo día, el capellán Dresbach describe así a su hermana la situación: "¡Cómo alabas tú a Männi y a sus camaradas del frente![184] Todos los días tienen que ver el rostro de la muerte. ¡Cuántos son los que en el último tiempo han caído a su alrededor! Pero ellos están todavía allí, con la poderosa ayuda de Dios. Me ha conmovido profundamente que Albert esté en el hospital. Rezo a toda hora por él. Pero no se trata sólo de la muerte sino más bien de la vida, que los bolcheviques, que están por debajo de todo lo que es humano, les han convertido en un infierno. Cada momento exige de ellos intensos esfuerzos para realizar mil sacrificios. Y cómo me alegra

---

183 De esa manera, el P. Fischer comunicaba también su propia enfermedad, es decir, que él y el P. Eise estaban en la enfermería. (N. del T.: En su correspondencia, los prisioneros acostumbraban a referirse a los hechos ocurridos dentro del campo de concentración como si fueran circunstancias externas.)

184 Maní es el propio capellán Dresbach. Su hermana conocía ese nombre.

leer que la gracia de Dios está con sus soldados, y que la vida interior experimenta un impulso hacia lo alto, lo que nunca antes había tenido. El girar constantemente en torno a Dios y el permanente peregrinar en su mundo, unido a una incesante lucha por la santidad, unida al compañerismo de los que están en el frente, logran que se cumplan las palabras de san Pablo: 'Vuestro peregrinar sea en el cielo' ".

Algo más de una semana después de escribir estas líneas, también el capellán Dresbach, afectado por la disentería, tuvo que ser internado en la enfermería. El 15 de agosto, día de la Asunción de María, él había predicado en la misa que celebró junto a sus hermanos en la capilla del campo de concentración. Al ingresar a la enfermería pesaba 44 kilos, y eso le sucedió en la mejor época de su vida, cuando no cumplía 30 años.

¿Cómo estaba el P. Kentenich? Él era el mayor de los sacerdotes schoenstatianos prisioneros en Dachau. El hambre también había dejado en él sus huellas. El P. Fischer cuenta que parecía un ancianito "esmirriado, contrahecho". Sus amigos sacerdotes le habían expresado varias veces su preocupación: "Vuestro querido 'director' no va a resistir mucho más", decían.

Los prisioneros mayores eran, sin duda, mucho más vulnerables que los jóvenes, que contaban con más reservas para enfrentar las penurias de ese verano. Entre los sacerdotes alemanes muertos en julio de 1942, se contaban especialmente los mayores de 50 años: el párroco Josef Lenzel (nacido el 21 de abril de 1890, murió el 3 de julio); el párroco Adolf Bernhard (nacido el 21 de septiembre de 1882, murió el 10 de julio); el párroco Gustav Vogt (nacido el 9 de abril de 1890, murió el 13 de julio); el P. Karl Mangold (nacido el 31 de enero de 1889, murió el 18 de julio); y el P. August Benninghaus (nacido el 7 de octubre de 1880, murió el 20 de julio).

En su *Informe de Sudamérica,* el P. Kentenich menciona en dos cartas que él tampoco se libró de la disentería: "Las primeras seña-

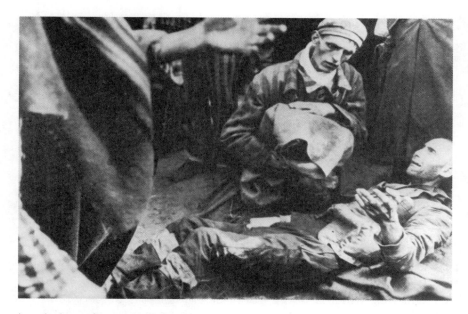

les de la enfermedad también se presentaron en mí. La enfermedad ya me había comenzado". Según el Dr. Pesendorfer, esto debe haber sucedido en los primeros días de octubre. Gracias a Dios, él pudo conseguirle medicamentos y, ocasionalmente, una dieta adicional de pan con manteca.

5. Una ofrenda aceptada

El P. Eise sólo había estado unos pocos días en la enfermería cuando el P. Fischer que, entretanto, había superado su propia crisis, fue a verlo por primera vez. Pudo comprobar, espantado, que su cohermano y compañero de sufrimientos se veía totalmente extenuado y que, probablemente, ya no saldría vivo de la enfermería. Sin embargo, el Dr. Pesendorfer no compartía el pesimismo del P. Fischer, porque como enfermero jefe de la sección de cirugía tenía acceso al P. Eise y hacía todo lo posible por ayudarlo, a pesar de los inconvenientes que le ponían. Tenía esperanzas de sacar adelante a ese enfermo tan grave y que él tanto apreciaba. Su abnegada dedicación tal vez habría tenido éxito si las condiciones de la enfermería, especialmente del bloque N° 7, no hubiesen sido tan catastróficas y si los enfermeros de la pieza N° 4 hubiesen colaborado.

Cada vez que el Dr. Pesendorfer quería visitar al P. Eise y llevarle un poco de té, tenía que pedir permiso al enfermero jefe del bloque o a los enfermeros de la pieza N° 4. Cuando no lo rechazaban, de vez en cuando podía llevarle la comunión, que le proporcionaban sacerdotes amigos en la capilla del campo de concentración.

Solo se entienden las condiciones que reinaban en la enfermería de Dachau, y en general en las de todos los campos de concentración, si se tiene presente que el SS solía designar con preferencia a prisioneros manifiestamente depravados, en su mayoría perteneciente a la categoría de los "verdes", de los criminales, como *capos,* enfermeros jefes y enfermeros. Sobre Josef Heiden, quizás el de peor fama de todos los capos de las enfermerías, Reimund Schnabel dice: "Bajo el mando de Heiden, perverso capo de la enfermería, el bloque para los prisioneros enfermos era un antro de asesinos"[185]. Bernard dice que era "… un monstruo sobre cuya conciencia no pesaban menos muertes que las causadas por algunos funcionarios del SS".[186]

Gracias a Dios, en agosto de 1942, ya no estaba en ese cargo. Sin embargo, su sucesor no hizo mucho por mejorar las cosas, aunque al menos no asesinaba a camaradas enfermos con inyecciones de fenol o de bencina ni ordenaba que los asesinaran otros criminales, como hacía Heiden. En suma, en el bloque 7, y especialmente en la pieza 4, no se había introducido ningún cambio. Johann Maria Lenz, quien en enero de 1943 yacía enfermo de tifus en la 7/4, escribe: "Los enfermeros de nuestra pieza, hombres sin Dios, no tienen nada en común con el "buen samaritano". Nosotros, los enfermos,

---

185 Reimund Schnabel, Die Frommen in der Hölle, op. cit., p. 68.
186 Ibid p.. 70.

especialmente nosotros, los sacerdotes, les teníamos más miedo que a una enfermedad mortal".[187]

Después de haber estado alrededor de una semana en la 7/4, se logró que trasladaran al P. Eise al bloque 3, pieza 2. Ahí recibió un cuidado algo mejor. A pesar de todo, en la noche del 14 al 15 de agosto, antes de la festividad de la Asunción de María, su fin parecía haber llegado. Comenzó a delirar y se daba vueltas por la pieza. El P. Fischer, que aun estaba en la enfermería, trataba de mantenerse en contacto con él. Unos días después, pidió que se le administraran la extremaunción, lo que no era fácil en Dachau. Había santos óleos, es verdad, pero el SS había prohibido administrarlos, tanto a los sacerdotes como a los laicos, bajo pena de severos castigos. Para eludir esta prohibición había que tener cuidado no sólo con el SS sino también con los prisioneros soplones, conocidos y desconocidos.

El P. Fischer habló con el Dr. Pesendorfer y éste consiguió con sus colegas enfermeros que le permitieran visitarlo el 17 de agosto, en su calidad de "buen y viejo amigo" del P. Eise. "Tomé la tapa de un termo que había traído el Dr. Pesendorfer", así describe el P. Fischer la administración de la extremaunción, "vacié un poco de té en la tapa y se la pasé al P. Eise para que bebiera. Entonces le hice sobre la frente la señal de la cruz con los santos óleos y pronuncié la fórmula *"Per istam sanctam unctionem..."* También le di la bendición apostólica. Él se alegró y dijo con mucha fe: 'Gracias a Dios, recibir de nuevo un sacramento, nuevas fuerzas otra vez' ".

Durante la breve conversación que sostuvieron, el P. Eise recordó especialmente la Obra Familiar, a la cual daba gran importancia. Sugirió la posibilidad de que el capellán Wensch, quien a través de él se había incorporado a Schoenstatt en los últimos meses, asumiera la dirección de la Obra Familiar después de su muerte. No sabía, y el

---

187   Johann Maria Lenz, Christus in Dachau, op. cit., p. 242 s.

P. Fischer no quiso decírselo tampoco, que el Dr. Wensch había muerto dos días antes, en la festividad de la Asunción de María.[188].

La salud del P. Eise pareció experimentar una mejoría en los días subsiguientes. Pero todas las esperanzas se vieron frustradas cuando lo llevaron de nuevo a la "pieza de la muerte", la 7/4. Como a causa de su debilidad no podía limpiarse solo, el enfermero inhumano[189] usó un procedimiento que resultó fatal: arrastró al enfermo, tiritando de fiebre, a los baños y lo puso debajo de una ducha de agua fría. A partir de ese día, el final se aceleró inevitablemente.

Como el P. Eise parecía tener tifus, aislaron su cama con un biombo. Detrás de éste lo vio el P. Fischer el 22 de agosto, antes de abandonar la enfermería. "Desvalido como un niño pequeño, totalmente apático, completamente extenuado", así describe su estado. "Sobre su rostro había una cantidad de mosquitos. Ni siquiera los apartaba. ¡Un cuadro que llenaba de compasión! Me retiré triste y dolido, sin hablar con él".

Como desde su llegada a Dachau el P. Eise había tomado muy en serio la posibilidad de morir en el campo de concentración, se había preparado para recibirla. Esto se percibe claramente en la correspondencia que enviaba regularmente a sus hermanos y hermanas, a su tierra natal de Offingen, cerca de Stuttgart. Desde el primer día en Dachau, dispuso su alma para una total entrega a la voluntad de Dios. En la primera carta, el 16 de noviembre de 1941, hace referencia a la oración de san Ignacio, en la forma ampliada por el P. Kentenich: "Por lo que les digo en esta carta, ustedes podrán ver hacia dónde voy. Veamos en todo la mano de Dios y confiemos siempre en

---

188 La muerte del Dr. Wensch es un ejemplo de la rapidez con que en Dachau se moría. El 31 de julio le había prestado ayuda al P.Fischer, que estaba enfermo; dos semanas después había muerto. Lo mismo sucedió con el párroco Christoph Hacketahl, quien había acompañado al P. Fisher, cuando se desplomó en el patio donde se pasaba revista, hasta su barracón. El 25 de agosto murió.

189 Alusión al Dr. Pasendorf, enfermero jefe de la sección de cirugía.

él. Recibe, Señor, toda mi libertad. Recen ustedes para que siempre me incline ante la voluntad y los deseos de Dios, como ahora soy capaz de hacerlo".

En carta del 24 de enero de 1942, dice lo siguiente: "Mi oración favorita es 'Recibe, *Señor, toda mi libertad*... etc.'" La cuaresma de ese año parece haber sido para él un tiempo de profunda lucha interior, no sólo para ofrecer el sacrificio de su libertad sino también el de su vida, si ésa era la voluntad de Dios. Ése es el sentido de una breve nota que incluye en la carta del 4 de abril, sábado de Gloria: "He tomado las últimas decisiones del corazón y del alma". El último día del mes, escribe: "He ampliado la oración (sobre la entrega total), luchando interiormente y ahora con alegría, y puse en ella lo que nunca antes había creído posible". La oración pasó a ser para él tan importante que la rezaba diariamente en la Santa misa, en el momento de la consagración.

En carta del 23 de abril escribió, al dorso de una imagen, la famosa oración de santa Teresa de Ávila: "Tuya soy, para ti he nacido. ¿Qué dispones hacer de mí? Dame riqueza o pobreza, honor o deshonor, libertad o cadenas, consuelo o tribulación, una vida alegre, sol o sombras. Me entrego por entero, ¿qué dispones hacer de mí?". Y el 17 de mayo: "Nunca como ahora había buscado a Dios con toda mi alma, ni le había dado todo a él". Algo similar dice el 31 de mayo: "... lo busco (a Dios) como nunca antes". El 14 de junio: "Casi no siento intranquilidad interior; mi nombre está en el corazón de María y de Jesús. Y sea que Dios quiera para mí una vida de trabajo o que me entregue en sacrificio, estoy con él".

En su última carta desde Dachau, el 26 de julio, hace suyo el motivo central del ofrecimiento de su vida que hizo José Engling, el 3 de junio de 1918: "Si está en tus planes, acéptame como ofrenda para tus propósitos y los de la Madre de Dios".

Debido a la enfermedad del P. Fischer, el P. Eise pudo estar solo con el P. Kentenich en el comando de trabajo, antes de su ingreso a la enfermería. Un hermoso gesto de la Providencia: el maestro tuvo así la oportunidad de preparar al discípulo para completar el camino de su vida en la tierra. Las reflexiones que juntos hicieron, se deducen de la carta del P. Kentenich del 22 de agosto: "Ambos rezamos los nueve días anteriores a su encarcelamiento por la liberación de Timo[190] o, si así está previsto, para dar un "sí" sin reservas a la entrega de su vida".

Durante las semanas de la enfermedad que llevó a la muerte al P. Eise, el P. Kentenich se mantuvo en comunicación con él a través del Dr. Pesendorfer. Pensó en hacerle una visita, pero éste la desaconsejó perentoriamente porque el riesgo era demasiado grande: él habría tenido que ayudarlo y, en caso de ser descubiertos o traicionados, habría perdido su puesto y, con ello, su extenso trabajo de samaritano en la enfermería. El Dr. Pesendorfer informaba regularmente al P. Kentenich sobre los altibajos de la enfermedad del P. Eise, y por ello el P. Kentenich pudo comunicar a Schoenstatt lo siguiente: "Allí yace él, en la flor de la vida, en el extranjero y también separado del padre, sin suficientes cuidados; hace su testamento con balbuceos ahogados por las lágrimas. La naturaleza se resiste. A pesar de todo, ofrece alegremente su vida con espíritu de total entrega por la Obra común…" (16 de agosto de 1942).

La carta del 22 de agosto informa sobre el curso de la enfermedad: "…en el día del aniversario se inicia la lucha a muerte[191]; maravillosamente superada, él empieza de nuevo, a pesar de la falta de cuidados y de los falsos cuidados. En ambas ocasiones, el discípulo de Pablo, un experto, encuentra un camino ilegal hasta el enfermo y se convierte en instrumento de su salvación, que él describe como un milagro manifiesto…"

---

190 Timo es una abreviatura de Timotheus y un nombre fingido para referirse al P.Eise.
191 El P. Kentenich confunde las fechas. El día del aniversario del encarcelamiento del P.Eise, 4 de agosto, aun no estaba en la enfermería: ingresó el 7 de agosto.

A fines de agosto y comienzos de septiembre, el propio P. Eise alentó las esperanzas de que sanaría. Desde la "pieza de la muerte" (7/4) lo habían trasladado a la 7/2, con mejor atención. La tarde del 2 de septiembre les dijo que tenía la impresión de haber superado la crisis. Era la euforia que precede a la muerte. Esa misma madrugada, entre las 2 y las 3 horas, el Dr. Schaub, un prisionero de Luxemburgo que también estaba enfermo en la pieza, oyó que el P. Eise rezaba en voz baja, con respiración entrecortada;

P. Eise, detenido (con traje de civil).

finalmente hizo una profunda inspiración, a la que no siguió ningún otro signo de vida. El Dr. Schaub, que era católico, se acercó al recién fallecido y le hizo la señal de la cruz en la frente.

Era el 3 de septiembre, festividad de María, Madre del Buen Pastor, como hicieron notar el P. Kentenich y el P. Fischer cuando, esa mañana, les comunicaron la noticia de su muerte. En la tarde de ese día, este último hizo un breve homenaje en memoria del difunto ante los cohermanos de la pieza a la que pertenecían el P. Eise y él mismo. Dos días después, el 5, un domingo, toda la comunidad de sacerdotes del bloque 26 celebró un réquiem durante el cual el P. Fischer pronunció nuevamente unas palabras en su honor.

El P. Kentenich, que no siempre podía estar junto a sus cohermanos alemanes, el mismo día comunicó a Schoenstatt lo siguiente: "Apenas se había celebrado la misa de difuntos por Franz[192], tuvieron que agregar otra por su colaborador. Que su vida se haya extin-

---

192   El P. Franz Reinisch, que fue decapitado el 21 de agosto de 1942. Ver p. 210.

Gerhard Hirschfelder, beatificado el 22 de septiembre del 2010.

guido en una capitulación total ante el divino cazador es una comprobación conmovedora de la bondad y sabiduría divina y maternal, e invita a sus amigos a reiterar el Magnificat". El Dr. Pesendorfer relata que el propio P. Kentenich prefería rezar, en recuerdo de la muerte del P. Eise, el canto de alabanza de la Virgen María más que cualquiera otra oración. También el P. Fischer comunicó a su casa, en dos oportunidades, la muerte de su cohermano: el 5 y el 20 septiembre. En está última carta, cita unas palabras que el P. Eise había repetido varias veces en sus últimos días: "Aun cuando sea muy doloroso, aun cuando sea muy duro, si miro más profundamente tengo que decir: la Madre de Dios ha escuchado mis ruegos y súplicas".

El P. Eise no fue el único sacerdote de la familia schoenstattiana que coronó su vida en Dachau, ese verano del hambre de 1942, ofreciéndola como holocausto. De entre los sacerdotes que allí adhirieron a la comunidad schoenstattiana también murieron el párroco Christopher Hacketal, de Harzburg, diócesis de Hildesheim, el 25 de agosto; además, el 1° de agosto, el capellán Gerhard Hirschfelder, de Habelschwert, condado de Glatz [193]. Otras dos víctimas fueron el vicario Heinrich König, de Gelsenkirche, y el prelado Dr. Heinrich Feuerstein, de Donaueschingen, quienes antes de llegar a Dachau pertenecían a la comunidad de sacerdotes diocesanos de Schoenstatt. Ambas muertes fueron muertes típicas de Dachau.

---

193 En el índice de sacerdotes de Reimund Schnabel, *Die Frommen in der Hölle,* op.cit., p. 245, la nacionalidad del padre Hirschfelder está indicada con una T, como checoslovaco (tschechoslowakisch), tal vez porque el condado de Glatz pertenece, desde el punto de vista eclesiástico, al arzobispado de Praga.

Heinrich König.

El prelado Feuerstein tenía 65 años cuando lo enviaron al campo de concentración. La noche de san Silvestre de 1941, había dado una plática larga y bien meditada en su comunidad, en la cual denunció al régimen nazi por los crímenes cometidos contra enfermos mentales indefensos. A los amigos que con buena intención le aconsejaron no hacer esta denuncia en la prédica, les respondió: "Prefiero que me reprochen por imprudente que por cobarde". Y además: "Bien sé las consecuencias que me traerán estas palabras"[(194)]. En enero fue tomado prisionero. Después de varios meses en Constanza, ingresó a Dachau en julio de 1942. Era ya un hombre marcado por la muerte y falleció antes del primer mes de su ingreso, el 2 de agosto de 1942.

El vicario Heinrich König había caído en manos de la Gestapo el 30 de septiembre de 1941, diez días después del P. Kentenich, y el 5 de diciembre fue enviado a Dachau. Días después de su llegada estaba en la sección de cirugía sobre la mesa de operaciones. Una piedra en la vesícula tan grande como una cereza había hecho necesaria una operación, según afirmó el Dr. Waldemar Wolter, cirujano del campo de concentración, en una nota a la madre y los hermanos después de su muerte. El 28 de enero pudo abandonar la enfermería. Antes de cinco meses debió ser examinado de nuevo en medio de grandes dolores. Mientras fabricaba camastros –y debía hacerlos con una exactitud calculada para atormentar a los prisioneros–, cayó de un piso, según relata su "compañero de armario", el párroco Emil Thoma, de

---

194 Johann Maria Lenz, *Christus in Dachau,* op. cit., p. 144. Sobre la razón para encarcelar al prelado Feuerstein, véase *Boberach, Berichte* (Informes, pg. 611).

la arquidiócesis de Friburgo[195]. Esta caída le produjo graves heridas internas que un día después, el 24 de junio, le causaron la muerte.

El P. Fisher cuenta en una carta: "¡Cuán rápido murió Heinrich! Es trágico que, después de haber resistido bien una operación, se haya causado heridas internas debido a una infortunada caída. ¡A los dos días, estaba muerto...! A sus familiares les queda el consuelo de saber que, en los diez minutos en que recuperó la conciencia, pudo tener la alegría de recibir el viático y asistencia sacerdotal". El profesor de religión, Reinhold Friedrichs, quien después fue miembro del capítulo de la catedral de Münster, le administró la extremaunción.[196]

El telegrama enviado a los familiares por la comandancia del SS para comunicarles su muerte es una buena muestra de la insensibilidad burocrática que reinaba en la jefatura del campo de concentración. Dice así: "Heinrich König, muerto el 24.6.1942. Avisar aquí dentro de 24 horas si se desea ver el cadáver. El cadáver será cremado en el crematorio de Dachau 3K. Para el traslado de la urna, ponerse en contacto con el crematorio del campo de concentración de Dachau. El certificado de defunción hay que pedirlo en el registro de Dachau 2, agregando 60 Pfennig y otros 30 Pfennig por cada copia".

6. El padre Franz Reinisch

En las mismas semanas del verano del hambre de 1942, el 21 de agosto, completaba su camino hacia el sacrificio bajo la guillotina del verdugo, allá en el norte, en Brandeburgo junto al Havel, otro colaborador del P. Kentenich en la dirección central del Movimiento Apostólico de Schoenstatt: el P. Franz Reinisch. En la Segunda Guerra Mundial fue el único sacerdote que se negó a prestar el juramento a Hitler y a servir como soldado en el ejército alemán.

---

195 Carta a los hermanos del vicario König, del 19 de febrero de 1947.
196 Carta del capitular Friedrichs a los familiares, del 12 de abril de 1947.

El P. Franz Reinisch nació en Innsbruck, Austria, en 1903; era hijo de un consejero de la corte. En 1928 fue ordenado sacerdote en su ciudad natal y, poco después, aceptado en la Sociedad de los Padres Palotinos. En 1933 oyó hablar por primera vez de Schoenstatt y, como él mismo relata, dando una mirada retrospectiva, exclamó "¡Eureka! ¡Ahora he encontrado lo que buscaba desde hacía tanto tiempo!" En 1934 pudo ir por primera vez a Schoenstatt, visita que coincidió con una ocasión extraordinaria: el sepelio de los restos de Hans Wormer y Max Brunner, traídos desde Francia.[197]

Cuatro años después, cuando ya había profundizado su conocimiento del mundo de Schoenstatt, se le cumplió el gran deseo que mantenía en secreto: en el otoño de 1938, sus superiores lo trasladaron a Schoenstatt y el P. Kentenich lo recibió en el círculo de sus colaboradores. Le tocó llegar allá cuando el conflicto con el nacionalsocialismo se encaminaba a su culminación.

La posición del P. Reinisch ante el nacionalsocialismo, su carácter, su temperamento, hacían suponer que pronto se involucraría apasionadamente en este conflicto, tanto más cuanto el P. Kentenich le había confiado la guía espiritual de los grupos de hombres del Movimiento Apostólico. Como dijimos anteriormente[198] unas conferencias que dio en el otoño de 1940, en Winzeln, Suabia, le habían valido la prohibición por parte de la Gestapo de dar conferencias y predicar en el Reich alemán. Esta medida le hizo plantearse una vez más un problema que le inquietaba desde la ocupación de su patria austriaca por las tropas de Hitler. Y, más todavía, desde el estallido de la Segunda Guerra Mundial: ¿Qué hacer, dado lo que ahora podía esperarse de las autoridades del Reich, si era llamado a enrolarse en el ejército alemán?

---

197 Véase el apartado Año Popular Mariano, Parte I, capítulo 1.
198 Véase Parte I, capítulo 2, 1.

P. Franz Reinisch.

A juicio del P. Reinisch, no cabía duda de que Hitler y su régimen eran criminales y profundamente satánicos. En sus pláticas y conferencias había caracterizado la dominación nacionalsocialista como *"pompa diaboli"*. Poco antes del ingreso de las tropas alemanas, exclamó en una plática dominical cerca de Salzburgo: "¡En Alemania anda suelto el demonio, yo lo vi!"

El P. Reinisch opinaba que había que reconocer lo diabólico en Hitler, sobre todo en su nihilismo e impulso destructor que se revelaba en dos fenómenos: su intención de desencadenar una guerra, y no para conquistar el derecho a la autodeterminación, como decía la propaganda nacionalsocialista, sino por puro apetito de conquista y ejercicio de un poder tiránico. Además, perseguía al cristianismo, a la Iglesia; quería apartar de la vida de fe a las personas, especialmente a la juventud, prometiéndoles una eterna felicidad sin Dios.

Desde este punto de vista, la decisión de negarse a hacer el juramento a Hitler y a servir bajo la bandera de la cruz gamada era lógica y consecuente. Durante una discusión en el círculo de sacerdotes de la dirección central del Movimiento Apostólico de Schoenstatt, el P. Reinisch sostuvo que "los soldados no deben prestar juramento a la bandera nacionalsocialista ni a Hitler". En esa oportunidad, cuando le preguntaron al P. Kentenich cuál era su posición, él contestó que en este tipo de cosas "no hay un solo criterio válido para todos; cada persona debe actuar de acuerdo a su conciencia. Si la conciencia rechaza el juramento, hay que obedecer su mandato".[199]

El P. Reinisch tomó la decisión de no prestar juramento a la bandera el 1° de marzo de 1941, cuando recibió la "orden de estar a dis-

---

199 Heinrich Kreutzberg, *Franz Reinisch*, op. cit., p. 89.

posición", notificación de que pronto sería llamado a incorporarse al Ejército, y la tomó rezando en el santuario de la Mater ter Admirabilis, en Schoenstatt. El llamado le llegó un año después. La orden de reconocer cuartel le notificaba que debía presentarse en la tercera compañía de la división sanitaria de reserva 13, el 14 de abril de 1942, en Bad Kissigen.

Deliberadamente, se presentó allí con un día de atraso. El sargento que lo recibió, le dijo: "¡Parece que usted no le atribuye ningún valor a servir como soldado!" El P. Reinisch le respondió al instante: "Yo le atribuiría valor si tuviera que prestar servicio a otro régimen". No se trataba de que el P. Reinisch rechazara el servicio militar *per se;* lo que su conciencia no admitía era prestar servicio a un hombre que, estaba convencido, era un criminal.

A los camaradas del cuarto al que fue asignado les repitió lo mismo que le había dicho al sargento, de modo que no les quedó más alternativa que llevarlo ante el oficial de justicia de la división. También a éste, el P. Reinisch explicó que no pensaba ser soldado bajo un "comandante en jefe" como Hitler, ni tampoco soldado de sanidad, porque no podía jurar fidelidad a Adolfo Hitler.

En vista de ello, primero lo enviaron a la cárcel por unos días en Bad Kissingen. El 20 de abril, día del cumpleaños de Hitler, lo visitó un amigo de confianza con el encargo, de parte de su superior, de disuadirlo de su posición. En Würzburg, donde días después fue llevado al tribunal de la división, se dictó contra él una orden formal de prisión. Entre el 7 y el 8 de mayo, fue trasladado a Berlín, a la prisión de Tegel para reos del ejército.

Su caso quedó en el tribunal de guerra del Reich. En la festividad de la Visitación de María, se le comunicó que el juicio se había fijado para el 7 de julio, en Berlín-Charlottenburg. Como era de esperar, lo condenaron a la pena de muerte: "Por rechazar el juramento a la bandera y desmoralizar el poder de defensa". El día de su con-

Brandenburg-Görden.

dena, el P. Reinisch anotó: "Un día de gran alegría desde la mañana hasta la noche". El 10 de julio, su provincial vino a Tegel para hacer un último intento de convencerlo de que se retractara pues aún estaba a tiempo de salvar su vida... La respuesta del P. Reinisch fue una rotunda negativa.

La sentencia de muerte fue firmada por el presidente del tribunal de guerra y el caso pasó a la etapa de cosa juzgada. Cuando el capellán de la prisión le trajo la noticia, el P. Reinisch se hincó ante el Santísimo que, desde el 25 de junio, tenía escondido en su celda, y rezó la siguiente oración: "Nunca puedo agradecerles suficientemente, oh Señor, oh Madre; debo agradecerles cada pensamiento; no quiero decir más, sino, agradezco, agradezco"[200].

La ejecución se realizó en el presidio de Brandenburg-Görden. El 11 de agosto fue trasladado allí. Después de haberse confesado una vez más en la noche y de haber recibido la unción de los enfermos a la una de la mañana, su cabeza cayó en la madrugada del 21 de agosto, a las 5:03 horas.

---

200   Ibid., p. 354.

Su biógrafo lo llamó "mártir de la conciencia"[201]. Él obedeció a su propia conciencia en medio de la guerra y de la dictadura, en un tiempo en que la voz de la conciencia era oprimida y asfixiada de diversas maneras, aun cuando ello le acarreó incomprensión y reproches de parte de muchos co-hermanos y amigos, y una muerte temprana en manos de los dóciles instrumentos de la tiranía. Él mismo escogió su muerte en el cadalso para dar testimonio de la libertad y dignidad del ser humano, atributos que, a su juicio, sólo pueden asegurarse mediante la fidelidad al llamado que Dios hace a nuestra conciencia. Pocos días antes de la sentencia de muerte, el 4 de julio de 1942, escribió: "El sacrificio de mi vida debe ser un cántico de alabanza a la dignidad del ser humano y a la libertad interior, que han de madurar hasta conquistar la libertad de los hijos de Dios".

De esta anotación se deduce claramente que aun cuando estaba lejos del P. Kentenich, su vida espiritual seguía la misma línea que el padre, desde la prisión y el campo de concentración, señalaba a los suyos. Más aun, así como el P. Kentenich se ofreció a sí mismo por Schoenstatt en virtud del entrelazamiento de su destino con el de la familia de Schoenstatt, en la forma querida por Dios, recuerden la oración de la mañana del 18 de octubre de 1941, en el sótano de la Gestapo de Coblenza, del mismo modo el P. Reinisch pidió a Dios que aceptara su muerte en el cadalso. como ofrenda por Schoenstatt.

Cuán fuerte estuvo ligada su vida a Schoenstatt durante los meses que duró el camino al sacrificio hasta su decapitación, lo dejan en claro muchos de sus apuntes: "La entrega de mi vida debe ser un sacrificio expiatorio por mi propia miseria y también una ofrenda de amor por la obra de Schoenstatt" (25 de julio de 1942). Dice que quiere "vivir y morir como un apóstol de Schoenstatt, abrasado de amor", "sangrar como víctima de amor por la Obra de Schoenstatt". El 4 de julio afirma que sin el lugar de gracias de la Mater ter Admirabilis co-

---

201   Ibid., p. 156.

mo su fuente y corriente de gracias, tal vez no habría podido seguir su camino sin desviarse, o quizás sin haber caído en la desesperación.

Las semanas en prisión las pasó espiritualmente en el Santuario de María, en Schoenstatt: allí asistía a la santa misa, allí hacía sus oraciones diarias. Hizo de su celda en Tegel una filial del Santuario de Schoenstatt: *"Parvula ecclesia mea",* la llama[202]. En el centro de la celda tenía el Santísimo, detrás de una fotografía del interior del Santuario de Schoenstatt.

Si Schoenstatt era para el P. Reinisch una obra de Dios, entonces el P. Kentenich era un hombre de Dios. El 17 de julio de 1942, dando una mirada retrospectiva a su vida escribe que jamás se había sentido tan atraído por una persona, que jamás tuvo una mejor experiencia que la que vivió con el P. Kentenich. Cuando le pidió que lo aconsejara acerca de cómo comportarse después de haber tomado la decisión de negarse a jurar por la bandera en nombre de Hitler, el P. Kentenich le había dado una respuesta basada en la actitud fundamental ante la conducción de Dios: "Proceda como el pájaro que vuela despreocupadamente de árbol en árbol, de rama en rama. Siga paso a paso los signos que le envía la Virgen María y, si es la voluntad de Dios, muera como cordero expiatorio".[203]

Cuando el P. Kentenich estaba en la prisión de Coblenza y el P. Reinisch tenía que llevar una inquieta vida de nómada a causa de la prohibición de predicar que le impuso la Gestapo, fue a Schoenstatt a pedir consejo al P. Kentenich. En la primera carta, éste le muestra la Inscriptio como llave para lograr desprenderse de la propia voluntad y lograr una completa armonía con la voluntad de Dios. En la segunda misiva, sacada clandestinamente de la prisión, el P. Kentenich le escribió: "Le deseo mucha felicidad y muchas bendiciones en su nuevo cargo[204]. Pocas personas podrían seguir el tranco de su intensa vida

---

202 "Mi pequeña iglesia". (N. del T.)
203 Heinrich Kreutzberg, *Franz Reinisch*, op. cit. p. 61.
204 El P. Reinisch había sido trasladado a Wegscheid, cerca de Passau, el 1° de marzo de 1942.

de nómada y peregrino. Usted tiene razón, como escribe, al entregarse enteramente a la voluntad amorosa del Padre celestial. Y si usted permanece fiel a la Madre de Dios, va a ser capaz de tomar la decisión final, ya sea ahora o en el momento de la muerte…".

En Dachau, el P. Kentenich recibía noticias del P. Reinisch, aunque no cabía pensar, naturalmente, en una vinculación directa entre ambos. Dos veces se refirió a su heroico colaborador en sus cartas del verano de 1942. La carta del 16 de agosto, pocos días antes de la decapitación del P. Reinisch, contiene una breve observación sobre él y sus familiares. Dice así: "Quienes tomen en serio la entrega total y la participación en la vida glorificada del Señor, y pronto Franz y los suyos se contarán entre ellos, descubren, con razón, un triple sentido en la exhortación de san Pablo: 'Vuestra peregrinación sea en el cielo': 'Mora y permanece en el cielo como en tu propia casa, a través de una permanente comunicación de amor con Dios y su mundo', como lo describe el Apocalipsis…"[205]

La segunda vez, en la carta del 5 de septiembre, se refiere a la muerte del P. Eise y del P. Reinisch: "Lo que Nietzsche espera de una *Inscriptio* secularizada: '¡Construid vuestras casas en el Vesubio! Pues, creedme, la más alta fecundidad y el más alto goce de la existencia humana se logra viviendo peligrosamente' " es válido y tiene pleno sentido en la entrega religiosa total, o fusión de los corazones. Esta fecundidad, que deseo a todos los niños que celebran su onomástico[206], sobre todo a las hijas de la cruz en el día de su promesa y de su coronación plena de sentido[207], se verá incrementada en virtud de dos sacrificios: apenas habíamos celebrado la misa de difuntos por Franz, debimos agregar otra por su colaborador" (es decir, el Padre Eise).

---

205 La cita se interrumpe aquí. (N. del T.)
206 Las Hermanas de María celebraban su onomástico el 12 de septiembre, Festividad del Santo Nombre de María.
207 Esta bendición iba dirigida a un curso de las Hermanas de María.

Capítulo 9

EN EL BLOQUE 26

I. Mejoras

Las condiciones en los campos de concentración no eran sólo malas, eran inhumanas. Sin embargo, no siempre ni en todos los campos eran igualmente malas. Es así como las condiciones de vida de los prisioneros de Dachau, después del verano del hambre de 1942, con sus trabajos extremadamente pesados, sus muchos muertos y los engañosos transportes de inválidos, en el otoño de ese mismo año, experimentaron una pequeña, aunque esperanzadora mejoría.

El 13 de agosto se dio a conocer una disposición en virtud de la cual ningún religioso alemán podía, en el futuro, ser enviado a la muerte en las cámaras de gas de Hertheim, cerca de Linz sobre el Danubio[208]. De hecho, tres sacerdotes que ya estaban en el bloque de los inválidos, listos para ser transportados, pudieron volver al bloque 26, a la vida.[209]

Para amplios círculos de prisioneros tuvo una importancia salvadora el hecho de que el SS, alrededor de mediados de octubre, primero calladamente y a partir de principios de noviembre, abiertamente, permitiera la recepción de paquetes. Se beneficiaron de esta autorización no sólo los alemanes sino también los checoslovacos y polacos, siempre que sus familias residieran en una zona dominada por Alemania [210]. En el marco de estas mejoras, sucedió que el P. Kentenich,

---

208 Johannn Maria Lenz, *Christus in Dachau,* op. cit., p. 151.
209 Sales Heß, *Dachau, eine Welt ohne Gott,* op. cit., p. 145.
210 Frantisek Korszynski, *Informe,* p. 99; Johann Maria Lenz, Christus in Dachau, op. cit. p. 169.

---

el 13 de octubre de 1942, justamente el día en que se cumplían siete meses de su ingreso al campo de concentración, fue asignado al bloque 26, de los sacerdotes alemanes, y allí, a la pieza 4. Había estado cinco meses en el bloque de acceso y después, sucesivamente, en los bloques 13, 24 y 17. No había alcanzado a vivir dos meses con los sacerdotes polacos en el bloque 28.

El primero en informar sobre el traslado del P. Kentenich fue el capellán Dresbach en carta del 17 de octubre, escrita en el lenguaje camuflado que ya nos es familiar: "Männi[211] informa: poco antes había terminado una novena en octubre cuando José fue conducido junto a él". El P. Fischer comunicó también esta noticia al día siguiente: "Me alegro con ustedes de que el tío, al fin, exactamente después de siete meses, se haya ido a vivir con Simón[212] inmediatamente después de haber trabajado con los compatriotas de Marianne[213], sus colegas, a quienes les obsequió, como es costumbre en él, algo de su espíritu con palabras y hechos. La divina Providencia seguramente seguirá tejiendo finamente los hilos que él ha preparado. Él vive enteramente para su Obra y siempre pregunta cuáles son las nuevas tareas que la divina Providencia señala a través de las circunstancias".

Sin duda, las mejoras a las que aludimos se relacionan a la necesidad de hacer trabajar cada vez más a los prisioneros para la industria de guerra alemana. Algunos autores también atribuyen estos cambios, al menos en parte, al nuevo comandante del campo, Martin Weiß, alto jefe del SS, quien, según Johann Maria Lenz[214], había asumido el mando en agosto.

Tanto el obispo Neuhäusler como el sacerdote Lenz, en sus relatos sobre Dachau, enumeran una serie de mejoras atribuibles a Weiß, un

---

211 Männi es, como ya sabemos, el propio capellán Dresbach.
212 Simón es el segundo nombre de pila del P. Fischer.
213 La referencia a "Marianne" es a una Hermana de María polaca, que será mencionada más a menudo en la correspondencia desde Dachau.
214 Johann Maria Lenz, *Christus in Dachau*, op. cit., p. 147, 151.

católico que había dejado la Iglesia: el fin de la compañía de castigos[215]; la eliminación, si bien sólo temporal, de los castigos corporales[216]; la destitución de Kapp, jefe en su calidad de prisionero más antiguo, hombre egoísta y malo, verdugo de sus camaradas[217]. También se atribuye a Weiß el haber suprimido una viga situada en el espacio destinado a los baños, y que usaban para infligir a los prisioneros el atroz castigo de colgarlos desde allí; y, finalmente, el haber dispuesto que al menos los

sacerdotes pudiesen recibir la unción de los enfermos[218].

Lenz, dice de Weiß y del primer jefe del campo de concentración, von Redwitz que: "... ellos frenaron, al menos en parte, el sadismo de los encargados del campo de concentración y la omnipotencia de sus caciques".[219]

El obispo Neuhäusler atestigua que el comandante hasta tenía, "en el fondo, buen corazón" y considera trágico que después de la guerra haya sido condenado a la pena de muerte y colgado[220] en el

---

215 Ibíd., p. 148.
216 Ibíd., p. 147.
217 Ibíd.
218 Ibíd., p. 244.
219 Ibíd., p. 151.
220 Johannes Neuhäusler, *Wie war das (Cómo fue aquéllo)*, p. 17. Weiß fue también, interinamente, comandante de los campos de concentración de Lublin-Majdanek y Neuengammen. La condena a muerte se basó en sus actuaciones en este último. Cf. Reinhard Hankys, *Die Nationalsozialistischen Gewaltverbrechen (Los delitos violentos nacionalsocialistas)*, p. 11, Von Redwitz fue condenado a muerte en el mismo proceso y ejecutado en 1946. Durante el curso del proceso se declaró culpable; fue el primero de los acusados en hacerlo. Además, volvió a la fe católica antes de la ejecución. Johann Maria Lenz, *Christus in Dachau*, op. cit., p. 332s.

primer proceso contra los responsables de los crímenes cometidos en Dachau, 15 de noviembre al 13 de diciembre de 1945. Aun quienes tienen un juicio muy negativo de los hechos, como Schnabel[221] y el obispo Frantisek Korszynski[222], dan un testimonio relativamente favorable a Weiß. Hay que preguntarse, por cierto, las razones de su proceder: ¿Se trataba de un deseo de actuar correctamente, de un sentido humanitario? ¿O adivinaba o temía que la guerra y el dominio de Hitler tendrían un final catastrófico?

Edgar Kupfer-Koberwitz relata que, según los prisioneros, la esposa del comandante Weiß ejercía una buena influencia sobre él, que los favorecía[223]. ¿Acaso fue también ella quien envió el arreglo de flores que decoró su matrimonio con Weiß, después de la ceremonia, que según este autor[224], tuvo lugar el domingo de Pascua de Resurrección, el 26 de abril de 1943, a la capilla del bloque 26, para que lo colocaran en el altar de la Virgen María?[225].

A pesar de las indiscutibles mejoras introducidas en los últimos meses de 1942, las cosas no andaban muy bien ni en Dachau ni en los otros campos de concentración del SS, como se desprende de dos bandos del propio SS.

El primero, con fecha 2 de diciembre y suscrito por el propio Himmler, dispuso que "en el futuro" los castigos corporales debían aplicarse solamente como última medida y si fallaban todos los demás castigos, como arrestos, privación de comida o trabajos forzados[226]. Esto quiere decir que los castigos corporales todavía estaban vigentes aunque algo más restringidos. El segundo, con fecha 28 de diciembre

221 Ibid., p. 151.
222 Ibid.,
223 Edgar Kupfer-Koberwitz, *Die Mächtigen und die Hilflosen,* op. cit., tomo II, p. 133.
224 Ibíd., p. 134
225 El dato de que el adorno de flores de la boda de Weiß llegó a la capilla del campo de concentración se encuentra en la edición del libro de Johann Maria Lenz, *Christus in Dachau,* del año 1956, p. 266.
226 Martin Broszat, *Nationalsozialistische Konzentrationslager,* op. cit., p. 126

y firmado por orden de Himmler, dispuso que debía disminuir la cifra de mortandad en los campos de concentración y elevarse la capacidad de trabajo. Hacía responsable de ello a los médicos de los campos de concentración[227]. Lo firmaba Krüger, alto jefe de las tropas del SS enviadas al frente de combate.

Sabemos cuán elevados eran todavía los índices de mortandad en el segundo semestre de 1942[228]. Para Dachau, Kupfer-Koberwitz da la cifra de diez muertos diarios en el mes de diciembre de ese año[229], lo cual significa que no fue tan alta como en agosto pero tampoco menor que en septiembre, con sus 319 muertos oficialmente confirmados. Ni siquiera obedecieron siempre la orden del 13 de agosto, según la cual ningún religioso alemán debía incluirse en los "transportes de inválidos". El párroco Bernhard Heinzmann, de la diócesis de Augsburg, fue enviado a uno de ellos a mediados de agosto, después de dictada la orden y, a pesar de que había superado su enfermedad, en septiembre fue enviado a las cámaras de gas, cuando tenía sólo 36 años [230]. Lo mismo ocurrió al párroco evangélico Werner Sylten, alrededor de la misma fecha.[231]

Dachau seguía siendo "un mundo sin Dios" (padre Sales Heß), un ámbito de Satanás donde reinaban su poder y sus acciones diabólicas. Un ejemplo de esta infamia satánica se encuentra en los experimentos realizados con los prisioneros de Dachau, justamente en el verano de 1942, por médicos sin conciencia ni corazón. Al leer los documentos que estos médicos presentaban a las autoridades correspondientes, especialmente al propio Himmler, a fin de determinar las cuotas de prisioneros destinados a sus ensayos, o los informes que dan cuenta

---

227 Eugen Kogon, *Der SS-Staat,* op. cit., p. 152.
228 Ibíd., p. 131.
229 Ibíd., p. 112.
230 Sales Heß, *Dachau, eine Welt ohne Gott,* op. cit., p. 144.
231 Cf. Reimund Schnabel, *Die Frommen in der Hölle,* op. cit., p. 79; Josep Joos, *Leben auf Widerruf,* op. cit., p. 93.

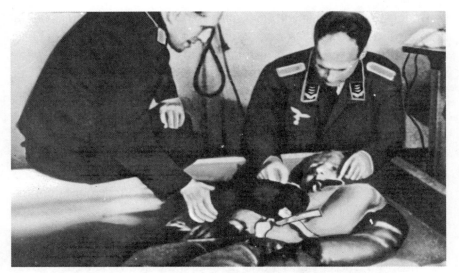

El Dr. Sigmund Rascher (a la derecha) realiza un experimento de congelación.

de sus horribles resultados, nos encontramos ante una frialdad y brutalidad inhumanas que nada tienen que ver con la seriedad científica.

En el otoño de 1942, se desarrollaban en Dachau tres series de experimentos en seres humanos: pruebas sobre flemones, malaria y enfriamientos a muy bajas temperaturas. Para los primeros, los flemones son una inflamación del tejido conjuntivo, se provocaba una infección por medios quirúrgicos. En estos experimentos empleaban casi exclusivamente sacerdotes y religiosos, en parte alemanes, pero principalmente polacos. A Heini Stöhrs, quien sirvió un tiempo como enfermero jefe del campo de concentración, le tocó presenciar la aplicación artificial de infecciones a un grupo de cuarenta sacerdotes. Según antecedentes oficiales que él mismo pudo ver, doce de ellos murieron[232]. De otro grupo de veinte jóvenes sacerdotes polacos sometidos a estas mismas pruebas, con ocasión de una visita de

---

232   A. Mitscherlich y F. Mielke, *Medizin ohne Menschlichkeit, (Medicina sin compasión)*, p. 164.

Himmler a Dachau, solo ocho sobrevivieron[233] y a varios hubo que amputarles brazos o piernas infectados pues las heridas se habían hecho ya muy extensas[234].

Las pruebas sobre la malaria las dirigía el Profesor Klaus Schilling. También utilizaba sacerdotes polacos, unos 120 en total.[235]

Quizás los experimentos más temidos eran los que hacía el Dr. Rascher, del SS y la Fuerza Aérea, quien, con su afición, sadismo y ambición despiadada fue una de las figuras más siniestras que surgieron en Dachau. Algunos de estos experimentos consistían en someter al prisionero a muy bajas temperaturas; otros, a pruebas de asfixia, realizadas en la primavera de 1942, que causaron una muerte atroz a no menos de setenta u ochenta prisioneros.

2. Trabajo intenso y silencioso

En este campo de batalla de poderes diabólicos estaban el P. Kentenich y el P. Fischer cuando continuaron su trabajo en el comando de desinfección, ellos dos solos por el momento, después de la muerte del P. Eise. En carta del 22 de agosto, el P. Kentenich se había referido a su actitud interior y línea de acción. Dice allí: "Paulus (como sabemos, él mismo) anuncia con gran confianza un tiempo de grandes y maravillosos hechos y vive su exhortación, 'vuestro peregrinar sea en el cielo', como una constante relación de amor con Dios y su mundo, con ansias y entrega crecientes; también da a esas palabras el siguiente significado: 'Preocúpate de que el mundo en torno a ti sea un trozo de cielo', así como las ciudades de entonces se esforzaban por ser imágenes de Roma...".

Lo que enviaban como exhortaciones a Schoenstatt, se lo aplicaban en primer lugar a ellos mismos. Continuaron el terciado que el

---

233 Johann Maria Lenz, *Christus in Dachau,* op. cit., p.128.
234 Johannes Neuhsäusler, *Wie war das (Cómo fue aquéllo),* p. 161
235 Johann Maria Lenz, *Christus in Dachau,* op. cit., p. 128.

P. Joseph Fischer.

P. Fischer había comenzado el 2 de julio bajo la dirección del P. Kentenich. Esto fue posible gracias a que pudieron trabajar solos por más de un mes, ya que el sucesor del P. Eise, el párroco Ludwig Bettendorf, de la diócesis de Tréveris, llegó el 31 de octubre.

El 5 de septiembre, el P. Fischer deja entrever a sus familiares en qué consiste esta instrucción; escribe que perseveraban "trabajando solos, pero en profunda unidad espiritual", y que el P. Kentenich lo instruía en el arte de "leer, en los acontecimientos de la vida diaria, la voluntad, los deseos y las disposiciones de Dios y de la Madre de Dios". Más detallado es un párrafo de la carta del 18 de octubre: "Simón, dice, está también en la escuela del terciado, que es pequeña pero buena, muy buena. Nunca habría imaginado que pudiera ser tan hermosa y armónica, tan profunda y sencilla. Y es una dicha grande, grande e inmerecida, que durante semanas, más aun, meses, pueda conversar diariamente, hacer planes, rezar y trabajar durante horas con su maestro".

Aparte del P. Fischer, el P. Kentenich dedicaba su tiempo a la instrucción del Dr. Kühr y del Dr. Pesendorfer. Como un día descubrieron que el P. Kentenich padecía de dolor de oídos, consiguieron que el doctor de la enfermería, miembro del SS, le prescribiera un tratamiento con luz infrarroja. En vista de que tenía que hacérselo en la enfermería, continuaron allí su instrucción, y durante el día, porque el P. Kentenich podía ir a hacerse el tratamiento en horas de trabajo. El Dr. Kühr y el Dr. Pesendorfer, como viejos zorros que sabían manejarse en el campo de concentración, supieron arreglar las cosas para que no los interrumpieran con demasiada frecuencia. También lograron que les renovaran por un tiempo el certificado médico, una vez vencido.

Gracias a esto, el P. Kentenich pudo dar a sus dos discípulos ciclos de conferencias más largas y fundamentales para la comprensión de Schoenstatt. Éstas versaron sobre la naturaleza y la gracia; las glorias de María; María como la gran señal. Algunos días incluso les hablaba una hora y media o más. El Dr. Kühr no se cansaba de oír estas cosas y de hacer preguntas inteligentes para obtener más y más enseñanzas, toda la información que podía.

Según relata el Dr. Pesendorfer, Kühr solía decirle: "Padre ¡esto debe quedar por escrito!". Le propuso que viniera a la enfermería a las cuatro de la tarde y no sólo después del llamado a revista, a las seis, y que no hiciera otra cosa "sino dictar y dictar..." El Dr. Kühr llegaría más tarde para leerlo todo. (Evidentemente, esta observación pertenece a un tiempo anterior al tratamiento con luz infrarroja). El Dr. Kühr solía decir que si fuera liberado y pudiese ir a Schoenstatt, querría leer y estudiar "un enorme montón" de conferencias del P. Kentenich.

Este trabajo intenso y minucioso, de persona a persona, se acentuó y adquirió nuevos impulsos a propósito de las festividades marianas en los meses de septiembre y octubre. En la festividad del nacimiento de María (8 de septiembre), el P. Kentenich habló, durante el trabajo con el P. Fischer, sobre las glorias de María *"in ordine naturali, supernaturali et glorioso"* (en el orden de la naturaleza, de la gracia y de la gloria). Insistió una vez más en que la veneración, el tiempo dedicado a la Virgen no era un ornamento superfluo de la vida cristiana, como pensaban muchos teólogos y directores espirituales. Las glorias de María desempeñaban un papel muy actual, porque iluminaban con luz certera las glorias de Dios y de los hombres; la imagen de María salvaba la imagen amenazada de Dios, de la Iglesia, del ser humano, de la familia y del Estado.

La víspera de la festividad del Nombre de María, en una conversación con el P. Fisher, el P. Kentenich enfatizó la importancia de la pedagogía schoenstattiana del amor, y agregó que, en caso de que algo le sucediera en Dachau, quería que ésta ocupara un lugar central en la pedagogía schoenstattiana. En esa festividad (12 de septiembre), ambos renovaron su consagración de Inscriptio. Ese día establecieron también un programa bastante extenso de oraciones que, en adelante, rezarían juntos todos los días, siempre que las circunstancias lo permitieran.

Todas las mañanas, al ingresar al trabajo, se propusieron rezar las siguientes oraciones: primero, la breve consagración "Oh Señora mía, Oh Madre mía" y después, dirigiéndose hacia los cuatro puntos cardinales, el exorcismo (oración de la Iglesia para expulsar al demonio y sus secuaces). Acordaron repetir la consagración y el exorcismo por los amigos y enemigos. Luego seguían algunas oraciones schoenstattianas: "Madre tres veces Admirable", "Madre con el Niño Jesús", "Extiende tu manto sobre nosotros" y también el ofrecimiento de la preciosa sangre de Cristo y de los méritos de la Santísima Virgen, por la expiación de los pecados que se cometían en la familia de Schoenstatt y en todo el mundo. Incluían, además, una oración por las vocaciones sacerdotales; otra por las necesidades y penurias concretas de la vida en el campo de concentración, dirigidas a la Mater ter Admirabilis y a José Engling; un recuerdo de los muertos, en especial del P. Eise; renovación del lema del año de la Familia de Schoenstatt. Terminaban con el cántico de gratitud *"Cayeron las cadenas"*. [236]

Cuando surgió el *"Cántico al terruño"* [237] (en las primeras semanas del año siguiente), la agregaron a las oraciones diarias; y poco después, la oración para pedir que Dios habite en nuestras almas, to-

---

236 Puede leerse en *Hacia el Padre,* op. cit. p. 203.
237 Ibíd., p. 196.

Dr. Pesendorfer.

mada del libro *"La Santidad de la Vida Diaria"*[238]. En ellas ya resuenan algunos motivos del "Oficio de Schoenstatt", del año 1944: "Jesús amadísimo, enamorado del género humano, esposo de las almas, ven a nosotros y haz de nuestras almas tu cámara nupcial, tu Sión, tu Betania…" El fiel cumplimiento de este propósito no era tarea fácil. Y eso no era todo, además estaban las oraciones que desde antes acostumbraban a rezar diariamente.

El P. Kentenich preparó también, con el Dr. Kühr y el Dr. Pesendorfer, una sencilla celebración religiosa para la festividad del Nombre de María, que culminó con la coronación de la Madre de Dios. El Dr. Kühr, quien pese a la alegría de haber conocido al P. Kentenich y a Schoenstatt, no estaba aún seguro de su vocación para ocupar una posición directiva en la Obra Familiar, ese día pudo decir al P. Kente-

---

238 Está en capítulo 1, 4, sección II, Parte I, del presente libro. Aquí se traduce el texto reproducido en este libro (*El prisionero 29392*). Difiere un poco de la versión incluida en la obra mencionada, edición alemana de 1948. (N. del T.)

nich que había superado sus dudas y que, a partir de ese momento, estaba dispuesto a adquirir ese compromiso.

El 12 de septiembre, el Dr. Pesendorfer recibió a un compañero dispuesto a ingresar a los Hermanos de María. Era un compatriota austríaco, profesor, que, tal como él, languidecía desde hacía años en el campo de concentración.

Con motivo de este sencillo acto de coronación, el P. Kentenich les habló sobre la triple corona de la Madre de Dios: la corona de su glorificación, que le fue obsequiada por Dios en virtud de las maravillas de la naturaleza, de la gracia y de la gloria; la corona de su superior riqueza moral, de la nobleza moral, que ella mereció por haber desarrollado la vida divina que le fue obsequiada hasta llegar a la altura del *"Stabat Mater"* al pie de la cruz de su divino Hijo; y la corona del poder que Dios le dio para rechazar los asaltos del demonio y para ayudar a los hombres.

A la triple corona de la Madre de Dios corresponde una triple corona que les es entregada a aquellos que se ponen al servicio de María: la corona de la riqueza, mediante la participación en las riquezas de María; la corona de la nobleza, mediante un estilo de vida inspirado en la sensibilidad y pureza de María; la corona del poder, mediante una filial dependencia de la Santísima Virgen.

3. El 18 de octubre de 1942

Durante el verano de 1942, el P. Kentenich comenzó a preparar la conmemoración del 18 de octubre, día de la fundación del Movimiento de Schoenstatt. Su mirada se extendía incluso hacia el año siguiente, hacia el octavo centenario de la fundación, por monjes agustinos, del primer convento situado en Schoenstatt, el 24 de octubre de 1143. Es muy significativo, no sólo que el P. Kentenich haya dirigido la atención de los suyos hacia este aniversario, sino también la forma cómo quiso que se conmemorara.

El 28 de junio de 1942, se refirió por primera vez (desde Dachau) a esta fecha en una carta dirigida a Schoenstatt: "¿Prepara X el aniversario del lugar (1143-1943)?" La carta del 2 de agosto trae indicaciones y sugerencias más precisas: "Para asegurar los frutos y aumentarlos, y hacer más reales las palabras del Cántico de Gratitud, desde los santos atrios queremos, hasta esa fecha (octubre), purificar de nuevo y profundamente ese lugar mediante la expiación de las culpas de los miembros de las Órdenes religiosas que allí han habitado desde 1143".

Con las palabras "expiación" y "purificación" toca un tema fundamental en la preparación del aniversario. El P. Kentenich veía al Schoenstatt por él fundado como una continuación natural y sobrenatural del convento medieval que allí había existido hasta el 10 de octubre de 1567. Esta continuidad comportaba un entrelazamiento de destinos entre el antiguo y el nuevo Schoenstatt. Por tanto, para que el nuevo Schoenstatt pudiera cumplir su misión, para que llegara a ser un lugar de renovación, un lugar donde lo divino irrumpiera en nuestro mundo, se requería un esfuerzo de las personas escogidas por Dios para esa tarea, en la medida en que les fuera solicitado, para quitar los obstáculos que se oponían a este ideal y que también provenían de siglos anteriores. Allí donde Dios habría de venir a traer su salvación, debían ser "aplanados montes y collados" y trazarse un "camino llano". El P. Kentenich habló en dos ocasiones de la necesidad de purificar el lugar de Schoenstatt de los pecados del pasado: en la preparación de las festividades del Nacimiento de María y del Nombre de María.

El 8 de septiembre formuló el lema del año 1943: "Vivir la vida diaria y las acciones de cada día a partir de la Inscriptio, ofrecida a la MTA". Comunicó este lema a Schoenstatt en carta del 4 de octubre; en lo substancial, invita a unirse a la conmemoración del 18 de octubre. En ella dice: "Sí, muchos corazones de hijos palpitan expectantes. Sin embargo, se percibe un solo latido junto al corazón del padre y un mismo interés: el pleno desarrollo y fecundidad de la Familia como un todo y de cada uno de sus miembros, según la idea original de Dios y en el espíritu de la libertad paulina, para alabanza de la Santísima Trinidad y de la Madre tres veces Admirable. En ninguna parte se sentirán mejor que en el lugar donde están con él y les toca trabajar y sufrir, obsequiándose con generosidad y realizando aquello que les es encomendado... Enseñen a todos a 'vivir la vida diaria y las acciones de cada día a partir de la Inscriptio'. Esto incluye no sólo una entrega amorosa y magnánima, sino también fe y confianza heroicas. La medida de nuestra fe y confianza determina la magnitud y límites de lo que podemos esperar del amor de Dios en cuanto a los dones de María, a hechos marianos y divinos, grandiosos, maravillosos, y frutos de ese amor. Pueden aprender en la escuela de la vida de José Engling, de Pablo, de la Madre de Dios y de los Evangelios, y recibir, junto con la entrega de sí mismos por amor, una claridad especial a través de la historia del lugar... Para el 18, ¡muchas bendiciones!"

El 10 de octubre, el P. Kentenich comenzó la preparación del 18 con una novena en la que participó un grupo más bien reducido: el P. Fischer y sus novicios. El tema de fondo fue el gran ideal del P. Kentenich desde que fue encarcelado: la libertad interior y exterior de la Familia de Schoenstatt. Esta libertad, tanto la interior como la exterior, estaba inseparablemente vinculada, a su juicio, a la Inscriptio. Por eso, los puntos de meditación de la novena se centraron en ella; es decir, en la total entrega a los deseos y a la voluntad de Dios. Uno de esos días, el P. Kentenich les planteó la siguiente pregunta: "Los dirigentes de la Familia de Schoenstatt ¿no debiéramos exigirnos el espíritu de Inscriptio mientras permanezcamos en nuestros cargos, mediante una consagración personal, un voto privado, por ejemplo, como una forma de asegurar nuestros esfuerzos por vivir en santa libertad?".

A partir de la festividad de la maternidad de María, el 11 de octubre, sus dos compañeros, a fin de profundizar la propia actitud de entrega, hacían diariamente una lectura tomada del Nuevo Testamento y enfocada desde la perspectiva de la Inscriptio. La novena con el Dr. Kühr y el Dr. Pesendorfer se orientaba hacia sus necesidades y se refería a tres peticiones: 1) Que todos los schoenstatianos que estaban en el cielo rogaran a la Madre de Dios que mostrara su poder y grandeza en el campo de concentración y procurara a los prisioneros suficientes alimentos, a fin de que cesara la hambruna. 2) Que ella pidiera la libertad de los hijos de Dios y también la libertad externa para los schoenstatianos prisioneros en Dachau. 3) Que otorgara al Dr. Kühr la gracia de una confianza hecha vida.

El día 18 de octubre, que en 1942 tocó un día domingo, no se celebró en Dachau ningún acto comunitario. Las conversaciones sostenidas durante el día, aquellas que más tarde se pudieron reconstruir a partir de los relatos del P. Fischer, versaron sobre el pasado y el futuro de la Obra de Schoenstatt. El P. Kentenich resumió sus reflexiones con estas palabras: "Nuestra Familia es un árbol sano en su raíz y en su desarrollo, que ha resistido las tempestades en el lugar, en las personas y en la Obra misma; es un árbol que abunda en flores y frutos, que es capaz de desplegarse y desarrollarse, y que necesita hacerlo".

En cuanto a un programa de vida para la Familia, sólo consta lo que escribió ese día (que era domingo de correspondencia) a Schoenstatt: una vez más les hace presente, en forma abreviada, el lema del año 1943: "Vivir la vida diaria y las acciones de cada día a partir de la Inscriptio, ofrecida a la MTA". En otros párrafos, la carta dice: "¿Hemos de contar con el aliciente de ser escuchados? (se refiere al tema de la libertad, en torno a la cual había girado la novena del 18 de octubre). Esto no podemos determinarlo nosotros. Sólo sabemos una cosa: vivir y actuar a partir de la Inscriptio y, por ende, en la vida diaria estar atentos y responder prontamente aun a las pequeñas y a las más pequeñas pruebas de amor paternales y maternales. Por lo tanto, que la celebración no sólo fortalezca la imagen apocalíptica del

Señor y de la unidad entre el misterio de Cristo y de María, sino que también asegure que la santa misa se concrete en la Inscriptio, y que sea luz y fuente de vigor para ella".

El acento, como puede apreciarse, está en "la vida diaria y las acciones de cada día, a partir de la Inscriptio", tal como había dicho en una carta a los sacerdotes de la dirección central del Movimiento, enviada desde la prisión de Coblenza a principios de 1942: "Tomar en serio el Poder en Blanco y la Inscriptio en la vida diaria... y proteger a los nuestros de quedarse en meras palabras".

En referencia al 18 de octubre, el P. Fischer comentó lo siguiente en su carta del 1° de noviembre: "Para mí, y seguramente para el tío, fue un gran día de gracias. Se nos regalaron abundantes tareas y gracias para la misión".

4. Al servicio de sus cohermanos

Dado que el P. Kentenich, como fundador y jefe de la Obra de Schoenstatt, era conocido, al menos de nombre, por casi todos los sacerdotes alemanes que había en Dachau, y uno de los prisioneros más prominentes del bloque 26, no es de sorprender que después de su llegada a ese lugar se pusiera a disposición de sus cohermanos a través de pláticas y conferencias. El 20 de octubre, el párroco Gerdhard Maashänser, de la arquidiócesis de Paderborn, y jefe suplente de su pieza, le propuso que diera una breve plática, al terminar el día, en la pieza 4. El mismo día lo invitó el capellán del campo de concentración, el Dr. Franz Ohnmacht, austríaco, de la diócesis de Linz, a dar la plática correspondiente a la próxima festividad de Cristo Rey, el 25 de octubre.

El P. Kentenich comenzó sus meditaciones vespertinas, dadas en su pieza, al día siguiente. Salvo excepciones ocasionales debidas a fuerza mayor, las continuó alrededor de un año y medio hasta la eliminación de la pieza 4 y la redistribución de sus ocupantes, el 11 de

Sacerdotes rezan del rosario en Dachau.

abril de 1944. No eran para él una nueva carga pues ya había hecho lo mismo en el bloque de acceso para sacerdotes polacos. De acuerdo con su estilo cercano a la vida concreta, entrelazaba estas meditaciones con los sucesos del día en el campo de concentración, o con la guerra, vistos a la luz de la fe en la divina Providencia.

Cuando se ofrecía la oportunidad, desarrollaba temas más amplios, por ejemplo, sobre la Santísima Virgen como colaboradora y esposa de Cristo; o bien, cuando llegó a sus manos un ejemplar de la conocida encíclica de Pío XII, *"Mystici Corporis"*, sobre la Iglesia como cuerpo místico de Cristo. Estas breves pláticas eran acogidas con gratitud por sus compañeros de pieza, que escuchaban tendidos sobre sus jergones mientras el P. Kentenich hablaba de pie, generalmente en el medio de la pieza. No pocos lamentaron, junto con el director de Caritas, Carls, la necesidad de terminarlas el 11 de abril de 1944.[239]

239 Hans Carls, *Dachau,* op. cit., p. 98. Dice aquí: "Felizmente y para nuestro bien, durante los años de 1942 y 1943, en la pieza cuatro y por las tardes, el P. Kentenich comentaba, además de los temas de meditación, los acontecimientos del día en el campo de concentración.

La plática sobre Cristo Rey, la primera que el P. Kentenich dio a todo el bloque de sacerdotes, se relaciona con las dos conferencias ampliamente desarrolladas que, también por invitación del capellán Dr. Ohnmacht, dio el 8 y el 15 de noviembre en la capilla del bloque 26. Tomó tan en serio su preparación que no sólo se aconsejó con su compañero más íntimo, el P. Fischer, sino, como relatan este último y Joseph Joos[240], también con el P. Maurus Münch, de la abadía benedictina de san Matías, de Tréveris.

¿Qué le interesaba transmitir en sus pláticas y conferencias? El P. Kentenich pensaba que debían ir más allá de un típico sermón de día domingo o festividad religiosa. En su *Informe de Sudamérica*, del año 1948, dando una mirada retrospectiva, dice: "Mi propósito era 'soldar' a todo el bloque de sacerdotes". Es decir, quería convencer a sus cohermanos de que lucharan por el ideal de formar un bloque común. Nadie que hubiera conocido al P. Kentenich a través de sus treinta años de actividad en Schoenstatt, podía admirarse de que persiguiera este propósito.

La pedagogía del ideal era parte esencial de sus talentos y de la tarea de su vida, y cuando trató de trabajar en Dachau conforme a ello, sólo lo guiaba el deseo de servir a sus cohermanos sacerdotes con los dones que Dios le había dado. Y algo más: estaba convencido de que en la profundización del ideal de bloque común estaba la respuesta querida por Dios a la situación, extraordinaria desde todo punto de vista, de los sacerdotes prisioneros en Dachau. En su opinión, Dachau no sólo debía ser "soportado" por los sacerdotes, debía llegar a ser una escuela, una escuela superior para la formación del "hombre nuevo" capaz de ser "arca y faro" en una época diabólicamente

---

El sentido de estos comentarios era procurar que nosotros, los sacerdotes, unificáramos la interpretación de los hechos y tuviéramos actitudes comunes. Desgraciadamente, más tarde se perdió interés por estas charlas".

240   Joseph Joos, *Leben auf Widerruf,* op. cit., p.132.

enmarañada, como lo expresó en una de sus pláticas. Para lograrlo, debían presentar en forma atrayente el ideal del "hombre nuevo".[241]

Con la plática de la festividad de Cristo Rey quería dar un primer paso hacia el ideal de bloque que tenía pensado. Puso a sus oyentes ante la imagen de Cristo Rey en el Apocalipsis, que lo muestra como el Cordero sacrificado que está en el centro, delante del trono de Dios, y recibe de la diestra del que está sentado en el trono el libro sellado con siete sellos, para que los rompa y abra el libro, es decir, para dar a conocer los planes que el Padre Eterno tiene para el mundo y ejecutarlos. (Cf. Apocalipsis, capítulos 5 y 6)

Con esto, el P. Kentenich quería lograr dos cosas: la primera, revelar la realidad de la época en general y la situación de los sacerdotes en el campo de concentración en particular, mostrándolas como apocalípticas para que se entendieran como lo que verdaderamente eran: una fase en la lucha entre Dios y el reino del demonio. La segunda, mostrar en la persona del Señor, como lo hace el Apocalipsis,

---

241 El P. Kentenich intentaba suplir, en buena medida, precisamente las carencias más fundamentales de las que adolecían los sacerdotes del bloque 26, según lo hizo ver Wilhelm Schamoni, conocido escritor de temas espirituales, que estuvo entre los sacerdotes prisioneros en Dachau desde el 29 de septiembre de 1941. Según él, el bloque no era una comunidad; en el bloque se daban "las situaciones descritas en la epístola de Santiago... y no las descritas en los Hechos de los Apóstoles sobre el amor característico de las comunidades cristianas primitivas", "aun cuando aquí había una oportunidad única de dar un ejemplo luminoso ante países lejanos, y de mostrar un modelo de cómo configurar una vida cristiana"... En los sacerdotes se podía observar un descenso al nivel general del campo de concentración, una blandura que despersonalizaba, una inclinación hacia la masificación, "la cual denotaba una fuerte carencia de independencia espiritual"... En la dirección espiritual de los sacerdotes y en las pláticas dominicales faltaban líneas y metas, y por ello el bloque carecía de sello propio. Cf. Wilhelm Schamoni, *Die Priester in Dachau.Feststellungen un Folgerungen. (Los sacerdotes en Dachau. Apreciaciones y consecuencias)*, en *Acta et documenta Congressus generalis de Statibus perfectionis, tom. I, Romae 1950*. En esta contribución, muy apreciada hasta el día de hoy, Schamoni lamenta también, entre otras cosas, una formación de los sacerdotes que no conducía a una "visión sobrenatural de la historia... ni a una interpretación sobrenatural del presente". Precisamente eso, visión sobrenatural de la historia e interpretación sobrenatural del presente, era lo que el P. Kentenich había enseñado desde siempre en Schoenstatt y lo que quería comunicar a sus cohermanos de Dachau en sus pláticas y en los temas de meditación vespertina.

---

la verdadera y más perfecta realización del ideal sacerdotal en esta situación apocalíptica.

El domingo después de la festividad de Cristo Rey, que en 1942 coincidió con la de Todos los Santos, el P. Kentenich no pudo dar ni una plática ni una conferencia y ni siquiera participar en la santa misa, pues en el comando de desinfección con el P. Fischer tuvieron que vaciar jergones usados. Temprano en la mañana, antes de comenzar el trabajo, ambos se pasearon durante una hora por la calle del campo de concentración, preparando las pláticas de los domingos siguientes, que, según los planes del P. Kentenich, debían continuar en la misma línea que la plática sobre Cristo Rey.

En las semanas siguientes llegaron a una primera formulación del ideal que pensaban proponer a los sacerdotes del bloque: "Nosotros, los sacerdotes, queremos trabajar por Cristo Rey y por la construcción de su reino de verdad y amor, y estamos dispuestos a hacerlo con humildad y valor". Como les pareció necesario hacerla más concisa, acordaron esta fórmula más breve y más fácil de retener: "Queremos vivir y morir por Cristo rey y su reino de verdad y amor". Pensando en los cohermanos de otros países, se redactó una traducción al latín: *"Vivamus et muriamur pro Christo Rege et pro regno eius veritatis et caritatis"*.

En la conferencia del 8 de noviembre en la tarde, el P. Kentenich abordó de inmediato el tema del ideal común de los sacerdotes prisioneros. Para salir al encuentro de objeciones con las que había contado de antemano, primero intentó convencer a sus cohermanos de la necesidad de trabajar más estrechamente, en comunidad, en el pleno sentido de esta palabra.

Comenzó abordando temas generales, tales como: El hombre es un ser social; Cristo es imagen de la Santísima Trinidad; el sacerdote necesita el apoyo de una comunidad viva para cultivar una genuina vida sacerdotal. Luego, se detuvo más tiempo en el tema que, a su juicio, era de más peso: por el hecho de estar reunidos en el bloque 26, los sacerdotes alemanes ya formaban una comunidad propia, también considerada como tal por los demás prisioneros.

A partir de estos hechos y de acuerdo al modo de pensar que le era propio, el P. Kentenich dedujo el deseo de Dios de que los sacerdotes, en medio de tantos seres humanos de distintas naciones, entre cristianos y no cristianos, buenos y malos, equivocados y otros que buscaban la verdad, dieran ejemplo, con la propia vida, de una auténtica comunidad cristiana. De esa manera, ya en el campo de concentración y más tarde sobre todo en Alemania, dado el tiempo turbulento que con seguridad vendría después de su derrumbe, y aquí cayó la frase antes mencionada, podrían ser las "arcas y faros" que el mundo tanto necesitaba.

La conferencia del 15 de noviembre versó sobre el ideal personal: un esfuerzo serio, nutrido por un ideal común, sólo era posible si lo construían sobre un "piso firme". Para lograrlo, cada uno de ellos debía dar un sí a su ideal personal, es decir, en cuanto a la esencia de cada cual y en la práctica, a la misión que Dios había vinculado a su existencia.

El P. Kentenich habló en detalle sobre el ideal personal:

a) su esencia y fundamentos, a partir de los cuales elaboró una definición;

b) su importancia;

c) su aplicación a la vida concreta de cada persona.

Si bien se conserva un esquema completo y bastante detallado de la plática sobre Cristo Rey y de la conferencia del 8 de noviembre, la copia de la conferencia del 15 de noviembre, hecha en forma de esquema, se interrumpe en la segunda parte (la importancia del ideal personal).

5. Prohibición de recibir paquetes y correspondencia

Entretanto, durante la segunda mitad del mes de octubre, levantaron la prohibición de recibir paquetes. A mediados de ese mes, un número creciente de prisioneros recibía la orden de presentarse en la oficina de recepción del correo, desde donde traían pequeños y grandes paquetes. Este hecho causó entre los prisioneros un comprensible alborozo. ¡Quién no tenía interés en recibir paquetes, sobre todo paquetes de víveres después del verano del hambre y en vista de que los alimentos que les daban en Dachau no alcanzaban a cubrir las necesidades nutricionales mínimas!

Pero la jefatura del campo de concentración todavía no recibía autorización oficial para recibir paquetes y, en vista de las normas vigentes y hasta entonces severamente aplicadas, los prisioneros aún no podían pedir abiertamente en sus cartas que les enviaran paquetes con víveres[242]. Algunos más ingeniosos discurrieron enviar cartas a sus familiares agradeciendo paquetes que no habían recibido, con la esperanza de llamarles la atención sobre la posibilidad de enviarlos. También el P. Fischer escribió, en su carta del 18 de octubre de 1942: "Agradezco cordialmente, en primer lugar, las cariñosas líneas de las cartas de ustedes y también los envíos de dinero y víveres no perecibles para 14 días. Todo me fue puntualmente entregado".

Allá en su casa, en Coblenza-Pfaffendorf, entendieron la noticia en la forma prevista y se apresuraron a enviar al hijo y hermano, por fin después de 17 largos meses, el primer paquete. El 29 de octubre llegó este paquete al P. Fischer, quien respondió, el 1º de noviembre, con una alegría que se percibe claramente en la carta: "Acabo de recibir, el jueves, el cariñoso paquete de ustedes y después, en la tarde, la carta. ¡Con cuánto cariño y alegría desbordante se habrán preocupado ustedes de preparar este obsequio y empaquetarlo! Fue el pri-

---

242 Cf. Sales Heß, *Dachau, eine Welt ohne Gott,* op. cit., p. 166.

mer paquete en tan largo tiempo. Una señal visible de auténtica vinculación. Y qué bien pensado y conveniente fue todo lo que eligieron. ¡Gracias, muy cordialmente!".

En los dos años siguientes, hasta el fin de la guerra y de la prisión, el P. Fischer iba a tener la oportunidad de agradecer no menos de 118 paquetes de parte de sus familiares.

Ya antes de que el P. Fischer los recibiera, al P. Kentenich le había llegado, el 22 de octubre, un pequeño paquete. A pesar de todas las frustraciones, cada cierto tiempo las Hermanas de María hacían todo lo posible por llegar hasta el P. Kentenich, al menos de esa manera. Y por fin lo lograron. El contenido del paquetito era, y no podía ser de otro modo, relativamente modesto: media libra de mantequilla, dos huevos cocidos, un par de calcetines y otras menudencias, como galletas y barritas saladas.

Cuando llegó este paquete, el P. Kentenich y el P. Fischer tomaron la decisión de no guardarse sólo para ellos lo que recibieran, y de invitar el Dr. Kühr y el Dr. Pesendorfer a formar una comunidad para compartir los paquetes y la mesa. Los dos "novicios" schoenstatianos estuvieron de acuerdo, y cada uno de ellos recibió, del paquete del 22 de octubre, la cuarta parte de una media libra de mantequilla y la mitad de un huevo cocido. De esta manera, ambos padres pudieron agradecer antes de lo previsto el pan con mantequilla que ellos, desde la novena para preparar el 18 de octubre, le traían todas las mañanas al P. Kentenich al comando de trabajo y que él, evidentemente, compartía con el P. Fischer.

Para gran desilusión de los prisioneros, la autorización oficial para recibir paquetes, dada finalmente a comienzos de noviembre, limitó los paquetes a uno al mes por prisionero, y de un peso no superior a cinco kilos. Según Carls, esta limitación provenía de un jefe del campo llamado Jarulin[243]. Según Lenz, el jefe H. Weiß[244], comandante del campo de concentración, derogó esta limitación tan pronto como tuvo conocimiento de ella y permitió una cantidad ilimitada de paquetes.[245]

Esta medida produjo pronto su efecto benéfico. El P. Fischer escribió a su casa el 14 de noviembre: "Me siento ahora muy bien de salud. He aumentado de peso en el último tiempo". Gracias a la mejor alimentación, se le cerró finalmente el flemón de la pierna que tanto lo había atormentado desde fines del último invierno. Afortunadamente no fue el único en recibir este beneficio.

Si bien el permiso para recibir paquetes fue motivo de alegría, se produjo otra circunstancia que dio motivo de preocupación: a fines del mismo mes se interrumpió la entrega regular de las cartas enviadas desde Schoenstatt al P. Kentenich. Una carta escrita en la víspera de la festividad de Todos los Santos revela su preocupación: "La carta de ustedes aún no me llega", les dice. Este silencio se mantuvo durante todo el mes de noviembre. El 29 de noviembre, el P. Fischer escribió a los suyos: "...la disposición a sacrificarse que demuestran los seres queridos me alegra mucho, tanto más cuando se está tan lejos de la patria. Sólo una cosa me aflige: que el tío que está en el frente oriental, según las noticias que nos comunica, hace ya seis semanas que no recibe cartas ni paquetes a pesar de que él escribe regularmente. Espero que no se perjudique por causa mía". Luego expresa una sospecha no carente de fundamento: "Pero, probablemente, el correo desde el frente hace rodeos; quizás también por la acción del enemigo algo se puede perder".

---

243 Johaan Maria Lenz, *Christus in Dachau*, op. cit., p. 80. Según otras fuentes, el nombre era Jarolin.
244 Ibid p. 148
245 Ibid.; Hans Carls, *Dachau*, op. cit.

Koblenza, 1943.

En efecto, la correspondencia del P. Kentenich hacia Schoenstatt y la que desde allí le enviaban, había hecho "rodeos" y se había perdido por "acción del enemigo", es decir, aterrizó en la Gestapo de Coblenza. La carta del 31 de octubre fue la última autorizada
que llegó a Schoenstatt (el 9 de noviembre). Las siguientes, del 14 y
del 28, fueron interceptadas y examinadas cuidadosamente en la calle Vogelsang. El 1° de diciembre, el P. Kentenich se enteró por medio
de Jan Domagala, el bien informado jefe de la secretaría del campo
de concentración, que ahora pesaba sobre él una prohibición de escribir cartas. Poco después, cuando quizás a causa de un error recibió una carta de una prima, pudo confirmar de manera concluyente
que la Gestapo de Coblenza había metido las manos en este asunto.
El capellán Kostron descubrió en ella la huella semiborrada de las palabras "Gestapo, Coblenza".

La confirmación de esta sospecha se produjo a comienzos de enero de 1943. Cuando más tarde se hizo una revisión de los archivos

postales, que había correspondido al P. Kentenich, se descubrió una breve advertencia: "Enviar a la Gestapo de Coblenza toda la correspondencia que salga o llegue". ¿Qué había sucedido?

El interés de la Gestapo por Schoenstatt no se extinguió, en modo alguno, con el encarcelamiento del P. Kentenich, su fundador y director. Todas las actividades que se desarrollaban en su sede seguían siendo estrechamente vigiladas.

En el año 1942, ya no se realizaban actos que llamaran la atención. Casi las únicas actividades regulares eran los retiros para sacerdotes. En todo caso, el balance de ese año muestra no menos de 24 retiros con 614 participantes. En todas las actividades había que contar con la vigilancia de la Gestapo. Así, por ejemplo, una tarde de octubre de 1942, dos funcionarios de la Gestapo rondaron durante horas la Casa Vieja, frente al Santuario de la Mater ter Admirabilis, con el evidente propósito de descubrir quiénes participaban en un acto que allí se realizaba. Pero las participantes ya estaban reunidas cuando llegaron, y sólo abandonaron la casa cuando una lluvia torrencial logró ahuyentarlos.

En noviembre, la Gestapo de Coblenza dio un nuevo zarpazo, esta vez a dos integrantes de la comunidad del Instituto de las Señoras de Schoenstatt, las señoritas María Hilfrich y Lotte Holubars. En la vivienda de esta última, en Schoenstatt, la Gestapo encontró copias de todas las cartas que había enviado hasta entonces el P. Kentenich desde Dachau. Si bien éstas habían pasado por la censura del campo de concentración, aparentemente contenían una colección de sentencias de la Biblia y de términos propios de la teología, el estudio de todas las cartas juntas no les pareció muy inocente. No les fue difícil darse cuenta que los supuestos estudios sobre Pablo no eran sino una descripción de las condiciones imperantes Dachau, y que giros tales como "ciudad de paganos, de esclavos, de locos y de muerte" (como dice la carta del 19 de abril de 1942) no se referían a la antigua Corinto sino al campo de concentración.

Las señoritas Hilfrich y Holubars fueron detenidas por la Gestapo; la primera, el 5 de noviembre, después de un allanamiento en su casa el 3 de noviembre, y de haber sido sometida a un interrogatorio en Frankfurt[246]. La segunda fue detenida el 11 de noviembre. Ambas fueron enviadas con orden de prisión preventiva al campo de concentración para mujeres en Ravensbrück, Mecklen-

Lotte Holubars.

burg. Allí murió, dos años después, la señorita Holubars, el 9 de noviembre de 1944.

Respecto al P. Kentenich, la Gestapo mantuvo la prohibición de intercambiar correspondencia, la que se extendió también, si bien por algunas semanas, sólo hasta principios de diciembre, a los paquetes. El 9 de enero de 1943, el P. Kentenich, para hacer una prueba, envió nuevamente una carta autorizada cuyo texto, naturalmente, no contenía absolutamente nada comprometedor. Cuando tuvo la certeza de que también esta carta había aterrizado en el expediente de la Gestapo en Coblenza, renunció, hasta el final de su prisión en Dachau, a utilizar la vía oficial.

---

246 En la "Comunicación de sucesos importantes para el Estado y la policía", del 24 de noviembre de 1942, se dice respecto de la detención de la señorita Hilfrich lo siguiente: "El cuartel de la policía del Estado de Frankfurt sobre el Meno arrestó a la profesora primaria Maria Hilfrich, nacida el 15.5.1889 en Niederselters, domiciliada en Ailertchern, Westerwald, por haber alterado la tranquilidad de la población al introducir nuevamente oraciones católicas en las escuelas y vuelto a colocar crucifijos en las salas de clases de Ailertchen. Dicha Hilfrich, jefa de la Comunidad Mariana de Oración y Sacrificios, círculo de las profesoras de la diócesis de Limburgo, ha repartido, además, libros prohibidos". Boberach, "Berichte" (Informes), p. 762.

Dentro de este contexto, hay que mencionar un hecho especialmente feliz: ni la Gestapo de Dachau ni la de Coblenza se percataron de la vinculación entre el P. Fischer y el P. Kentenich, y tampoco se dieron cuenta de las noticias que el P. Fischer hacía llegar, a través de sus familiares de Coblenza-Pfaffendorf, al cercano Schoenstatt. Esto se debió, tal vez, a que su caso no era seguido por la Gestapo de Coblenza, sino por la de Troppau (Sudetenland, hoy Checoslovaquia), porque, como administrador de la parroquia de Groß-Stiebnitz, había sido arrestado en Adlergebirge.

6. Intervención de la Gestapo de Düsseldorf

Los restos mortales del P. Eise fueron incinerados en el crematorio del campo de concentración y sus cenizas enviadas en una urna de hojalata a sus familiares de Öffingen, cerca de Stuttgart. Como la Gestapo temía que el P. Eise fuera celebrado en su tierra como mártir, ordenó que a sus exequias asistiera el menor número posible de personas: sólo sus familiares más próximos. Prohibieron la presencia de sacerdotes, compañeros de escuela, miembros de su comunidad. A la hora dispuesta por la Gestapo, la policía trajo la urna, que hasta entonces había permanecido en la municipalidad, envuelta, de manera macabra, en una edición del diario del SS llamado "Das Schwarze Korps"[247]. Fue sepultado sin ceremonia en la tumba de sus padres.

Pero el párroco y la comunidad parroquial de Öffingen no se privaron de celebrar unas solemnes honras fúnebres en memoria del P. Eise, pocos días después, el 9 de septiembre. La iglesia estaba repleta de gente. El color rojo de los ornamentos litúrgicos no dejaba duda sobre cómo veían la muerte del P. Eise. También la prédica del párroco del lugar, Dangelmaier, fue inequívoca y osada. En el momento culminante de la oración fúnebre dijo: "Ha muerto un sacerdote de Dios. Si alguna vez ha tenido sentido la expresión 'con orgullosa

---

247 Das Schwarze Korps: *El batallón negro.* Alusión al uniforme negro del SS. (N. del T.)

tristeza'[248], hoy es el caso de aplicarla. La Iglesia está hoy junto a tu féretro con santa y orgullosa tristeza, pues tú eras uno de sus mejores hijos. Por eso, ella no cubre tu catafalco con la aciaga oscuridad de la tristeza sino con el rojo luminoso del fuego del sacrificio, el rojo de la sangre. Tu iglesia te elogia diciendo: 'Confesaste al Señor ante los hombres' y por eso 'el Señor te confesará ante el Padre celestial'. Ella sabe que has caído en santa lucha, como soldado de Cristo. Por eso vas a resucitar a la vida eterna".

Esta prédica iba a traer consecuencias, pero no en Suabia, lugar de origen del P. Eise, sino en la Renania septentrional, en el cuartel de policía de Düsseldorf.

La prédica del párroco Dangelmaier había sido tomada taquigráficamente por una de las principales colaboradoras del P. Eise en los grupos del Movimiento de Schoenstatt. Luego sacaron varias copias para usarlas en las misas en memoria del P. Eise. Estas misas, evidentemente, no contaban con la aprobación de la Gestapo, pues no tenía interés en que la víctima de su brutal arbitrariedad fuera convertida en héroe.

A raíz de los registros realizados en Schoenstatt, a principios de noviembre por la Gestapo de Coblenza, como en el caso de la señorita Holubars, se descubrieron estas copias y su difusión. La Gestapo de Coblenza descubrió que la divulgación de la prédica tuvo que haber partido desde Krefeld y también averiguó el nombre de una portadora. En vista de ello, el cuartel de la policía de Coblenza pidió ayuda a la jefatura de Dusseldorf. Desde allí enviaron una carta urgente al cuartel de Krefeld, el 25 de noviembre de 1942, denunciando que la portadora de la copia de la prédica se había detenido, a fines de septiembre o a principios de octubre, en Vallendar y había entregado allí una copia de la prédica del párroco Dangelmeier. La carta di-

---

248 "Con orgullosa tristeza": expresión de común uso en las necrologías de soldados caídos en la guerra.

ce textualmente: "Como el P. Eise, miembro de una orden religiosa, era un dirigente de mucho peso en la Comunidad Mariana de Oración y Sacrificios, que se originó en lo que antes era el Movimiento de Schoenstatt (véase decreto contenido en la circular de 3.13.1937 – II 880. 10.2/11/37/K.), existe la sospecha de que también X se desempeña como elemento de la MGO"[249]. Agrega que la dama en cuestión debe ser interrogada e incautadas las copias de la plática que se encuentren en su poder. Las demás personas que hubiesen ayudado a difundir dichas copias debían ser "interrogadas e incriminadas". Igualmente, había que incautar todo material relacionado con el antiguo Movimiento de Schoenstatt. Además, consideran conveniente controlar la correspondencia de X a fin de "atrapar" a otros miembros del ex Movimiento de Schoenstatt. Al final, el documento advierte a la jefatura de Düsseldorf: "…que la organización y las metas de la MGO tienen tendencias contrarias a los intereses del Estado".[250]

El 14 de diciembre y como resultado de lo anterior, fue sometida a interrogatorio la Hermana (dirigente de la Federación) que había tomado notas taquigráficas de la prédica. El protocolo del interrogatorio de la Gestapo muestra que ella supo contestar muy hábilmente y logró presentar las cosas como sumamente inocuas. Interrogada acerca de por qué había copiado la prédica, respondió que lo había hecho a pedido de los familiares más próximos, para hacerles un favor. En Krefeld había leído la prédica una sola vez en un acto litúrgico y luego había roto el original. Ese acto litúrgico, por lo demás, había sido el único celebrado en Krefeld en un año y medio, porque se sabía que la Comunidad Mariana de Oración y Sacrificios había sido disuelta por Schoenstatt.

Días después, el 15 de diciembre de 1942, la portadora de la copia también fue llamada a presentarse en el cuartel de la Gestapo de

---

249   Sigla alemana de Comunidad Mariana de Oración y Sacrificios. (N. del T.)
250   Archivo de Düsseldorf. Actas de la Policía Secreta del Estado, cuartel Düsseldorf, No. 17.683.

Krefeld. El informe enviado a Düsseldorf dice que "no ha declarado nada perjudicial" en cuanto a su posición política ni tampoco desde un punto de vista "delictual o contrario al Estado o a la policía". El resultado de la indagación efectuada en Krefeld fue enviado a Dusseldorf el 19 de diciembre. Desde allí fue despachado, sin cambios, al cuartel de la policía del Estado en Coblenza, el 7 de enero de 1943. La conclusión dice: "Las averiguaciones e interrogatorios dan por resultado que Y facilitó la oración fúnebre sobre el P. Eise, por encargo de X, con ocasión de su estadía en Vallendar..." Más adelante, informa que la portadora es miembro de la MGO. Que había conocido al P. Eise y a sus hermanos en unos ejercicios espirituales realizados en Schoenstatt. De la prédica taquigráfica había hecho seis o siete copias, de las cuales entregó algunas a la familia Eise. Además, el informe declara que en casa de X se pudieron incautar los siguientes escritos de Schoenstatt: 1) *"En el lugar santo"*, novena del Dr. en teología Alex Menningen; 2) "En las alturas del Tabor", de Anton Engel; 3) *"De las glorias de María"*, de B. Warth; 4) *"Luz en el día de trabajo"*, de B. Warth. "Extrañamente, observa el informe, en casa de X no se encontraron cartas ni folletos". [251]

El mismo 7 de enero, el cuartel de la policía del Estado en Düsseldorf encargó al cuartel de Krefeld que continuara la averiguación. A las autoridades superiores de Düsseldorf les interesaba, ante todo, identificar a más "afiliadas a la MGO" en Krefeld, especialmente a aquellas que habían tomado parte en el acto recordatorio en honor del P. Eise. También debía averiguarse el nombre del sacerdote que había dado la bendición. Como organizadora del acto recordatorio, X tenía que estar en condiciones de dar nombres, aun cuando ella afirmara que los invitados fueron pasándose de boca en boca la noticia. La orden respectiva recomendaba lo siguiente: "Si X e Y se abstuvie-

---

251   Ibid., No.1369.

ran de declarar, hay que amenazarlas derechamente con arresto por encubrimiento".[252]

Entretanto, el 22 de enero, la Gestapo de Krefeld había ordenado, a las oficinas del correo del Estado en Düsseldorf y Krefeld, por medio de un oficio que invocaba el decreto del 22 de febrero de 1933, sobre protección del pueblo y del Estado, que revisaran la correspondencia de las dos schoenstattianas durante un mes. La medida fue prorrogada tres veces, hasta el 27 de abril de 1943, sin que ello aportara nada de interés para la Gestapo.[253]

En ulteriores interrogatorios, los días 11 y 30 de enero de ese año, ambas (miembros de la Federación Femenina) se comportaron en forma sumamente hábil. Respecto a otras participantes en el acto recordatorio, Y dio los nombres de nueve señoras, de las cuales una había fallecido en las semanas transcurridas desde entonces; los otros fueron el de su propia hermana y los de dos señoras que vivían en el convento en cuya capilla se había celebrado el acto recordatorio. Según el acta del interrogatorio, la Gestapo ya conocía los nombres mencionados por X. Del resto, sólo dio nombres de pila bastante frecuentes en Renania: Käthe, María, Anna, Elisabeth. Por lo tanto, no entregó ningún indicio útil a la Gestapo.

Bajo un encabezamiento que decía "Antecedentes políticos personales", el funcionario a cargo del interrogatorio hizo, en el caso de X, una anotación peligrosa: "X es una persona influyente, que se ha dedicado a realizar actividades indeseables en favor de tendencias contrarias al Estado, que pertenece al antes Movimiento de Schoenstatt y ahora Comunidad Mariana de Oración y Sacrificios. Las averiguaciones continúan. El proceso está en las actas II B-901 (MGO)".[254].

---

252 Ibid., No. 17.683.
253 Nota de la oficina de Krefeld al cuartel de policía del Estado de Düsseldorf.
254 Actas de la Policía Secreta del Estado, op. cit., No. 19.174.

Junto a las actas del interrogatorio del 30 de enero, hay una nota, enviada el 18 de febrero al cuartel de policía del Estado en Dusseldorf, en la cual se concluye que: "X e Y declaran conocer sólo superficialmente a las otras mujeres, a quienes habían visto en algunos actos litúrgicos. Las averiguaciones realizadas hacen verosímil esta afirmación, porque en la MGO sólo existe una conexión débil entre sus miembros. No hay listas de miembros ni otros antecedentes que permitan deducir la existencia de una comunidad u organización sólida..."[255].

En enero y febrero de 1943, y en relación con el arresto de la señorita María Hilfrich, la Gestapo de Frankfurt emprendió acciones contra varios miembros del Movimiento de Schoenstatt, similares a las llevadas a cabo por la policía del Estado de Dusseldorf y su filial de Essen. Confiscaron varios documentos schoenstatianos, de los cuales no pudieron sacar muchas conclusiones. El diagnóstico fue similar al informe final de la Gestapo de Krefeld: el Movimiento de Schoenstatt tiene una organización que la Gestapo no logra entender con claridad. Esta apreciación se confirmaría en el curso ulterior de los acontecimientos, en los casos contra el P. Kentenich y los demás schoenstatianos internados en el campo de concentración de Dachau.

7. Se acerca el fin de año

En Dachau, el último mes de 1942, año tan lleno de acontecimientos, trajo nuevas sorpresas. A fines de noviembre, el P. Fischer fue separado de su maestro espiritual; uno de los jefes del campo de concentración, Jarulin, lo empleó como escribano de un bloque, junto a otros tres sacerdotes. En vista de ello, debió abandonar no sólo su comando de trabajo sino también el barracón 26, y cambiarse al bloque N° 6, pieza N° 1. Se rumoreaba que Jarulin y el comandante Weiß se proponían contrarrestar el poder de los comunistas en el campo de concentración y que, con este fin, entre otras medidas, es-

---

255 Ibid., No. 17.863.

taban quitándoles poco a poco las posiciones influyentes que tenían en la auto-administración de los prisioneros y reemplazarlos por otros.

Estas medidas desagradaron a los sacerdotes afectados, pues se vieron arrastrados a disputas en las que, como sacerdotes, no querían verse envueltos. Pronto les tocó sufrir la hostilidad de los comunistas, quienes, con gran habilidad, trataban de frustrar su pérdida de poder.

Entretanto, el P. Fischer y los otros sacerdotes empleados como escribanos, pronto fueron relevados y devueltos al bloque de los sacerdotes. Respecto al P. Fischer, la lucha subterránea entre el SS y los comunistas hizo que fuera trasladado, primero desde el bloque N° 6 al bloque N° 30, donde estaban los sacerdotes polacos, y después, el 23 de diciembre, al bloque N° 20, que albergaba a los recién ingresados y a los criminales.

Gracias a Dios, estos traslados no le impidieron participar en la misa de Navidad, en el bloque de los sacerdotes alemanes. Según lo describe su carta del 3 de enero de 1943, los actos litúrgicos de la Navidad de 1942 resultaron más suntuosos que los del año anterior, en cuanto a la presentación de la capilla. Sobre el altar ardían nueve cirios; entre los adornos con ramas de pinos había abundantes prímulas en flor y, a la derecha e izquierda del altar, ramas de laurel. Como había dalmáticas y capas pluviales, hasta se pudo celebrar una misa solemne con sacerdote, diácono y subdiácono. Esta vez no les faltaron obsequios cariñosos enviados desde sus hogares, aun cuando no todos los paquetes llegaron antes de los días de fiesta. Particularmente agradable fue compartir la mesa con el Dr. Kühr y el Dr. Pesendorfer. El P. Fischer tuvo la alegría de ser el más antiguo y jefe del bloque. Además, dos prisioneros del mal afamado bloque N° 20 se confesaron y comulgaron la noche de Navidad.

Todo esto fue motivo suficiente para mirar retrospectivamente con gratitud el año 1942, a pesar de la hambruna catastrófica, de los transportes de inválidos y de las muertes masivas. Los últimos días del año trajeron otro regalo más a los schoenstatianos.

Cuando la mañana del 29 de diciembre, el P. Fischer llegó a la secretaría del campo de concentración, a su trabajo de escribano del bloque, se enteró que el Dr. Pesendorfer sería liberado. De inmediato salió corriendo a llevarle la noticia. En el camino se encontró con el Dr. Kühr, quien lo llevó por la vía más rápida a la enfermería, donde estaba el Dr. Pesendorfer. Al principio éste no podía creerlo, pero pronto el escribano de su bloque le trajo la noticia oficial.

Ese mismo día iba a poder abandonar el campo de concentración y la prisión del SS y la Gestapo, para volver a casa a encontrarse con su madre, tan duramente probada. Al despedirse del P. Kentenich y de sus otros amigos, les prometió ir a Schoenstatt tan pronto como le fuera posible y llevar saludos personales del P. Kentenich.

En carta del 3 de enero, el P. Fischer cuenta la feliz noticia de la liberación del Dr. Pesendorfer: "Un hermoso regalo de Navidad para ustedes y, naturalmente, también para mí, fue que nuestro Marianus obtuviera permiso para viajar. Espero que les haya llevado a todos un alegre mensaje de Navidad".

El Dr. Pesendorfer fue enviado al campo de concentración el 16 de julio de 1938, justamente cuatro años antes del acto del 16 de julio de 1942[256]. Había languidecido en Dachau casi cuatro años y medio. Para los que allí quedaban, su retorno a la libertad, al comienzo de un nuevo año, fue una gran señal de esperanza.

---

256 En esa fecha fueron fundados el Instituto de los Hermanos de María y el Instituto de la Obra Familiar. (Véase Parte III, capítulo 8, 3, del presente libro. (N. del T.)

CUARTA PARTE

1943

Capítulo 10
HAMBRUNA Y TIFUS, 1943

I. Inicio y desarrollo

El 10 de enero de 1943, en la primera carta que el capellán Dresbach pudo enviar a su hermana, a Colonia, su tierra natal, le dice que "Männi"[257] informa, entre otras cosas, que "ahora al Profesor se lo ve raras veces". El "Profesor" era el hambre que en 1942 había reinado de manera tan terrible en Dachau. En sus cartas, Dresbach se refería a menudo al hambre como al "Profesor Hunger"[258], o bien a "este petulante".

A principios de 1943, el peligro de morir de inanición se superó, al menos en parte, en el caso de los prisioneros que recibían regularmente paquetes enviados por familiares y amigos. Poco a poco éstos fueron subiendo de peso. El P. Kentenich, que en octubre de 1942 pesaba sólo 51 kilos, a fines de febrero de 1943, después de recibir paquetes durante cuatro meses, había subido nueve kilos.

Pero en diciembre de 1942, pocos días antes de Navidad, en lugar del hambre surgió otro peligro no menos amenazante: el tifus. El 19 de diciembre se detectaron los primeros casos. Un día después murieron dos prisioneros[259]. Al principio, la administración del campo trató

---

257 "Männi" era el apelativo familiar del capellán Dresbach.
258 Hunger, en alemán significa hambre, pero es también un apellido. (N. del T.)
259 Edgar Kupfer-Koberwitz, *Die Mächtigen und die Hilflosen*, op. cit., tomo II, p. 112 ss.

de ocultar el problema, pero en las semanas siguientes se enfermaron tantos prisioneros que les resultó imposible continuar disimulando.

Kupfer-Koberwitz informa que, según fuentes fidedignas, hasta el 22 de enero, habían perecido doce prisioneros a causa de la enfermedad. Sólo en su comando de trabajo, en la fábrica de tornillos Präzifix, se habían enfermado 27 hombres hasta esa fecha, es decir, el diez por ciento[260]. Cuatro días después yacían en la enfermería más de 1.200 hombres con tifus.[261]

El 25 de enero, la administración se vio obligada a decretar una severa cuarentena. Se suspendió el trabajo en todo el campo de concentración, a excepción de algunos comandos ubicados fuera de su ámbito. Los prisioneros asignados a estos comandos no volvían a sus barracones: los acomodaban, mientras tanto, en su lugar de trabajo. Cesó el toque diario que llamaba a formar filas y pasar revista. En lugar de ello, los jefes de bloque del SS hacían el recuento en los barracones.

En el campo de concentración se tomaron medidas de higiene básicas, especialmente en los servicios higiénicos, los cuales eran ahora vigilados día y noche por un prisionero con órdenes de hacer cumplir las medidas decretadas a fin de frenar la epidemia. Los servicios higiénicos estaban en pésimo estado: hacía alrededor de medio año que las letrinas no se vaciaban: rebasaban sin que nadie hiciera nada por remediarlo.[262]

Sin embargo, estas medidas de última hora no impidieron que el número de enfermos creciera día a día. En una ocasión, según Edgar Kupfer-Koberwitz, murieron en una sola noche no menos de catorce prisioneros[263]. No es posible determinar con exactitud cuántas fueron las víctimas del tifus en todo el campo de concentración. Ku-

---

260 Ibid., p. 121.
261 Ibíd., p. 123.
262 Sales Heß, *Dachau, eine Welt ohne Gott*, op. cit., p. 212s.
263 Edgar Kupfer-Koberwitz, *Die Mächtigen und die Hilflosen*, p. 125.

pfer-Koberwitz cuenta en su diario (el 4 de febrero de 1943) que hasta ese momento se habían producido 250 muertes[264]. Lenz da como cifra total alrededor de 600, de los cuales, el propio SS reconoció 290 [265]. Neuhäusler repite la cifra de 290 muertos.[266]

Las listas de Jan Domagala, escribano polaco del campo de concentración, las más confiables, indican 364 prisioneros muertos en diciembre de 1942, y 205, 221 y 139, en enero, febrero y marzo de 1943, respectivamente. Tal vez estas cifras incluyan a todas las personas que murieron en esos meses y no sólo las víctimas del tifus, pero es de suponer que éstos constituían la mayoría.

En el bloque N° 26, perecieron siete sacerdotes[267], entre ellos, el joven capellán Andriski, de la iglesia imperial de Dresden [268]. Los sacerdotes polacos sufrieron el mayor número de muertes, y para aumentar su desgracia, entre las víctimas del tifus tuvieron que lamentar la de su cohermano de mayor rango, el obispo Michael Kozal, quien falleció el 26 de enero.

En una carta del 4 de febrero, el capellán Dresbach da noticias, en forma velada, sobre la nueva amenaza: "Männi pidió rogar con fervor por los soldados estacionados a lo largo de todo el frente, pues corren peligros que sólo pueden ser resistidos con la ayuda de Dios…" Un mes después, el 4 de marzo, cuenta cómo logran mantener el espíritu en alto en medio de esta situación tan difícil: "En estos días se lleva a cabo una lucha seria, tanto aquí como allá, por la Inscriptio. Es el único camino que permite vivir según los planes de Dios… No sólo decimos 'sí' a todo lo que se nos impone, también nos esforzamos por hacer todo lo que alegra a Dios…".

---

264   Ibíd.
265   Johann Maria Lenz, *Christus in Dachau,* op. cit., p. 241.
266   Johannes Neuhäusler, *Wie war das,* op. cit., p. 27.
267   Johann Maria Lenz, *Christus in Dachau,* op. cit., p. 241.
268   Ibid.; cfr. Sales Heß, *Dachau, eine Welt ohne Gott,* op. cit., p. 212.

2. Una señal del Santo Padre

En los días inmediatamente anteriores a la cuarentena, los grupos schoenstatianos que había en Dachau tuvieron un motivo de especial alegría: el Santo Padre, Pío XII, en señal de su adhesión y reconocimiento, envió al P. Kentenich una pequeña cruz de plata similar a las que solía entregar en sus audiencias. La cruz le fue entregada el 20 de enero de 1943, justamente un año después de que, en la prisión de Coblenza, tomara la decisión de ir al campo de concentración[269]. Los que sabían entender estas cosas vieron en este hecho un gesto de deferencia propio de la divina Providencia.

Tanto el P. Fischer como el capellán Dresbach comunicaron este feliz acontecimiento en sus cartas del 24 de junio. El P. Fischer escribió lo siguiente: "¿Se han enterado ustedes de que el tío recibió desde Roma una cruz de plata al mérito, de una fuente con gran autoridad y a la misma hora en que él tomó, hace un año, la decisión que para él tuvo tan graves consecuencias?"

El capellán Dresbach comunicó así la noticia: "A él (es decir, a Männi, el propio capellán Dresbach) le escribió su paternal amigo José contándole que está bien desde todo punto de vista: corporal y espiritualmente, natural y sobrenaturalmente, y que este año había recibido desde un altísimo lugar una cruz de plata al mérito, el mismo día y a la misma hora en que hace un año había tomado una decisión que tuvo para él graves consecuencias". Como se puede ver, ambos usan casi las mismas palabras para dar la noticia, lo que hace suponer que se habían puesto de acuerdo.

En Schoenstatt esto se supo con más detalles cuando el Dr. Kühr fue liberado, en el verano de 1943. Según él, la cruz de plata debió haber llegado a manos del P. Kentenich a través del canónigo Neuhäusler. El P. Menningen se enteró en esa misma época, a través del

---

269 Véase Parte II, capítulo 6, 1. (N. del T.)

obispo Heinrich Wienken, que Pío XII era el "altísimo lugar" al cual se refería el capellán Dresbach en su carta.[270]

El obispo Wienken contó que Pío XII había querido enviar una señal a los sacerdotes alemanes prisioneros en Dachau, y que su secretario privado, el sacerdote jesuita P. Robert Leiber[271], le había propuesto hacer llegar la pequeña cruz al P. Kentenich, uno de los sacerdotes alemanes más representativos.[272].

Como el P. Kentenich no quiso conservar este valioso objeto en el campo de concentración, lo envió a Schoenstatt a través de un conducto que parecía confiable. Desgraciadamente, al parecer, nunca llegó a su destino.

3. Trabajo de formación

A comienzos de 1943, el P. Kentenich seguía trabajando en el comando que lideraba el capo Jakob Koch. Como el P. Fischer todavía se desempeñaba en el cargo de secretario en el mismo bloque 26, el párroco Ludwig Bettendorf era su único compañero de trabajo. En ese tiempo trabajaban en la pieza N° 3, del bloque N° 4. Al declarar-

---

270 El obispo Heinrich Wienken nació en 1883 y murió en 1961. Fue consagrado como coadjutor, con derecho a sucederlo, por el entonces obispo de Meißen, Petrus Legge. Desde diciembre de 1937 hasta marzo de 1951, fue presidente del comité de la conferencia episcopal de Fulda, en Berlín, y como tal hacía de enlace entre los obispos y el gobierno del Reich. Fue obispo de Meißen desde 1951 hasta 1958.

271 El P. Robert Leiber nació en 1887 y murió en 1967. Fue historiador (Historia de la Iglesia). Colaboró en *Pastor en la Historia de los Papas*. Acompañó a Roma al Nuncio Pacelli en 1930. Fue profesor de la Universidad Gregoriana y uno de los principales consejeros de Pío XII en asuntos alemanes.

272 Información verbal del P. Dr. Alex Menningen, 30 de abril y 15 de junio de 1971. El obispo Dr. Johannes Neuhäusler confirmó al autor, en carta del 30 de abril de 1972, que, a sugerencia suya, se entrevistó con el P. Kentenich en la enfermería de Dachau. No podía recordar, sin embargo, haberle entregado una pequeña cruz enviada desde Roma. Dado que, según otra carta del obispo Johannes Neuhäusler (del 6 de junio de 1972), probablemente la entrevista tuvo lugar el 6 de agosto de 1943, la entrega de la pequeña cruz no puede haberse producido en esa ocasión.

Prisioneros en el patio de la barraca.

se la cuarentena, ellos también debieron suspender el trabajo y volver a su barracón. Pero ¿qué hacer con tanto tiempo libre?

En el bloque de los sacerdotes alemanes se volvió al horario espiritual tal como se practicaba antes de que comenzaran a trabajar en la primavera de 1942. Después del recuento matinal, rezaban *prima* en común; a estas oraciones seguía una misa solemne cantada o una misa simple. Por las tardes, rezaban vísperas u otra parte del oficio divino. A los pocos días se suscitó en muchos el deseo de realizar alguna labor espiritual. Organizaron grupos de estudio y círculos de debate. Estaban en condiciones de hacerlo, porque el estado físico de los prisioneros había mejorado bastante gracias a los paquetes que recibían.

Naturalmente, como los sacerdotes schoenstatianos quisieron sacar el mayor provecho posible a la presencia de su padre y maestro espiritual, propusieron al P. Kentenich dar pláticas que los ayudara a introducirse más profundamente en el mundo espiritual de Schoenstatt y en los problemas fundamentales de la labor propia del sacerdote en la época actual. Él consintió con gusto, pues, a su juicio, los sacerdotes debían considerar el tiempo en prisión como un largo ejercicio espiritual, como un importante curso de formación que Dios les ofrecía a fin de prepararlos para su labor sacerdotal en el mundo de post guerra.

En vista de que otros sacerdotes, que no eran miembros de la comunidad de Schoenstatt, expresaron el deseo de oír al P. Kentenich, decidieron que las conferencias serían abiertas para todos los que quisieran participar. Como eran muchos, le pidieron permiso al capellán del campo, Dr. Ohnmacht, para ocupar la capilla; pero éste, por temor a que el SS no aceptara un acto extraordinario y de esa índole, negó el permiso. En vista de ello, no les quedó más que conformarse con una pieza. Consultado el jefe más antiguo de la pieza, al principio también vaciló, pero al fin dio su consentimiento a cambio de cigarrillos y alimentos. Acordaron, entonces, que las conferencias tendrían lugar en la pieza 26/4, a la cual pertenecía el P. Kentenich.

La tarde del 1° de febrero, entre las 14 y las 15:30 horas, dio la primera conferencia. Empezó diciendo que en estas pláticas desarrollaría el tema del sacerdote que la Iglesia necesitaba en los tiempos actuales calificados como apocalípticos. Este tema no era nuevo: ya lo había tratado en la plática de la festividad de Cristo Rey en 1942 y en el verano de 1941, antes de ser arrestado.

A partir de este tema, que daba, ante todo, una visión e interpretación de la época a la luz de la revelación cristiana y de la teología de la historia, pasó a la santidad de la vida diaria del sacerdote, como forma y estilo de vida en un tiempo apocalíptico. En lo fundamental, por una parte planteaba la necesidad de despedirse de la imagen hasta ahora predominante del sacerdote burgués, y cómo superarla; y, por otra, llamaba a adoptar el ideal del sacerdote que se deja emplear como dócil instrumento de la divina Providencia y de sus planes de salvación del mundo. En la segunda parte, se remitió en gran medida al libro de Josef Sellmair, *"El sacerdote en el mundo"*, que plantea en forma similar el tema de la imagen del sacerdote del futuro.[273]

Alrededor de cien sacerdotes asistían regularmente a estas conferencias, que el P. Kentenich dio hasta el final de la cuarentena (el 13 de marzo) y, por lo tanto, a lo largo de un mes y medio. Al mismo tiempo, con los sacerdotes de su pieza hacía una meditación vespertina más breve que incluía una evaluación de los sucesos del momento.

La abundante actividad del P. Kentenich en favor de sus cohermanos durante la cuarentena, se expresa en la correspondencia de sus compañeros más cercanos. El capellán Dresbach, jovial y casi arrogante, cuenta a su hermana (el 4 de febrero): "Sepp habló durante horas sobre la última carta de Juan. Se expresa como nadie".[274] El 14 de febrero, le escribe: "Männi está en la reserva y hasta tiene oportunidad de participar en extensos y magistrales ejercicios espirituales. Creo que es digno de envidia".

Al término de la cuarentena (21 de marzo), el P. Fischer envió a sus familiares una breve relación final: "El padre está bien en todo sentido, lo que a todos nos alegra mucho. A pesar de su edad, está en buenas condiciones físicas. Sigue en contacto regular con sus amigos. Desde 1. II hasta el 14.III, ha dado diariamente dos horas de clases a un gran número de alumnos. Bueno, en tiempos en que hay que jugarse el todo por el todo, también los viejos y los fríos tienen que ponerse a trabajar en serio".

La frase "jugarse el todo por el todo" es una alusión al discurso que el ministro de propaganda, Dr. Goebbels, dio el 18 de febrero de 1943 en el Palacio de los Deportes de Berlín. Entre aplausos frenéticos de sus compañeros de Partido convocados para la ocasión, había anunciado la "guerra total" como reacción a la derrota de Stalingrado.

---

273 Josef Sellmair, *El sacerdote en el mundo,* primera edición, Regensburg, 1939.
274 Sepp = el P. Kentenich. La última carta de Juan = el Apocalipsis.

Dentro del marco de sus conferencias, el P. Kentenich se propuso dar a conocer su mundo y su espiritualidad, pues la mayoría de sus auditores no sabía mucho de Schoenstatt. Al mismo tiempo, pidió a los representantes de otras escuelas y de orientaciones espirituales importantes dentro la Iglesia, que expusieran sus respectivas espiritualidades. El P. Maurus Münch, de la Abadía de San Matías, de Tréveris, habló sobre san Benito y su misión; el P. Odilo Gerhard, sobre san Francisco y el Movimiento Franciscano; el P. Otto Pies, sobre san Ignacio y la Compañía de Jesús.

Las semanas de la cuarentena se convirtieron en el punto culminante de las actividades del P. Kentenich en favor de sus cohermanos del bloque N° 26. Cuando el peligro del tifus arreciaba y los sacerdotes acordaron consagrarse a la Virgen María poniéndose bajo su especial protección, el 11 de febrero, festividad de la aparición de la Inmaculada Concepción en Lourdes, le pidieron que iniciara la ceremonia de consagración con una plática. También le propusieron dar una conferencia con motivo del aniversario de la elección de Pío XII, el 2 de marzo.

Evidentemente, las enseñanzas del P. Kentenich hallaban buena acogida ya que más y más sacerdotes se acercaban a él y lo elegían como confesor. Por último, también le pidieron que diera las pláticas de Cuaresma. El párroco Hugo Pfiel, de la diócesis de Tréveris, el mejor taquígrafo de los sacerdotes alemanes, se dispuso a transcribir las pláticas.

En la primera plática, dada el 14 de marzo, primer domingo de Cuaresma, la única y que ni siquiera pudo terminar, empezó diciendo que hablaría acerca de la tarea del sacerdote del futuro, partiendo por el concepto esencial de sacerdote según las enseñanzas de la Iglesia, y de una reflexión sobre la situación actual. Luego se refirió al reciente y devastador bombardeo de Munich, que había incendiado varias partes de la ciudad la noche del Miércoles de Ceniza (9 al 10 de marzo): "Multipliquen esto diez, cien, mil veces, y ése será el rostro de la Europa que encontraremos al volver a nuestras tareas. El relato de la Creación nos dice algo que no podemos apartar de nuestra mente: 'La tierra estaba yerma y vacía'. Yerma y vacía estará Europa...".

El P. Kentenich llama la atención sobre el triple desierto que allí encontrarán: no sólo el desierto material, sino especialmente el moral y el religioso. No obstante, estaba convencido de que también sobre este caos Dios quería pronunciar su "Hágase" creador, tal como fue al principio del mundo. "Ciertamente, les dijo, no podemos contar tan pronto con esta nueva creación: eso no va a suceder de la noche a la mañana. Un pueblo que se volvió contra Cristo no puede esperar ayuda tan pronto. En las etapas intermedias, que vienen después del caos, sólo unos pocos buscarán dónde poder encontrarse con ese inmenso Dios y con Cristo. Ante todo, Dios no quiere –y éste es un giro típico del P. Kentenich– realizar solo y directamente la nueva configuración del mundo; quiere hacerlo a través de instrumentos; y los sacerdotes forman parte de estos instrumentos que Dios quisiera utilizar: Dios nos quiere como instrumentos vivos para conducir el mundo del futuro de nuevo hacia él".

De esta afirmación, que era el núcleo de su plática, el P. Kentenich desprende una conclusión lógica: "Por lo tanto, no podemos conformarnos con una labor sacerdotal cómoda, burocrática; no podemos llevar una vida mediocre. Quien hoy quiera ser instrumento de Dios tiene que dejarse asir por Cristo; tiene que ser un artista de la vinculación con el prójimo". Es decir, sólo dejándose llevar por Cristo es posible cumplir la misión sacerdotal, que consiste primordialmente en suscitar vida y configurarla.

Desde este punto de vista, la permanencia en el campo de concentración fue para el P. Kentenich un anticipo de la Europa del futuro y las posibles soluciones a sus problemas. Teniendo en cuenta esas soluciones, tal vez Dios quería dar un "último retoque" a los sacerdotes que estaban en el campo de concentración. Con esto en mente, propuso a sus cohermanos entender la vida en ese lugar como una especie de terciado, o como un nuevo seminario. El tiempo de Cuaresma, que se iniciaba entonces, podía ser aprovechado como un retiro de cuarenta días: "Queremos pasar estos cuarenta días esforzándonos en toda la línea por conquistar un espíritu auténticamente sacerdotal y una marcada conciencia del estado sacerdotal".

Cuando el P. Kentenich estaba en medio de estas explicaciones, sonó un llamado que no se escuchaba desde hacía tiempo: "¡Salir de los bloques, se va a pasar revista!". Una vez más debían formar filas en el patio. Desde todos los bloques empezaron a salir columnas de prisioneros. A continuación les informaron que la cuarentena había terminado y que se renovarían los trabajos tanto dentro como fuera del campo de concentración.

De hecho, la epidemia de tifus había disminuido. La lista de Domagala muestra 221 muertes en febrero y no más de 139 en marzo. Abril se mantuvo por encima de la marca de los 100, con 112 muertos. Después, la cifra cayó por el resto del año, de manera que en los ocho meses restantes, desde mayo a diciembre inclusive, no hubo tantas víctimas como en enero y febrero.

Desde mediados de enero, el P. Fischer se había librado de su puesto de escribano, en el cual no se encontraba demasiado a gusto; el 19 de marzo, cinco días después de terminada la cuarentena, volvió a su antiguo comando, al remiendo de jergones junto al P. Kentenich y al párroco Bettendorf, pero sólo por un par de días; luego fue enviado a otro comando, lo cual pronto habría de demostrarse como algo providencial.

Las pláticas de Cuaresma del P. Kentenich no pudieron continuar debido a la reanudación del trabajo.

Capítulo 11

CONSECUENCIAS DE UNA DECISIÓN

1. Onomástico - Primeras poesías

El P. Kentenich celebró su onomástico, la festividad de san José, el mismo día en que el párroco Bettendorf, el P. Fischer y él retomaban el trabajo de remiendo de jergones. Como regalo, el P. Fischer trató de conseguirle permiso para celebrar misa ese día. El nuevo capellán del campo, Georg Schelling, un sacerdote austriaco de Voralberg, no sólo le dio permiso sino que se propuso conseguir que también otros sacerdotes pudieran celebrar la santa misa.

Entre los regalos que el P. Kentenich recibió para el día de su santo, le había llegado, entre otras cosas, un paquete de flores que adornaron el altar donde celebró misa. El P. Fischer, que ese día también celebraba su onomástico, hizo de acólito.

Como una forma de unirse a la Familia de Schoenstatt en la celebración de su onomástico, ese día escribió dos poemas: uno de diez estrofas: *"…San José permitió que por primera vez, / después de un año muy duro, / sobre un altar pobre / pudiera tener en mis manos la patena de las ofrendas…"* Y el otro inspirado en las cosas y símbolos que contenían los regalos que recibió para su onomástico: *"Como siempre, la festividad de san José / nos ha unido más estrecha e íntimamente / con la Familia, con Dios"*.

Los numerosos poemas que compuso en Dachau no surgieron de una inclinación poética ni fueron concebidos como obras de arte: su objetivo era formar y dirigir a su Familia de Schoenstatt. Esto se manifiesta, por ejemplo, en las últimas estrofas del segundo poema de 19 de marzo:

Que cada cual se apoye en el otro,
una torre que nada puede derribar,
hasta que todos, llenos de una confianza
que ni la muerte ni el demonio puedan quebrantar,
entonen los más claros cánticos de victoria
y resuenen en la tierra y en el cielo.

Quiera nuestra Reina poderosa
enviarnos muchas almas escogidas que,
por medio del espíritu y los actos inspirados por la Inscriptio,
cambien eficazmente el destino de los pueblos,
según los deseos y consejos de Dios
y los conduzcan con vigor hacia el cielo.

Para captar en alguna medida todo el contenido de estas estrofas, escritas conscientemente en un lenguaje sencillo, hay que leerlas con los ojos de un schoenstattiano. Ellas tienen su lugar en la vida y la historia de la Familia de Schoenstatt y son expresión de esta vida. Quien quiera ver una obra meramente estética, difícilmente logrará captar su sentido y profundidad, menos aún su trascendencia.

Antes de los dos poemas del día de san José, en enero y febrero había compuesto otros dos. El primero dedicado al "Jardín de María", es decir, a las Hermanas de la filial en el hospital de san José en Coblenza, y por eso comienza con las palabras "Un jardinero iba de viaje", salió del campo de concentración en la carta del P. Fischer del 24 de enero por la vía normal. El segundo es el "Cántico del terruño", sin duda uno de los textos más importantes que el P. Kentenich obsequió a la Familia de Schoenstatt estando en Dachau. Este poema traza un cuadro del reino ideal que Dios había iniciado en Scho-enstatt por medio de la Virgen María, y que debía empeñarse en lle-gar a ser cada vez más perfecto.

La primera estrofa lo canta como reino de amor:

¿Conoces aquella tierra cálida y familiar
que el Amor eterno se ha preparado:
donde corazones nobles laten en la intimidad,
y con alegres sacrificios se sobrellevan;
donde, cobijándose unos a otros,
arden y fluyen
hacia el corazón de Dios;
donde con ímpetu brotan fuentes de amor
para saciar la sed de amor del mundo? (HP, 600)

La segunda estrofa lo describe como reino de una pureza abier-ta hacia Dios:

… donde las almas nobles y fuertes
se desposan con el cordero de Dios…(HP, 601)

La tercera estrofa lo describe como un reino de libertad:

…donde la inclinación a lo bajo
es vencida por la magnanimidad y la nobleza;
donde los menores deseos de Dios comprometen
y reciben alegres decisiones por respuesta;
donde según la ley fundamental del amor
la generosidad siempre se impone victoriosa…? (HP, 602)

La cuarta estrofa lo describe como un reino de la alegría:

¿Conoces esa tierra transida de alegría,
porque en ella el sol
nunca tiene ocaso (…)

donde el amor, como una vara mágica,
transforma con prontitud la tristeza en alegría? (HP, 603)

Estas cuatro estrofas con el estribillo *"Yo conozco esa maravillo-*
sa tierra / es la pradera asoleada / con los resplandores del Tabor…",
fueron compuestas en la festividad de la Candelaria de 1943, justamente un año después del "Cántico de gratitud". El P. Fischer hizo llegar el texto a sus familiares, a Pfaffendorf, a través del correo sometido a censura y ellos lo hicieron llegar a Schoenstatt. El *"Cántico del*
terruño" fue enviado a la "Pradera del Sol", es decir, a las Hermanas
de María de la filial de la casa de ejercicios de Schoenstatt.

La quinta estrofa también fue compuesta en la festividad de la
Candelaria:

¿Conoces aquella tierra preparada para el combate,
acostumbrada a vencer en todas las batallas,
donde Dios se desposa con los débiles
y los escoge por instrumentos…? (HP, 605)

Por falta de espacio, esta estrofa no pudo ser incluida en la carta
del 4 de febrero. Por eso, el P. Fischer la puso en una carta del 17 de
febrero. Sin embargo, ésta nunca llegó a su destino. ¿Se había perdido a causa de las circunstancias de la guerra? ¿Le habían chocado al
censor las palabras "lucha" y "victoria"?

Posteriormente, en un momento que ya no es posible determinar
con exactitud, el P. Kentenich agregó al *"Cántico del terruño"* una estrofa más, actualmente la quinta, sobre el "reino de Dios", donde la
verdad, el derecho y el amor empuñan el cetro.

También el capellán Dresbach comentó a su hermana el *"Cántico*
del terruño" en su carta del 20 de febrero: "Un gran regalo que puedo hacerte sólo a ti, además de todos los regalos magníficos de este
mes: *"¿Conoces aquella tierra?"*. Tienes que conocerla y guardarla.
Conozco al poeta… Allí vas a encontrar tu ideal en toda su grandeza

Manuscrito del P. Dresbach y a continuación del P. Fischer, correspondiente a líneas del "Hacia el Padre", dictadas por el P. Kentenich en Dachau.

heroica y santa. También encontrarás tus cinco principales tareas. El contenido es inagotable…".

Cuando el propio P. Kentenich, después de la guerra, se refería al *"Cántico del Terruño"*, hacía ver que no debía pasarse por alto el hecho de que había surgido en el campo de concentración sobre un trasfondo realmente oscuro. "Sobre este trasfondo oscuro brilla el Cántico del Terruño; allí brillan las grandes estrellas que siempre estuvieron ante mis ojos y que siempre he querido ver realizadas en el Movimiento". El reino descrito en el *"Cántico del terruño"* y proclamado como una tarea, era lo opuesto al reino del infierno que habían erigido los instrumentos del mal en el campo de concentración.

El P. Kentenich se puso inmediatamente de acuerdo con el P. Fischer para incorporar el *"Cántico del terruño"* al tesoro de sus oraciones diarias.

2. Dos decisiones

En noviembre de 1942, la Gestapo de Coblenza había dado orden de suspender toda correspondencia entre el P. Kentenich y Schoenstatt. Al darse cuenta de que sus cartas no llegaban a Schoenstatt, a partir del 9 de enero el P. Kentenich dejó de escribir.

El P. Fischer se ofreció a mantenerlo en contacto con Schoenstatt y con la dirección central del Movimiento a través de su propia correspondencia. En la carta del 24 de enero, enviaron el poema *"Un jardinero iba de viaje"*. En forma igualmente desinteresada, el capellán Dresbach se puso a disposición del P. Kentenich. Su hermana se había mudado desde Colonia, ciudad cercana a Schoenstatt y duramente castigada por los ataques aéreos, a Bendorf, y posteriormente a la región de Westerwald, desde donde le era relativamente fácil remitir a Schoenstatt las cartas de su hermano.

Durante el período de cuarentena, el P. Kentenich meditó seriamente, como era su costumbre, a fin de esclarecer el significado de la interrupción de su correspondencia oficial con Shoenstatt. ¿Qué quería decirle la divina Providencia? ¿Querría, tal vez, que por el momento renunciara a dirigir su Obra? ¿O más bien estimularlo a buscar otras formas de comunicación?

Aparte de la vía autorizada, a través del correo oficial del campo de concentración, quedaba sólo una alternativa: la comunicación prohibida, el "correo negro", como lo llamaban. Evidentemente, la Gestapo y la jefatura del campo de concentración lo tenían estrictamente prohibido; la desobediencia a esta regla era sancionada con duros castigos que no sólo recaían en los culpables sino también en los demás prisioneros de la misma pieza o del mismo bloque. El método era bastante arriesgado y muchos prisioneros lo condenaban a causa de la posible responsabilidad colectiva. Algunos sacerdotes incluso lo veían como una falta contra el amor al prójimo y hablaban de una "imprudencia irresponsable"[275]. Sin embargo, lo más probable es que los prisioneros siempre hayan recurrido a la comunicación no autorizada; ciertamente, el P. Kentenich no fue el primer sacerdote del bloque 26 en considerar esa posibilidad.

Finalmente, tomó la decisión de comunicarse con Schoenstatt por esa vía con motivo de la primera festividad mariana después de la cuarentena: la Anunciación a María (25 de marzo), que ese año cayó el jueves después del segundo domingo de Cuaresma. Sin embargo, el primer intento es anterior a ese día: en una carta sujeta a censura del P. Fischer, con fecha 21 de marzo, se encuentra esta alusión: "...y pongan atención: la tía Anna pronto les va a confirmar la llegada de una carta aérea. ¡Ánimo pues!" La tía Anna era la Hermana Anna, entonces superiora general de las Hermanas de María. Con las expresiones "carta aérea" o "correo aéreo" el P. Fischer se refería a las cartas no autorizadas, y sus familiares lo comprendieron inmediatamente. En la respuesta de su hermana a la carta del 21 de marzo, se lee:

---

275 Johann Maria Lenz, *Christus in Dachau*, p. 133.

"La tía Anna acaba de recibir, el día de la Anunciación a María y después de una larga espera, la primera carta enviada por correo aéreo. Naturalmente, la alegría fue muy grande..."

El P. Kentenich no tomó solo la difícil decisión del 25 de marzo. Como lo que realmente le importaba era hacer la voluntad de Dios, preparó la festividad con sus más estrechos colaboradores, el P. Fischer y el capellán Dresbach, con una novena para pedir a Dios que lo iluminara y ayudara a actuar con libertad interior y exterior, es decir, con total disposición a acatar su voluntad.

A fin de proteger a sus compañeros del riesgo que implicaban las comunicaciones no autorizadas, puso tres condiciones que sopesó cuidadosamente: 1) En ninguna circunstancia ni en ningún momento se enviaría información sobre la realidad del campo de concentración. La jefatura del SS era particularmente susceptible a este tipo de información pues constantemente llegaban noticias a las estaciones de radio y periódicos extranjeros sobre las condiciones inhumanas en Dachau y los crímenes atroces que allí se cometían con los prisioneros. Estas noticias eran inmediatamente difundidas con todos los detalles posibles. Si caía en manos de la Gestapo un envío no autorizado, pero que no contenía información de esa índole, se podía contar con que el culpable sería objeto de un castigo más leve. 2) El envío de "correo negro" se haría siempre a través del camino que ofreciera menos riesgo de ser descubierto. 3) Este tipo de comunicación se emplearía exclusivamente para impulsar y orientar la vida religiosa y moral del Movimiento Apostólico, de sus comunidades y miembros individuales.

Por lo tanto, si enfocaban la comunicación no autorizada como un medio para cumplir una tarea que correspondía al P. Kentenich como fundador, sin que en nada entrara la ambición personal o el deseo de obtener ganancias, podían confiar, a la luz de la fe en la Providencia, en que contarían con la especial protección de Dios y de la

Madre de Dios. Los hechos demostrarían que las vías del "correo negro" que utilizó el P. Kentenich nunca fueron descubiertas y ninguno de los envíos no autorizados cayó en manos de la Gestapo. Dos veces se produjeron situaciones peligrosas a raíz de envíos destinados al P. Kentenich, pero en ambos casos se trató de correos despachados a través de medios autorizados. Una de estas situaciones pasó inadvertida gracias a la prudencia y sangre fría de los que intervinieron en ella; la otra, que no pudo ser evitada, a la persona que envió el paquete le costó un castigo no demasiado grave, pero no tuvo consecuencia alguna para los prisioneros. Más adelante nos referiremos a ambos casos.

La decisión de conducir clandestinamente la Obra de Schoenstatt desde Dachau no fue la única que tomó el P. Kentenich el 25 de marzo de 1943. Una segunda, no menos trascendental, se refirió a su posición y actividad respecto a los cohermanos del bloque 26.

Como se dijo anteriormente, debido a la reanudación del trabajo, al término de la cuarentena, no le fue posible continuar las pláticas que desde el 1° de febrero daba después del mediodía, y tampoco se reanudaron las dominicales de Cuaresma, comenzadas el 14 de marzo.

Era comprensible que cada cual quisiera disponer para sí mismo del escaso tiempo libre que ahora tenían. La mayoría de los sacerdotes estuvo de acuerdo con el nuevo capellán del campo de concentración, que ejercía el cargo desde el 17 de marzo, cuando les dijo que ya no era posible ni necesaria una instrucción tan intensa como proponía el P. Kentenich. La labor de los sacerdotes, según él, debía limitarse al sermón dominical.

Como sabemos, el P. Kentenich tenía otra opinión; sin embargo, respetó el punto de vista del capellán, y aunque cesó en sus intentos de convencer a sus cohermanos de su punto de vista, seguía dirigiendo las meditaciones vespertinas en su pieza, las cuales se habían convertido en una institución permanente y muy apreciada. En el futuro, decidió, y esta es la segunda decisión importante que tomó en la festividad de la Anunciación a María, que se dedicaría principalmente a formar grupos schoenstatianos.

Las dos decisiones de ese día no sólo tenían relación con las circunstancias externas, sino también con una actitud interior y práctica: a partir de ese momento, el P. Kentenich iba a concentrarse enteramente, de acuerdo a las disposiciones de la divina Providencia, según él las veía en las circunstancias concretas que se le iban presentando, en su misión esencial, en su trabajo como fundador de Schoenstatt, tanto dentro como fuera del campo de concentración.

En la tarde del 25 de marzo dictó las siguientes estrofas, que expresan su decisión y la claridad que había logrado:

Hoy, cuando declina el día,
la reina me ha mostrado
que me eligió para la lucha;
para aceptar en dos frentes el combate,
virilmente, con vigor y coraje.

Ya no hay vacilación ni titubeos;
a pesar del rugir de la tempestad y del diluvio
el plan de batalla
quebranta el odio y los planes del demonio
y conduce el arca a su destino.

En Schoenstatt, estas estrofas suscitaron preguntas y preocupación. ¿En cuáles dos frentes quería combatir el P. Kentenich? Recordaron su decisión del 20 de enero de 1942, en la prisión de Coblenza. ¿Qué se propondría hacer en Dachau?

Ya no es posible averiguar qué medios utilizó el P. Kentenich para sacar del campo de concentración la primera correspondencia no autorizada que llegó a Schoenstatt, en la festividad de la Anunciación, con los dos poemas escritos el día de san José *("El día de san José fue*

la primera vez" y "Como siempre, en la festividad de san José"). Posiblemente los envió a través del sacerdote schoenstatiano Hans Kostron, del Sudeten, quien, desde su ingreso a Dachau, fue uno de los colaboradores del P. Kentenich más dignos de confianza.

El P. Kostron trabajaba en la oficina del SS destinada al pago de sueldos, por lo cual tenía la posibilidad de mezclar algunas cartas no autorizadas entre la correspondencia de esa oficina, dirigida en su mayor parte a bancos e instituciones de ahorro. Las cartas del "correo negro" también iban dirigidas a un banco o institución de ahorro del Sudetenland[276], donde un amigo discreto y de su confianza abría todas las cartas que llegaban, separaba inmediatamente las "cartas negras" de Dachau y las despachaba a su destino final. El sacerdote jesuita P. Otto Pies, oriundo de Arenberg, lugar no muy distante de Schoenstatt, y el sacerdote de Paderborn, P. Gerhard Baumjohann, también lo ayudaron. Ambos contaban con hombres del SS que, desde hacía

---

276 Véase nota 3, en parte II, capítulo 1, del presente libro. (N. del T.)

tiempo, les prestaban una colaboración indispensable para la comunicación postal no autorizada.

No todos los hombres del SS en Dachau tenían una actitud hostil hacia los prisioneros. Mientras más se prolongaba la guerra y más miembros jóvenes del SS se necesitaban en el frente, para las labores de vigilancia de los campos de concentración se reclutaba hombres de edad madura que nada tenían que ver con las atrocidades del SS y que tampoco querían tener nada que ver con ellas. Algunos se prestaban una y otra vez, e incluso regularmente, para hacer servicios como los mencionados, a pesar de los castigos que arriesgaban en caso de ser descubiertos.

Un enlace al cual el P. Kentenich recurrió con bastante frecuencia en los meses posteriores al 25 de mayo, y que también funcionó al principio sin ningún contratiempo, fue el P. Eduard Allebrod, un cohermano de su misma congregación, los Padres Palotinos. Trabajaba en la oficina de correo del campo de concentración, justamente en la sección donde llegaban y de donde salían los paquetes. Eso le permitía apartar algunos. En una carta a su antigua ama de llaves envió un mensaje a las Hermanas de María de Schoenstatt dándoles a conocer esta posibilidad, pero indicándoles con insistencia que sólo se podían enviar paquetes pequeños y ocultar cartas para el P. Kentenich en el envoltorio. Aparentemente, este mensaje no les llegó, pues el primer envío, despachado el 1° de abril desde Schoenstatt, estaba lleno de cartas secretas para el P. Kentenich y era grande. Afortunadamente, el P. Allebrod, como prisionero alerta que era, había calculado la posibilidad de un malentendido y siempre estuvo pendiente de la llegada del correo que traía paquetes, y pudo hacerlo a un lado.

Cuando en Schoenstatt se supo que por esta vía sólo podían enviar paquetes pequeños, se atuvieron estrictamente a esa indicación. Aproximadamente cada quince días llegaba a manos del P. Allebrod un paquete que contenía un atado de cartas muy comprimido.

Pero la divina Providencia les procuró un enlace que, con el tiempo, demostraría ser el más seguro, y lo hizo justamente en la festividad de la Anunciación de María, día en que el P. Kentenich decidió utilizar el correo no autorizado. El instrumento de la Providencia fue el P. Fischer, el más estrecho confidente del P. Kentenich en Dachau. Para su felicidad, éste se había visto libre del trabajo de secretario y trabajaba de nuevo, desde hacía un par de días, con el P. Kentenich en el comando de jergones. Inesperadamente lo trasladaron (el 25 de marzo) a las plantaciones, donde fue asignado al comando de invernaderos N° 3. El traslado, que al principio no le pareció bien, a los pocos días resultó ser el primer paso para establecer vínculos con el exterior.

Pocos días después de que el P. Fisher llegara al nuevo comando, el escribano del comando de invernaderos, un sacerdote polaco de apellido Schönwälder, le dijo disimuladamente y a la pasada: "Si tú quieres escribir cartas negras, yo puedo ayudarte". Schönwälder disponía de buenos contactos con varios intermediarios confiables. Después de reflexionar sobre esta propuesta, el P. Fischer y el P. Kentenich aceptaron su propuesta pues llegaron a la conclusión de que podía ser una vía más segura que la del capellán Kostron. Sus intermediarios llevaban las cartas a distintos lugares en las cercanías de Dachau, desde donde eran despachadas por correo como cualquier carta normal.

Como era de suponer que Schoenstatt estaba sometido a especial vigilancia, las cartas no eran enviadas allí directamente sino a través de una hermana del P. Fisher que vivía en Pfaffendorf, y después a las filiales de las Hermanas de María en las cercanías de Schoenstatt. El supuesto remitente era Theo Bruders, Munich, Kaulbachstraße 21. Ocasionalmente se utilizaba también la dirección del cuñado del P. Fischer, que había sido trasladado desde Coblenza a Wolfenbüttel.

Dos semanas después de la decisión del 25 de marzo, el P. Kentenich disponía de dos enlaces no autorizados con Schoenstatt, que funcionaban bien. Las cartas de Dachau salían a través del cohermano polaco del invernadero N° 3 y las respuestas de Schoenstatt, a través del P. Allebrod.

Justamente en la primera semana, después que comenzó a funcionar el enlace no autorizado, se produjo un incidente que terminó sin consecuencias y hasta suscitó algunas risas entre los que se vieron envueltos en él. Sin embargo, a raíz de esto, el P. Kentenich pidió a las Hermanas de María que moderaran un poco su entusiasmo y tuvieran más cuidado al introducir correo de contrabando en Dachau.

El incidente mencionado, que sucedió al sábado anterior al Domingo de Ramos, el 17 de abril de 1943, comenzó cuando el P. Kentenich regaló a Joseph Joos una de dos tortas que había recibido. Joos, radiante de alegría, se llevó la torta y se dispuso a compartirla con unos amigos que había invitado esa noche. Sin embargo, poco rato después de salir del bloque 26, apareció de nuevo con la torta. Resultó que cuando uno de sus huéspedes intentó partirla, el cuchillo topó con algo duro. Bajo la capa tostada que recubría la torta apareció un grueso diario de vida y una cantidad de otras cosas escritas por las Hermanas de María. Por cierto que al P. Kentenich le alegró recibir tantas cosas, pero, al mismo tiempo, no le pareció muy bien. ¡Ay de ellos si el personal del SS a cargo de la inspección de paquetes hubiera partido la torta! La Hermana que envió la torta, hasta había escrito una nota pidiendo al P. Kentenich que les mandara a decir, a través del P. Fischer y su hermana, si la torta había llegado bien. Si la Gestapo hubiera leído este mensaje, se habría enterado del valioso vínculo que el P. Kentenich seguía teniendo con Schoenstatt, además del correo no autorizado, a través del correo normal, sujeto a censura, del Padre Fischer.

Capítulo 12

CONDUCCIÓN DE LA OBRA DESDE DACHAU

1. Consideraciones Generales

El P. Kentenich guió a la Familia de Schoenstatt desde Dachau por medio de escritos cuyo contenido y alcance son francamente asombrosos, sobre todo teniendo presente las circunstancias desfavorables en las cuales fueron concebidos. Pero esto por sí solo no hubiese sido suficiente: de crucial importancia fue el cultivo de una intensa vida de oración y sacrificios, medios indispensables para realizar una misión como la suya. A éstos le otorgó siempre un valor fundamental.

En la mayoría de los poemas que compuso en Dachau usó una estricta métrica y rima. Adoptó este estilo como una forma de protección, porque suponía, y con razón, que si caían en manos de la jefatura del campo de concentración o de la Gestapo, tenían mejores posibilidades de ser considerados inofensivos. Además, las oraciones en forma de poema podían memorizarse más fácilmente, por ejemplo, el Oficio de Schoenstatt, y se las podía rezar durante el día y mientras se trabajaba. Esto tenía especial importancia en el campo de concentración.

En Dachau, escribió su obra más extensa, *El espejo del pastor* [277], un poema didáctico en estrofas de cuatro versos y con oraciones inter-

---

277 Título que se da a esta obra del P.Kentenich en la biografía escrita por el P. Engelbert Monnerjhan, traducida al español. En P. José Kentenich, *Hacia el Padre (Himmelwärts)*, se la titula *La Imagen del Pastor.* (N. del T.)

caladas. Sin embargo, algunos de sus trabajos más extensos e importantes fueron escritos en prosa, por ejemplo, *La Piedad Mariana del Instrumento*[278], *Schoenstatt como lugar de gracias y Schoenstatt y Fátima*. En estos dos últimos textos pudo emplear el lenguaje en prosa porque el peligro de ser descubierto por la Gestapo era bastante menor que cuando los escribió, en 1944, debido a las circunstancias cada vez más difíciles y complicadas que se vivían tanto en Alemania en general como en el campo de concentración en particular. Más adelante ampliaremos este tema.

De acuerdo a su extensión, los escritos del P. Kentenich compuestos en Dachau se pueden clasificar del siguiente modo:

a) Los que constan de una estrofa, que en la mayoría de los casos iban dirigidos a personas individuales y a veces a determinadas comunidades, como por ejemplo, a filiales de las Hermanas de María.

b) Los poemas de varias estrofas compuestos para distintas personas u ocasiones.

c) Finalmente, los trabajos de vasto alcance, como los ya mencionados: *El Espejo del pastor, La Piedad Mariana del Instrumento, Misa del Instrumento, el Rosario del Instrumento, Vía Crucis del Instrumento y Oficio de Schoenstatt.*

En general, estos trabajos no estaban destinados a personas individuales sino a toda la Familia de Schoenstatt, a una comunidad schoenstattiana, a un grupo de dirigentes (como el primero de los mencionados en la letra c), a la Iglesia en general y a las autoridades eclesiásticas (como los dos últimos textos en prosa, citados más arriba). La mayoría de estos escritos eran enviados a miembros, comunidades y dirigentes de las Hermanas de María. El P. Kentenich las había fundado el 1° de octubre de 1926 y, desde entonces, había dedicado

---

278 En alemán, el título es *Marianische Werkzeugsfrömmigkeit.* En la biografía antes mencionada, *Piedad Mariana Instrumental.* (N. del T.)

Las Hermanas en el santuario de Schoenstatt, Alemania.

gran parte de su tiempo y de sus fuerzas a su organización y educación, a pesar de todas sus demás ocupaciones. Bajo su dirección, la comunidad había crecido bien y vigorosamente, tanto interior como exteriormente.

El hecho de que el P. Kentenich escribiera principalmente a las Hermanas se debía, en primer lugar, a que la mayor parte de su correspondencia provenía de ellas. Además, hacían todo lo posible por procurarle, tanto a él como a los demás sacerdotes schoenstatianos, víveres, ropa, medicamentos y literatura, y todo esto en tal cantidad que podían compartir con muchos otros prisioneros, especialmente con los sacerdotes polacos, sometidos a tantos padecimientos. Naturalmente, él se preocupaba, en la medida de lo posible, de agradecerles y hacerles llegar noticias y palabras de consejo y aliento, dado que, en su calidad de fundador, conocía a todas las Hermanas de María.

Otra razón para escribirles era la mayor seguridad que ello significaba. En tiempos de persecución, bajo dictaduras como la nacional-socialista, las comunidades religiosas de mujeres tienen por lo general mejores posibilidades de burlar a sus perseguidores y sus organizaciones y, no raras veces, las Hermanas lograban mejores resultados que los miembros de comunidades religiosas de hombres, sacerdotes o Hermanos de María. La experiencia de los schoenstatianos en Dachau confirmó justamente esto último.

Pero la razón más decisiva que tuvo el P. Kentenich para ocuparse en guiar desde Dachau a la Comunidad de las Hermanas de María, fue que desde su fundación y cada vez más, reflejaba lo más esencial y genuino de su misión y de sus dotes de formador de hombres. Mediante un trabajo pedagógico y fino, silencioso e inmenso, formaba a las Hermanas en el ideal del "hombre nuevo en la nueva comunidad", ideal que, si bien ellas debían representar en forma preclara, debía ser encarnado por toda la familia de Schoenstatt.

Sin embargo no sólo a las Hermanas enviaba cartas desde Dachau, también mantenía correspondencia con sus colaboradores más cercanos, los sacerdotes a cargo de la dirección central del Movimiento de Schoenstatt. Generalmente, también ellos se enteraban del contenido de la correspondencia que enviaba a los encargados de dirigir a las Hermanas.

¿Qué objetivo perseguía el P. Kentenich con esa tan vasta e ininterrumpida correspondencia y actividad literaria? En términos generales, le interesaba continuar su tarea de fundador en la forma más constante posible, sin vacíos ni brechas. En esta tarea, tenía un lugar central su labor pedagógica orientada a la formación del "hombre nuevo" y del "arca", es decir, a anticipar desde ya la conducción de la Iglesia hacia la ribera de los nuevos tiempos.

Dicho más precisamente, lo que le interesaba era capacitar a la Familia de Schoenstatt para que reconociera con claridad cuál era la voluntad de Dios, y para que respondiera con una entrega total. En ese tiempo, a él la voluntad de Dios se le manifestaba en las penurias de la guerra, en los trastornos de la época y en la persecución que debía sufrir en el campo de concentración por estar a la cabeza del Movimiento.

Como hombre y profeta de la fe en la divina Providencia, el P. Kentenich estaba firmemente convencido de que la dura realidad que les

Escena de la película "El noveno día", que retrata la vida de un sacerdote en Dachau.

tocaba vivir debía ser interpretada como un extraordinario conjunto de ejercicios espirituales dispuestos por Dios, tal como lo hizo en 1914, en tiempos del Acta de Fundación de Schoenstatt, cuando la Primera Guerra Mundial dio ocasión a que la generación fundadora del Movimiento viviera, incluso heroicamente, la voluntad de Dios, o al menos que muchos schoenstatianos realizaran las tareas de sus vidas con gran altura. Años más tarde, citando una frase de Jacques Maritain sobre el Papa Juan XXIII, el P. Kentenich dijo que "había que convertir la aceleración del tiempo y de la historia en aceleración de la gracia".

Evidentemente, en medio de las persecuciones, de la guerra y de las enormes exigencias que éstas imponían, la divina Providencia ofreció a la Obra de Schoenstatt la posibilidad de vivir heroicamente la misión que Dios le encomendaba. De esa manera, desde el tiempo de su fundación y bajo la dirección de su fundador, estableció los parámetros según los cuales debía orientarse toda la futura historia de Schoenstatt.

2. Documentos de la Primavera de 1943

Inmediatamente después de la decisión del 25 de marzo, el P. Kentenich sólo envió breves escritos en forma de poemas, pero su número fue aumentando. Para formarse una idea de cuán variada y rica fue esta comunicación y qué estilo empleó según los distintos destinatarios, mostraremos a continuación algunos ejemplos tomados de los primeros meses después de iniciado el "correo negro".

El mismo 25 de marzo, compuso un poema más bien largo destinado a la Comunidad de las Hermanas, en el cual se refiere a la situación en que se encontraban entonces muchas de ellas debido a la guerra, a los bombardeos y a los muchos peligros mortales que las rodeaban. Su propósito era ayudarlas a ver que, en esos sufrimientos, también podían descubrir la presencia de la divina Providencia y el eterno amor paternal de Dios. Como modelo, presenta ante sus ojos al Señor y a la Virgen María, cuya grandeza consiste en haberse puesto enteramente y con decisión, firme y definitivamente, a disposición de la voluntad del Padre celestial.

> *Quien quiera vivir a partir de la Inscriptio,*
> *aprenda a decir Fiat, Deo gratias, Sitio [279],*
> *alegre, sereno y sumiso ante la voluntad de Dios*
> *en todas las circunstancias de la vida.*
>
> *Aun cuando lo acosen los aviones, día y noche,*
> *y le causen angustias mortales;*
> *aun cuando lo hieran y experimente horas sombrías y pesadas*
> *como las del huerto de los olivos,*
>
> *cobijado en las heridas del Señor,*
> *unido estrechamente a la voluntad de Dios,*

---

279   *Fiat:* "Así sea" (refiriéndose a la voluntad de Dios); *Deo gratias:* "Gracias a Dios"; *Sitio:* "Tengo sed" (palabras de Cristo en la cruz). Con estos giros en latín, el P. Kentenich expresaba a menudo la actitud propia del Poder en Blanco y de la Inscriptio.

protegido por la solicitud de la Madre,
se sentirá a menudo como en una mañana
de Pascua de Resurrección.

El sol de la gracia brilla claramente,
el ojo de la fe, con agudeza y rapidez,
ve en los muchos cambios de las cosas
el manto resplandeciente del amor eterno.

La voluntad se desprende
del girar en torno a sí mismo,
destruye con valor todos los ídolos
que sustituyen al Dios altísimo.

El corazón sólo conoce una aspiración:
arder y latir siempre para Dios
y todo lo verdaderamente grande
que se oculta en el oscuro seno del tiempo.

La métrica tradicional y el sencillo vocabulario no deben hacernos olvidar que estos poemas contienen principios fundamentales de vida cristiana: el desprendimiento del "yo", de manera que no sea el centro y medida de la vida; concebir la vida a partir de la fe en el amor de Dios, que todo lo abarca y de la entrega a su voluntad amorosa.

En la mayoría de los poemas que el P. Kentenich envió desde Dachau domina este propósito pedagógico que, en el fondo, apunta siempre hacia la perfecta libertad interior como fundamento del recto obrar al servicio de Dios y para la salvación del prójimo.

Así lo expresa un conciso poema escrito en los últimos días de marzo de 1942:

Sanar angustias,
compartir alegrías,
nos libra de girar

en torno a nosotros mismos.
Nos enseña a entender
los sufrimientos ajenos,
nos ayuda a soportar
sus lamentos,
nos impulsa hacia arriba
nos hace alabar a Dios.

Y una poesía de cuatro versos, que data de la misma época, dice:

Quien en medio de sus propios sufrimientos
piensa en los demás y los colma de obsequios
es una imagen peregrina de María
que cumple los anhelos de todas las épocas.

A menudo, los versos no van dirigidos a una sola Hermana, sino que a toda la comunidad de una casa filial:

Los primeros cristianos eran una sola alma,
y fueron para el mundo fuente de bendiciones.
Sólo si estamos estrechamente unidos en el amor
nuestro pueblo podrá encontrar en nosotros su sanación.

Desde un principio, el P. Kentenich hizo llegar consejos y orientaciones, especialmente a las superioras de las Hermanas, a fin de ayudarlas, tanto como fuera posible, en el ejercicio de sus responsabilidades que se habían tornado considerablemente más pesadas a causa de la guerra y las persecuciones.

Una estrofa dirigida a una superiora, escrita el 18 de abril (Domingo de Ramos), con la mirada puesta en la Pascua de Resurrección, dice así:

El Cordero de Pascua es dulce y manso.
Que la Pascua de Resurrección
te renueve profundamente según esta imagen.
Entonces tu Casa fructificará en plenitud.

Cuando en Dachau la vida schoenstatiana comenzó a extenderse a sacerdotes no alemanes, checos, polacos y franceses, el 28 de mayo de 1943, el P. Kentenich envió los siguientes versos a la directiva de las Hermanas:

> *Si alguien tiene dotes dirigente*
> *y también es capaz de estudiar,*
> *¿no se atrevería a aprender ruso?*
> *Lo mismo vale respecto de otros idiomas:*
> *el holandés, el francés, el checo.*
> *Para el polaco, Marianne ya está preparada* [280]
> *Y si el tiempo y las fuerzas no alcanzan ahora,*
> *pidamos a Dios con oraciones*
> *que nos indique el momento*
> *en que la familia va a recibir la gracia*
> *de alabar a la Madre de Dios*
> *en países que cantarán alabanzas alegremente.*
> *Tenemos que prepararnos para dar un sí*
> *de todo corazón*
> *a la voluntad de Dios".*

Esto deja en claro que, en la primavera de 1943, el P. Kentenich ya tenía en mente la expansión de la obra de Schoenstatt por los distintos países europeos, es decir, la *"Internacional de Schoenstatt"* que proclamaría en el otoño de 1944.

Cuando el P. Friedrich Mühlbeyer, uno de los más antiguos compañeros de lucha del P. Kentenich, celebró sus bodas de plata sacerdotales, el 22 de marzo de 1943, le regaló un poema de 23 estrofas, en el que elogia especialmente la fidelidad que lo caracteriza:

> *La fidelidad es el don*
> *que de ti he recibido*

---

280   Marianne es la Hermana polaca antes mencionada

en todos los momentos
que hemos sobrellevado juntos.

La poesía señala las fuentes de esta fidelidad tan constante como generosa:

Vives profundamente el espíritu de Schoenstatt,
te obsequias desinteresada y fielmente
a su gran misión:
y ella te da fuerzas y contribuye a tu perfección.

La penúltima estrofa caracteriza muy acertadamente al P. Mühlbeyer, al tiempo que dirige una mirada esperanzada hacia un futuro de paz, hacia el fin de la guerra y las persecuciones:

Siempre fiel portador de Schoenstatt
medita tranquilo,
hasta que pase el diluvio
hasta que vuelva la paz.

Transcurridas algo más de dos semanas después del 25 de marzo, el P. Kentenich comenzó a trabajar en la obra más larga que compondría en Dachau: *"El Espejo del Pastor"*.

3. "El Espejo del Pastor"

En la primavera de 1943, la separación del P. Kentenich de su Obra duraba ya más de un año y medio; era imposible prever cuánto más iba a durar dado el giro que había tomado la guerra a raíz de la catastrófica derrota del ejército alemán en Stalingrado, a fines de enero y comienzos de febrero de 1943.

Es verdad que desde que quedara en manos de la Gestapo y del SS, el P. Kentenich siempre había logrado hacer llegar a Schoenstatt algunas orientaciones fundamentales. No obstante, durante ese tiempo, los dirigentes del Movimiento tuvieron que tomar muchas decisiones sin consultarlo. Ya en el otoño de 1941, estando en la cárcel de Coblenza, el P. Kentenich había visto el lado positivo de su separación de la Obra: ello obligaría a los schoenstatianos a ser más independientes. Entretanto, él tenía que apoyar, en la medida de lo posible, a los que estaban a cargo de tomar decisiones, a fin de que la conducción del Movimiento conservara la armonía con sus objetivos y tareas de fundador.

Si se tiene presente la actitud fundamental del P. Kentenich, siempre atento a lo que Dios quería decirle en cada situación de su vida, es lógico suponer que su estadía en Dachau lo habrá hecho pensar en la posibilidad de su muerte y en que, si esto sucedía, la conducción de su Obra tendría que quedar necesariamente en manos de sus seguidores.

En 1943, la Obra de Schoenstatt tenía 25 años de historia, en los que había experimentado gran prosperidad y un permanente desarrollo. Todas las experiencias de esos años servirían de sólida base al futuro de la Obra. No había que olvidar, sin embargo, que era la divina Providencia quien había conducido a Schoenstatt a través de las diversas etapas de su desarrollo. Y que el 20 de enero de 1942, con la entrega total y libre de su fundador a la voluntad de Dios, aun a costa de la cruz y del sufrimiento, había quedado demostrada, para todos los tiempos, la legitimidad del ideal del "hombre nuevo".

El 20 de enero de 1942, el P. Kentenich, y con él toda la Familia de Schoenstatt, por su fidelidad a la misión fundadora, habían alcanzado un plano en el cual la Obra de Schoenstatt debía permanecer para siempre, porque sólo así podrían cumplir la tarea que Dios le encomendaba a favor de la Iglesia y del mundo.

Éste es el tema que trata, fundamentalmente, *El Espejo del Pastor:* las Hermanas debían vivir, dirigir y educar de tal manera, que la actitud y el ideal del 20 de enero conservaran siempre su vigencia; que renovaran este ideal de entrega total a través del tiempo, que siempre fuera una realidad determinante. Pero esto no se aplica sólo a ellas:

lo que el P. Kentenich dice en este poema es válido para todas las comunidades de Schoenstatt.

Más tarde, el P. Kentenich resumió este ideal en una frase: "Orientarse según el 20 de enero de 1942 e incorporarse a él". Es decir, se trata de una actitud y de una conducta que no sólo toman como modelo ese acto del fundador, sino que se unen a este acto de entrega y se ponen al servicio de la misión que Dios encargó al fundador.

Por lo tanto, en Schoenstatt la labor de educar y dirigir debiera "orientarse según el 20 de enero e incorporarse a él". En otras palabras, se trata de asegurar la identificación más perfecta posible con el fundador en su entrega total por la Obra, según lo hizo en esa fecha, no sólo en cuanto fundamento de la vida y la acción de la comunidad, sino también como supuesto de la vida religiosa de cada uno de sus miembros.

Esto es lo que el P. Kentenich quiso expresar en *El Espejo del Pastor*; es el hilo conductor que une sus casi 24 mil versos.

Desde el punto de vista formal, la estructura del texto no tiene unidad y continuidad. No está dividido en capítulos, ni tiene subtítulos. A lo sumo, se lo puede describir, quizás, como una "conversación", y una conversación con varios sentidos. Más o menos hasta la mitad, es una conversación con la persona a quien lo envió: la superiora de la comunidad de las Hermanas. En la segunda mitad, los versos se van convirtiendo cada vez más en una conversación con Cristo y con María. Se convierten en oración.

En las últimas mil estrofas, surge como fundamento y tema conductor la estrofa de acción de gracias, que es ampliamente conocida en la Familia de Schoenstatt:

Gracias por todo, Madre,
todo te lo agradezco de corazón,
y quiero atarme a ti

con un amor entrañable.
¡Qué hubiera sido de nosotros
sin ti, sin tu cuidado maternal! [281]

Esta estrofa se repite como una antífona del Oficio divino y hace que todo el texto se convierta en un himno de alabanza. Se destaca también, a partir de la estrofa 5.219, una oración que proclama la confianza del P. Kentenich en María:

En tu poder
y en tu bondad
fundo mi vida:
en ellas espero
confiado como un niño.
Madre Admirable,
en ti y en tu Hijo
en toda circunstancia
creo y confío
ciegamente. [282]

En el contexto de este libro no cabe reproducir, ni siquiera aproximadamente, el contenido de esta obra tan vasta y abundante en meditaciones y consejos. Van desde reflexiones sobre la persona y el comportamiento del "pastor", es decir, de la superiora, criterios para la aceptación de nuevos miembros, normas y métodos de formación, el horario espiritual, la vida y el apostolado en el mundo, hasta el cuidado de los ancianos y enfermos, la relación entre jóvenes y ancianos, la relación con los sacerdotes y con los que han abandonado la comunidad o quieren abandonarla.

No olvida ningún aspecto de la vida que tenga importancia para sus seguidores. Sólo cabe asombrarse de que a una visión metafísica,

---

281 P. José Kentenich, *Hacia el Padre,* op. cit., n. 559.
282 Ibid, 632.

psicológica y sociológica de tanta profundidad, se una tan armónicamente un tipo de sabiduría eminentemente práctica y una visión de conjunto orgánica e histórica.

Ocasionalmente, el P. Kentenich aborda también hechos actuales, como la destrucción del Santuario de Schoenstatt en Colonia, en el verano de 1943[283] y la ya mencionada celebración del octavo centenario del convento de Schoenstatt. Estos acontecimientos le sirven para ilustrar sus ideas o introducir una nueva línea de pensamiento.

En *El Espejo del Pastor,* el "cultivo del espíritu" es el tema fundamental y al que da más espacio. A juicio del P. Kentenich, entre todos los medios y métodos diseñados para dirigir una comunidad espiritual, el cultivo del espíritu es lo primero y más decisivo.

El "espíritu" al cual se refiere el Padre, y cuyo cultivo es tan decisivo para la conducción del Movimiento de Schoenstatt y constituye su principal deber, es el que se manifestó el 20 de enero de 1942; es el espíritu cuyo cultivo lleva hacia aquel acto y permite orientarse según él e incorporarse a él; es el espíritu que hace posible el más alto grado de libertad para actuar siempre según la voluntad y los deseos de Dios. Ningún tema está más en el centro de *El Espejo del Pastor* que el de la libertad, tal como lo había estado en los trabajos, cartas y consejos enviados desde la cárcel de Coblenza. La observación de lo que ocurría en el campo de concentración de Dachau, donde se manifestaba claramente el espíritu del "hombre masa", en el cual el P. Kentenich reconocía la tendencia negativa fundamental de nuestro tiempo, ha de haber contribuido a que acentuara aun más el tema de la libertad.

Cuando en *El Espejo del Pastor* trata otros temas, y, a menudo, muy detalladamente, su intención es, esencialmente, dar a conocer y realzar la libertad como valor central y tarea decisiva; o hacer posible,

---

283   Causada por los bombardeos aéreos. (N. del T.)

perfeccionar y asegurar esa libertad. Tal es el caso cuando se refiere a la virginidad, a hacernos semejantes a María, al espíritu filial, a la humildad, a la obediencia, la oración, la disposición a servir, el esfuerzo por la santificación, el hombre moderno y sus problemas, la Iglesia y la misión de Schoenstatt.

La importancia del *Espejo del Pastor* radica en el objetivo final del P. Kentenich: desarrollar en todo sentido la libertad de los hijos de Dios como principio formal y final de su método educativo y estilo de dirección, y, a la vez, hacerla asequible en la práctica. Otro rasgo típico de esta obra es que en ella el P. Kentenich llama la atención, como nunca antes, hacia la fuente y la tierra de donde se nutre esta libertad de los hijos de Dios: el estar incorporados a Cristo y tener espíritu de hijos frente ante Dios.

A juicio del P. Kentenich, de esta manera se da, al mismo tiempo, una clara señal que apunta hacia la Madre de Dios y a la importancia de la vinculación a su persona. María no es sólo la imagen ideal de un hijo de Dios plenamente libre. Ella dio a luz, en Cristo, a la cabeza del Cuerpo Místico y, en razón de su posición y misión en la obra salvadora de Cristo, también da a luz a los miembros de Cristo, y los ayuda a desarrollar un espíritu filial ante Dios Padre. Ella puede conducirlos a la perfecta libertad de los hijos de Dios.

Desde este punto de vista, la libertad de los hijos de Dios vive, en el fondo, de la vinculación con Jesús y María. Según el P. Kentenich, la libertad y los vínculos no se excluyen, por el contrario, la libertad supone la vinculación con Dios. No se trata, por tanto, de una vinculación a la razón y sus normas, a la manera de Hegel, sino a las personas más libres que existen: Jesús y María y, a través de ellos, al Dios Padre, libre y soberano.

De lo anterior resulta que *El Espejo del Pastor*, como iniciación a la vida de la perfecta libertad de los hijos de Dios, propone otorgar la más alta prioridad al cultivo de la vinculación con Dios y con todo lo divino. Sin esto, a juicio del P. Kentenich se produce irremisiblemente una atrofia y paulatina desaparición de la libertad; y no sólo de la libertad de los hijos de Dios, sino de toda libertad en el mundo.

La quintaesencia de *El Espejo del Pastor* puede verse en los dos versos que aparecen por primera vez en la estrofa 4.721:

Permanezcamos en santa unidad
para ir así hacia el Padre
junto al Espíritu Santo.

Se trata de la comunidad que cada cristiano forma, individualmente, con Jesús y María, como fundamento y realidad esencial de la existencia cristiana. La tarea que ella implica y su sentido y perfección, consisten en llegar hasta el Padre en comunidad con Jesús y María, en el Espíritu Santo. Pero no es una tarea que debamos realizar sólo en nuestro propio beneficio; es una responsabilidad que abarca a todas las criaturas, a todos los hijos del Padre. El ideal de la libertad de los hijos de Dios consiste en vivir unidos a Dios Padre y cumplir su voluntad. Así como Dios creó a los hombres por amor, para la libertad, el amor a Dios nos conduce a la forma más elevada de libertad.

Lo que el P. Kentenich escribió para los suyos en *El espejo del pastor*, lo vivió él mismo en primer lugar. Como ya dijimos, la segunda parte se convierte cada vez más en oración, y en oración personal del P. Kentenich, especialmente cuando expresa la más elevada y suprema entrega de sí mismo, cuando se da a Dios con perfecta libertad interior.

Esto se ve, por ejemplo, cuando expresa su aceptación de la voluntad de Dios, como cuando dice, citando a San Ignacio:

Si él quisiera destruir esta comunidad
que he fundado por complacerlo
—y que para mí es motivo

de alabanza a su bondad–,
si él me la exigiera, tal vez mi corazón,
después de recibir
el anuncio de su muerte,
se agitaría intranquilo
tal vez un cuarto de hora…
pero luego Dios dominaría sobre ese sentimiento.[284]

O si su voluntad fuese que Schoenstatt quedara convertido en un lisiado: "…Que vaya por la vida deforme…". O cuando acepta ser él mismo aniquilado, física o moralmente, es decir, que se le desprecie, calumnie, deshonre, si así Dios lo hubiese previsto (N° 3.944ss). En estas estrofas el P. Kentenich parece adivinar lo que la divina Providencia le tenía reservado…

Respecto de la cronología de *El Espejo del Pastor,* el texto mismo ofrece dos datos: El bombardeo que destruyó el Santuario de Colonia: hasta ese momento había escrito una cuarta parte de la obra. El otro es el aniversario de los ochocientos años de la fundación del convento de Schoenstatt. Las últimas mil estrofas, por tanto, tienen que haber sido redactadas entre fines de octubre de 1943 y fines de enero de 1944. La última parte de *El Espejo del Pastor* llegó a Schoenstatt el 17 de febrero de 1944.

La redacción de esta vasta obra contó con la colaboración del P. Fischer, del capellán Dresbach y, especialmente, del párroco Ludwig Bettendorf, de la diócesis de Trier, quien, desde fines de octubre de 1942, trabajó junto al P. Kentenich en la reparación de jergones. [285]

---

284 P. José Kentenich, *Hacia el Padre,* op. cit., n. 427-428.
285 El párroco L.B. nació en 1887 y murió en 1951. Fue ordenado sacerdote en 1921. Fue encarcelado siendo párroco de Heimbach/Nahe, el 4 de julio de 1940. Estuvo primero en el campo de concentración de Sachsenhausen y, desde el 14 de diciembre de 1940, en Dachau. Allí sufrió, debido a un acto de amor al prójimo, el temido castigo de los azotes sobre el caballete. Aun cuando no era miembro de una comunidad schönstattiana, se puso a disposición de P. Kentenich, como secretario, con valor y generosidad. Cf. Maurus Münch, *Unter 2579 Priestern in Dachau, (Entre 2579 sacerdotes en Dachau)*, Trier, 1970, p. 81-85.

Capítulo 13

NUEVO COMIENZO DEL GRUPO DE TRABAJO

1. Contactos personales

Después de la misa solemne del lunes de Pentecostés, el 14 de junio de 1943, el P. Kentenich invitó a sus colaboradores, el P. Fischer y el capellán Dresbach, a comenzar de nuevo el trabajo de formación personal y las reuniones de grupos schoenstatianos, y también a formar nuevos grupos con las personas que se interesaran por Schoenstatt, en el campo de concentración. Recordemos que estos trabajos apostólicos se habían suspendido a raíz de la hambruna, pero que gracias a los paquetes con víveres ahora estaban en mejores condiciones físicas como para retomarlos en forma sistemática.

El 25 de marzo habían tomado la decisión de reiniciar las reuniones de grupo. Sin embargo, por el momento no sucedió nada. Continuaron con las reuniones en círculos muy pequeños, lo que no había cesado ni en los meses más duros, y con los contactos individuales, que tampoco se interrumpieron durante el tiempo de hambruna.

Desde hacía más de un año, el contacto individual había sido la única forma de mantener el vínculo con el schoenstatiano que llevaba más tiempo en el campo de concentración, Karl Leisner, el diácono de la diócesis de Münster. El 15 de marzo de 1942, dos días después de la llegada del P. Kentenich, lo trasladaron a la enfermería, con tuberculosis. Allí se encontró con unos 120 compañeros de infortunio que sufrían la misma enfermedad y que, a pesar de ello, no tenían esperanzas de ser liberados.

En carta del 11 de junio de 1943, el P. Fischer cuenta que Leisner había empeorado nuevamente: "Lamentamos, junto con Rudolf[286] que su amigo Karl haya sufrido de nuevo una seria recaída de su Tbc". Agrega, sin embargo, que sobrelleva su suerte con optimismo y que "Simón"; es decir, el propio P. Fischer, se va a "colar" de nuevo a la enfermería, el domingo, para ponerlo al día de "las últimas novedades" de la Familia, vale decir, de la vida schoenstatiana dentro y fuera del campo de concentración, como una forma de permitirle participar en ella.

El P. Kentenich seguía cultivando también el contacto individual con el Dr. Kühr, cofundador de la Obra Familiar de Schoenstatt. Lo mismo hacía con Franz Zuber quien, por el momento y después de la liberación del Dr. Pesendorfer, era el único candidato a la Comunidad de los Hermanos de María que quedaba en el campo de concentración.

El Dr. Kühr, entretanto, tuvo la alegría de trabajar junto a Joseph Joos en el comando de trabajo de la enfermería, pero su salud no estaba muy buena. En mayo se le produjo una herida en la pierna, que empeoró al punto de casi perderla. A mediados de mayo, el P. Fischer envió una noticia más bien pesimista sobre el caso. El Dr. Kühr y sus amigos recurrieron a la Mater. Dos meses después, en una carta escrita el día de la festividad de la Asunción de María (el 16 de julio), primer aniversario de la fundación de la Obra Familiar de Schoenstatt, en la cual el Dr. Kühr había jugado un papel fundamental, el P. Fisher cuenta que éste había experimentado una gran mejoría. Más aun,

---

286 El rector Rudolf Klein-Arkenau nació en 1895 y murió en 1963. Desde 1925 fue presidente diocesano de los sacerdotes de Schönstatt en la diócesis de Münster. Entre 1933 y 1960, trabajó en Schönstatt. Desde 1951 se desempeñó como rector de la casa de los sacerdotes de Marienau.

anuncia que muy pronto el Dr. Kühr sería liberado. El 19 de septiembre llegó finalmente una carta confirmando esta buena noticia: "Una buena noticia: Fritz llegó del frente, con permiso".

Tal como había sucedido con el Dr. Pesendorfer, el Dr. Kühr debió su liberación a la hábil gestión de un amigo, nada menos que ante Heinrich Himmler, el jefe del SS y, desde el 24 de agosto de 1943, también Ministro del Interior del Reich [287]. Desde Dachau se dirigió primeramente a Viena, donde había sido encarcelado en 1938. Como aun estaba muy débil para hacer viajes largos, desde Schoenstatt acudió a visitarlo una Hermana de María. Esta visita fue también una gran oportunidad para saber de todos los conocidos que quedaron en Dachau y para recibir las noticias que el P. Kentenich había enviado con él. A comienzos de 1944, el Dr. Pesendorfer se había restablecido tanto que pudo hacer un viaje a Schoenstatt. El 4 de enero llegó allí y, en un círculo muy reducido, hizo una relación confidencial de los sucesos que le había tocado vivir y presenciar en Dachau.

El Dr. Pesendorfer, tres semanas después de su liberación, y en cumplimiento de la palabra que dio al P. Kentenich, el 20 de enero de 1943, visitó Schoenstatt. Pero tal como sucedió después con el Dr. Kühr, se extendió un manto de silencio sobre su visita a causa de la Gestapo.

En los meses siguientes, sin embargo, le sucedió lo mismo que a muchos ex prisioneros de los campos de concentración: lo llamaron al ejército y tuvo que luchar hasta el final de la guerra por la causa de aquellos que lo habían mantenido encarcelado por más de cuatro años en condiciones inhumanas.

El P. Fischer escribió sobre el Dr. Pesendorfer: "En cuanto a Edi, que se presentó por segunda vez, el tío y yo albergamos grandes esperanzas. Si continúa su camino valerosa y fielmente, no tiene nada que temer respecto de sus futuros seguidores..." Cuando el Dr.

---

287 Según relato en Viena del Dr. Kühr después de su liberación.

Pesendorfer, a fines de 1943 y después de terminar su formación militar básica fue enviado al frente, el P. Fischer, a pedido del P. Kentenich, intentó comunicarse con él a través del correo militar. El reglamento del campo de concentración, sin embargo, sólo permitía enviar cartas a los parientes cercanos.

Finalmente, el P. Fischer y el Dr. Pesendorfer lograron comunicarse cuando este último consideró mejor no escribir directamente al campo de concentración. El P. Kentenich se preocupó abrirles otra vía de comunicación a través de las Hermanas, que le hacían llegar pequeños paquetes y cartas con noticias de Schoenstatt.

2. Formación de nuevos grupos schoenstatianos

Catorce días después de la conversación del domingo de Pentecostés, en el bloque 26 se habían formado nuevos grupos schoenstatianos.

Cinco sacerdotes diocesanos alemanes pertenecían a un grupo que dirigía el capellán Dresbach: Hermann Dümig, de la diócesis de Würzburg; Hermann Richarz, de la diócesis de Colonia; Hans Rindermann, de la diócesis de Aquisgrán; Josef Mühlbeyer, de la diócesis de Rottenburg, y Robert Pruszkowski, del Ermland.

El P. Fischer había formado otro grupo con los sacerdotes Ludwig Bauer, de la diócesis de Speyer; Gerhard Baumjohann y Josef August, de la arquidiócesis de Paderborn.

Un tercer grupo estaba integrado por los sacerdotes franceses August Haumesser, de Alsacia y Leo Fabing, de Lotaringia; el capellán Hans Kostron, de los Sudetes, y el sacerdote palotino P. Eduard Allebrod, que trabajaba en la oficina del correo del campo de concentración.

De estos grupos, en los cuales, por cierto, no estaban incluidos todos los schoenstatianos que había en el campo de concentración, el que dirigía el capellán Dresbach fue, al parecer, el más activo. Se reunían una vez por semana para trabajar durante una hora. El primer tema elegido fue la doctrina del P. Kentenich sobre el ideal personal. También preparaban en el grupo las festividades más importantes, como la Asunción de María. A partir de ese día incorporaron el aprendizaje de vida comunitaria según las enseñanzas del P. Kentenich, dadas en una serie de conferencias.

Esta iniciativa culminó con una consagración a María en la capilla del campo de concentración y ante su imagen, obsequio del prelado Nathan, de Silesia, y obra del escultor E. Hoepker, de Brisgovia.[288]

A comienzos de septiembre, el capellán Dresbach hizo a su hermana una sucinta relación del trabajo de grupo, que progresaba con éxito: "Como fruto del mes de mayo de 1943, Männi recibió como obsequio de la Madre un pequeño jardín familiar (jardín de los que quieren esforzarse), del cual se esperan muchos frutos[289]. Dentro de pocos días debiera comenzar una época de especial crecimiento. Pero esto requiere muchos, muchos cuidados y trabajos, oraciones y gracias y más gracias. Qué bueno sería que ustedes pidieran muy especialmente por este jardín en el mes del Rosario e hicieran algunos sacrificios, pero no muy pequeños… Porque se necesita un jardinero experimentado. "Männi" aprende en una escuela técnica superior, con un importante maestro, (el P. Kentenich), pero tendría que ser mucho más aplicado… ¡Razón suficiente para rezar y ofrecer sacrificios!"

Los otros dos grupos no parecen haberse puesto en marcha tan pronto ni tan bien. En 1943, realizaron sólo una suerte de preparación para la vida de grupo, que comenzó a desarrollarse un año después, con una organización distinta y mejor.

---

288 La estatua había llegado al campo de concentración para Pascua de Resurrección (el 25 de abril). Johann Maria Lenz, *Christus in Dachau,* op. cit., p. 166. Hoy está en la capilla del Carmelo de la Preciosa Sangre, en Dachau.

289 Hay aquí un juego de palabras: *Schrebergarten:* Jardín familiar; *Strebergarten:* Jardín de los que quieren esforzarse.

En su comando de trabajo en el invernadero Nº 3, el P. Fischer descubrió, en el verano de 1943, nuevas posibilidades para formar grupos schoenstatianos. En este comando había únicamente sacerdotes polacos, salvo él. El "capo" y el vicecapo" eran comunistas alemanes. Como el P. Fischer había pasado por la escuela del P. Kentenich, reconoció en esta situación una señal de la divina Providencia. Comenzó, entonces, a observar a sus cohermanos polacos para ver cuál de ellos podría interesarse por Schoenstatt.

Según el P. Fischer, el mes de mayo, con su especial devoción a María, le allanó el camino. "Desde la festividad de la Reina de los Apóstoles, cuenta en una carta, la Madre de Dios parece haber prodigado sus gracias de fecundidad apostólica. Algunos se acercan a ella. Marianne va a alegrarse mucho al saber que sus compatriotas, también allá en el frente, se han vinculado al Santuario".

De los cinco sacerdotes polacos aludidos en la carta, que "se habían vinculado al Santuario", es decir, a Schoenstatt, los primeros dos eran compañeros de trabajo del P. Fischer en el comando del invernadero Nº 3: Anton Brzozka y Josef Bigus; uno tenía 30 años de edad y el otro, 35. Tan pronto como Brzozka entró a Schoenstatt, invitó a su amigo Ignaz Jez. Al verlo, el P. Fischer recordó haberlo conocido cuando trabajó como escribano en el bloque de los sacerdotes polacos, donde Jez fue su ayudante. A fines de julio, las cosas habían adelantado tanto que el P. Fischer pudo organizar reuniones de grupo con sus cohermanos polacos.

En estas reuniones trataron, tal como lo había hecho el P. Kentenich en la plática que no pudo terminar el Primer Domingo de Cuaresma, la situación en el campo de concentración, considerada como señal y síntoma del tiempo actual; la situación de los sacerdotes prisioneros en Dachau, y la tarea que Dios les encomendaba y que ellos debían deducir de estas observaciones y análisis de la realidad que les tocaba vivir.

El P. Fischer se refirió a Schoenstatt como un lugar de gracias que la Madre de Dios había escogido, en esta época carente de gracias y necesitada de ellas, para que los hombres sintieran de nuevo la cercanía de Dios. También les dio a conocer la idea del capital de gracias y les habló de la formación de la personalidad según el ideal personal, como supuesto de la acción sacerdotal al servicio de la Mater ter Admirabilis de Schoenstatt.

Desgraciadamente, durante el curso del trabajo que había comenzado de manera tan auspiciosa, se produjo un problema, tanto más lamentable cuanto nada tuvo que ver con el trabajo de grupo. Anton Brzozka contó al P. Fischer, muy excitado, que el capo alemán del comando lo había insultado diciéndole "polaco de porquería". El P. Fischer se propuso hacer todo lo posible por ayudarlo a sobreponerse. Pero cuando éste terminó su relato diciendo en alemán "¡Estoy enteramente rabioso!", al P. Fisher se le escapó una sonrisa por la forma un tanto original de expresarse. Desgraciadamente, Brzozka, aun muy excitado, interpretó la sonrisa como una burla por aquello de "polaco de porquería", y anunció, sin más, que en ese mismo momento se retiraba del grupo schoenstatiano. Por mucho que el P. Fischer trató de explicarle y remediar las cosas, no lo logró. Anton se limitaba a repetir: "¡Algo se quebró en mí!" ¿Y quién podía tomárselo a mal después de todo lo que habían sufrido y sufrían los polacos, especialmente los sacerdotes polacos, por el trato inhumano y el menosprecio que recibían de los alemanes?

A mediados de septiembre se produjo otra dificultad cuando Ignaz Jez, debido a un trabajo como agrimensor que le ocupaba los domingos, durante cuatro semanas no pudo participar en las reuniones de grupo. Después volvió por propia iniciativa y dijo al P. Fischer que quería continuar en Schoenstatt. Su interés fue un signo alentador para el P. Fisher, especialmente debido a que Josef Bigus, el otro sacerdote del invernadero N° 3 y uno de los primeros en incorporarse al grupo, fue apartándose, poco a poco, del grupo schoenstattiano debido a su franca preferencia por el Movimiento Litúrgico.

A pesar de estos reveses, por lo demás inevitables, en el verano de 1943 se produjo una reactivación del trabajo schoenstattiano en Dachau. Naturalmente, se realizaba sin llamar la atención. Como siempre en todos los comienzos en la historia de Schoenstatt, y hasta ahora, fue un trabajo minucioso, conducido por la fe en la divina Providencia y sostenido por la convicción de que la Mater demostraría, y con mayor razón en Dachau, su poder, sabiduría y bondad de Reina y Madre.

3. Literatura schoenstatiana en el campo de concentración

Para este trabajo por Schoenstatt en el campo de concentración, fue de muchísima ayuda que el P. Kentenich, el P. Fischer y el capellán Dresbach lograran con el tiempo, especialmente en 1943, que les hicieran llegar una gran cantidad de literatura schoenstattiana.

En el otoño de 1941, el P. Fischer había pedido el manual clásico de espiritualidad y ascética schoenstattiana, *La Santidad en la Vida Diaria.* La recibió justamente el 8 de septiembre, día de la festividad del nacimiento de María.

Cuando en el otoño de 1942 les permitieron recibir paquetes, los libros quedaron excluidos. En carta del 18 de octubre de 1942, el P. Fischer escribió: "Por favor, no enviar libros, ni ropas, ni útiles de aseo". El 10 de enero de 1943, en carta enviada por el correo regular, se atrevió, a pesar de todo, a pedir una serie de libros schoenstatianos, indicando que se los enviaran de uno en uno en los próximos paquetes. En primer lugar, *Bajo la protección de María*, la *Ascética orgánica, En las alturas del Tabor.* Asimismo, el capellán Dresbach, en carta a su hermana, le pidió *En las alturas del Tabor* y *Las glorias de María.* Por esa misma fecha, el P. Fischer confirmó la recepción de dos de los libros solicitados.

El 11 de julio, el P. Fischer escribió: "Los nuestros que luchan en el frente estarían muy contentos de recibir algunos libros para el cultivo del espíritu. Piensen, por ejemplo, en *El santo del día de trabajo, La riqueza de ser puro, Ascética orgánica, En las alturas del Tabor...*"

El 5 de septiembre, el P. Fischer comunicó recepción de un envío de libros y pidió más: "Ustedes pueden enviar tranquilamente de mi colección: *La Providencia, Configuración en Cristo por María*, y, de nuevo, *Ascética Orgánica...*"

El 19 de septiembre, el capellán Dresbach hace saber a su hermano que: "...recibí de tu parte dos paquetes con libros. Seguramente no serán los últimos..." En octubre, anota dos veces en sendas cartas: "Necesitamos algo para calentarnos los riñones, cordones de zapatos y algunos ejemplares de *Las alturas del Tabor.* Serían una valiosa ayuda para nosotros (31 de octubre)". El 28 de noviembre, pide más libros: "No olviden abastecer bien de literatura, justamente ahora, en el invierno, a los soldados que están en el frente. Así se ha esparcido alguna semilla, y va brotando".

Por cierto que ningún libro enviado a un prisionero a través del correo regular le era entregado, sin más, por la jefatura del campo de concentración. La oficina de control de paquetes lo enviaba primero a la oficina de censura. Si allí no era rechazado, iba directo a la biblioteca del campo de concentración, que lo agregaba a su colección con los rótulos correspondientes. El dueño del libro, cuyo nombre había sido consignado en la oficina de control, podía pedirlo prestado durante toda su permanencia en el campo de concentración. Si era liberado, lo cual, como hemos visto, sucedía ocasionalmente, el libro quedaba en la biblioteca.

Los schoenstatianos reunieron toda la literatura del Movimiento que fue posible. De acuerdo con los datos del P. Fischer, con el tiempo llegaron a tener tantos libros que de algunos había dos ejemplares. Los sacaban en préstamo después que los ingresaban a la biblioteca; luego se los iban pasando entre ellos, hasta que llegaron a organizar un tráfico interno de libros prestados.

Sin esta literatura habría sido muy difícil, a la larga, realizar trabajos de grupo. Gracias a los libros podían preparar cuidadosamente las reuniones de grupo. Además, éstos les permitían estudiar el Movimiento de Schoenstatt en forma intensiva. Pero no sólo los schoenstatianos pedían libros sobre el Movimiento: algunos pastores evangélicos también mostraban un vivo interés en ellos.

Un día sucedió algo extraño: el libro del P. Menningen, *Héroe de la vida diaria,* una biografía de José Engeling prohibido años atrás por la Dirección Superior de Seguridad del Reich, en Dachau pasó por la censura del SS y fue recibido en la biblioteca.

Sucedió que un párroco evangélico pidió el libro, que había ingresado de contrabando. Inconsciente del problema que podía haber creado, lo llevaba bajo el brazo cuando fue a la biblioteca a pedir un libro. El prisionero que estaba en la ventanilla se fijó en el libro e hizo que se lo entregara. Al comprobar que no figuraba en el catálogo correspondiente, lo envió a la oficina de censura. No obstante, en vez de retenerlo allí, lo hicieron empastar, lo marcaron y lo devolvieron a la biblioteca para uso general.

Capítulo 14

COMUNICACIÓN CON EL EXTERIOR

1. Las Hermanas de María en las "plantaciones"

No mucho tiempo después de que el escribano polaco del comando del invernadero N° 3, Schönwälder, preguntara al P. Fischer si se interesaba en enviar "correo negro" por una vía segura, le hizo otra pregunta que lo sorprendió aun más: ¿No querría recibir visitas, ocasionalmente? Esto podía arreglarse, le dijo a un perplejo P. Fischer.

En el campo de concentración había un kiosco donde se vendían flores al público. Cualquier persona podía ir a comprarlas. Normalmente la venta estaba a cargo de los empleados civiles del campo de concentración, pero de vez en cuando la hacían los prisioneros. Nadie preguntaba al comprador si venía de Dachau, de sus alrededores o de más lejos. Por cierto que tales visitas, como es posible imaginar, conllevaban algunas dificultades y riesgos.

No cualquier prisionero podía, sin más, ir al kiosco a recibir visitas. Si lograban entrar allí con algún pretexto, tenían que hacerlo sin ser vistos, especialmente por los vigilantes del SS. En caso de ser sorprendidos había que hacer lo posible por no suscitar sospechas. Todo esto hacía aconsejable que sólo personas con nervios muy firmes y mucho dominio de sí mismas corrieran ese riesgo.

El P. Fischer preguntó al P. Kentenich qué opinaba de esta nueva posibilidad de entablar contactos con el exterior, aun cuando pensó que la desaprobaría. Después de escuchar muy atentamente, el P. Kentenich opinó que había que intentarlo. Lo que contaba Schönwälder hacía suponer que estas visitas se habían realizado a menudo y con éxito.

En vista de ello, el P. Fischer envió a su casa una invitación disimulada: "Simón va a trabajar ahora como jardinero". Era una alusión a su labor en el invernadero N° 3, en los caminos al aire libre, algo que sus familiares ya sabían. "El tiempo está esplendoroso", esto no sólo tenía un sentido físico. "Seguramente va a estar rebosante de salud... También puede plantar flores a pesar de los reglamentos restrictivos, y venderlas a otras personas, especialmente para ser enviadas a los soldados heridos. Si uno de ustedes lo visita, salúdenlo cordialmente de mi parte".

Sus familiares entendieron el sentido de esta carta llena de indicios e informaciones veladas, pero que no daba ninguna indicación respecto a quién iba dirigida la invitación, si bien la mención a los soldados heridos hacía pensar en las Hermanas de la Casa de Ejercicios de Schoenstatt, que hacía dos años cumplía la función de hospital.

La primera persona que se dio por aludida y quiso aceptar la invitación fue la madre del P. Fischer, que en julio cumplía 75 años. Ella hizo comunicar a Dachau que tenía el propósito de ir a las plantaciones a visitar a su hijo sacerdote. El P. Fischer y el P. Kentenich, por cierto, se sintieron muy impresionados por su actitud, hermoso ejemplo de valor y de amor de una madre por su hijo. Pero en carta del 16 de mayo, el P. Fischer hizo lo posible por disuadirla: "Me causa mucha alegría que mamá, a su avanzada edad, tenga un espíritu tan emprendedor. Sin embargo, no le aconsejaría un viaje tan largo en una región tan peligrosa debido a los bombardeos. Hay que conocer muy bien el lugar y tener mucha sangre fría. Los frutos podrían eventualmente no

La estación central de Munich, "Munich Sendling", después de la destrucción de 1943.

estar a la altura del esfuerzo. La sugerencia estaba pensada sólo para Catalina (la hermana del P. Fischer) o para una de las hermanas", referencia a las Hermanas de María.

La madre del P. Fischer acogió estos reparos y también su hermana renunció a hacer el viaje. En lugar de ellas, se pusieron en camino desde Schoenstatt, a principios de junio, dos Hermanas de María: la Hermana Laurentia y la Hermana Mirjam. Alojaron en un hotel de Munich para, desde allí, acercarse a las plantaciones del campo de concentración. Uno o dos días antes de la visita, para estar más seguras, preguntaron a través del "correo negro" a qué hora debían encontrarse en el kiosco del invernadero. La respuesta, encargada a un hombre del SS dispuesto a ayudar y que fue despachada al hotel, decía en lenguaje muy burocrático: "El 4 de junio de 1943 se puede comprar flores y plantas en las plantaciones, invernadero N° 3 (excepto en la hora de almuerzo, de 11:30 a 13:00 horas)".

Prisioneros trabajan en las plantaciones.

El P. Fischer y el escribano habían tomado de antemano todas las precauciones necesarias. Para estar bien seguros, pusieron al corriente de sus planes a un empleado civil que atendía el kiosco para el SS, pero que estaba del lado de los prisioneros. Finalmente, informaron al capo comunista del comando, quien prometió guardar silencio.

El 4 de junio, festividad de María Reina de los Apóstoles, comenzó en forma muy alegre para el P. Fischer. Como agradecimiento por su prédica del último domingo de mayo, pudo celebrar la santa misa en la capilla del campo de concentración. Ésta era la segunda que podía celebrar desde su ingreso a Dachau, dos años atrás: había llegado desde Coblenza justamente el 4 de junio de 1941.

Una vez comenzado el trabajo en las plantaciones, se mantuvo atento toda la mañana para que no pasara inadvertida la llegada de las Hermanas. ¡En vano! Hasta la pausa del mediodía, no aparecieron. Cuando regresó al campo de concentración y quiso comunicar al P. Kentenich su desilusión, él le salió al encuentro y le contó que había recibido de las Hermanas todo un atado de cartas. Su desilusión se hizo aun mayor: mientras él esperaba poder llevar al P. Kentenich la correspondencia, ésta le había llegado por otro camino. ¿Qué había sucedido?

Las dos Hermanas no habían permanecido ociosas en el hotel. Descubrieron a un empleado de correos que era un buen católico y que trabajaba en la oficina de correos del campo de concentración. Le entregaron las cartas que traían consigo. Aparte de eso, habían enviado con él un papel con la noticia de que querían visitar a "Simón". Por lo tanto, el P. Fischer podía contar con que aparecerían por la tarde.

Finalmente, llegaron. Cuando las divisó, estaba trabajando al aire libre en un campo. Se echó al hombro el rastrillo, para disimular, y se dirigió al invernadero. Por la ventana posterior le hizo señas al empleado del kiosco, quien le dijo que no había peligro, que podía entrar. Una vez adentro, se puso a contar las plantas que había en un canasto. Cuando por fin entraron las Hermanas, tanto ellas como el P. Fischer se alegraron tanto que, en un primer momento, olvidaron toda precaución y se saludaron en la puerta. Pero la alegría les duró poco; muy luego surgió un peligro: Schönwalder, el escribano, llegó bastante agitado al kiosco y les susurró: "¡El jefe del comando está muy cerca!", un hombre del SS, y pasó al P. Fischer una orden escrita para que fuera a buscar plantas al invernadero N° 6. Sólo la Hermana Laurentia debía quedarse en el kiosco y comprar flores (así lo habían acordado), agregó aun más asustado. Rápidamente hizo entrar a la Hermana Mirjam al invernadero pero, como vio que el jefe del comando ya estaba ahí, se hizo humo.

A todo esto, la Hermana no se había dado cuenta de lo que pasaba; curiosamente, su ignorancia resultó ser su mejor aliada. A la entrada del invernadero vio al capo del comando, a quien no conocía. Como vio que estaba atando un ramo de flores, le dijo que quería comprar uno igual a ése, a lo cual el capo respondió: "Sí, Hermana, pero tiene que tener un poco de paciencia, todavía tengo que atar otro ramo. Tome asiento y espéreme un momento". Al poco rato, el jefe abandonó el invernadero, se subió a una bicicleta y se fue al invernadero N° 6.

El P. Fischer, que había observado esta escena, volvió al kiosco con las plantas que Schönwalder le había anotado. Allí pudo conversar un poco más con la Hermana Mirjam, quien, entretanto, había comprado un ramo de flores. Pero después de lo sucedido no le pareció aconsejable prolongar la conversación.

A pesar de todos los esfuerzos por encubrir las cosas, la visita de las Hermanas había llamado la atención. Ese mismo día, el jefe del comando preguntó al escribano si conocía a las Hermanas que habían ido a comprar flores. Schönnwalder respondió, haciéndose el desentendido, que tal vez fueran enfermeras que acompañaban un transporte de soldados heridos.

Como las Hermanas no habían venido vestidas de civil, sino con su hábito, los sacerdotes alemanes reconocieron inmediatamente a las Hermanas de María schoenstatianas. Un sacerdote de Schoenstatt, de la diócesis de Speyer, se había acercado a las Hermanas a saludarlas. Varios sacerdotes felicitaron al P. Fischer por el "gran día". La visita de las Hermanas se convirtió en tema de conversación en las plantaciones y en los bloques, cosa que no era en absoluto conveniente.

Esa noche, el P. Fischer tuvo que describir a su maestro la visita con todos sus detalles. El P. Kentenich se alegró de todo corazón, pero estuvo de acuerdo con el P. Fischer en que había que tomar más precauciones en caso de producirse otras visitas. Como más tarde se enteraron de que la jefatura del campo de concentración se había percatado de la visita de las Hermanas, y que habían sospechado que eran Hermanas de María schoenstatianas, dio contraorden respecto de una segunda visita, planificada para el 21 de junio. Cuando las Hermanas vinieron de nuevo a Munich, desde Schoenstatt, al llegar al hotel se encontraron con una nota categórica: "¡No venir a Dachau por ningún motivo!"

También rechazaron una visita programada para la semana de Pentecostés. La negativa fue comunicada en unos versos algo humorísticos, transmitidos a Schoenstatt por medio del correo negro. Decían así:

"Cuando san Juan estaba en Patmos / dio a su rebaño esta noticia / para Pentecostés, quedarse en casa; / esto redunda más "in Dei laus".

Una poesía compuesta en los días siguientes, explicaba más detalladamente las razones para evitar nuevas visitas a las plantaciones, al menos por el momento:

Muchas gracias por las noticias.
Si a la luz de la fe
apreciamos y aumentamos
el reino de Dios y su honor
como lo más elevado,
triunfaremos siempre y en todas partes,
aun cuando todo el mundo nos combata...

Nadie debe venir a Patmos.
Hace tiempo que ya se sospecha
que Juan [290] *mantiene contactos*
y, a pesar de las barreras, se empeña libremente en ello.

Por eso, desde hace meses,
desde Bizancio [291] *hay búsquedas permanentes,*
que se hacen sentir también en Patmos.

Después de la visita,
en la mañana siguiente,

---

290 Juan: P. Kentenich.
291 Bizancio: Coblenza. La Gestapo de Coblenza tenía sospechas, y en Dachau se daban cuenta de ello.

se supo de la seria preocupación
que había en lugares oficiales:
él [292] *es la causa de la visita.*

Ninguna búsqueda, ninguna investigación
arroja resultados hasta ahora.
Por lo tanto, no te dejes cohibir,
pero tampoco te apremies con imprudencia.

Allí donde actúa la Madre de Dios
está siempre activo su contrincante.

Ella aplastará su cabeza,
si estamos atentos y rezamos.

Así iremos tan lejos
como lo hemos hecho hasta ahora.
Llenos de ánimo y prudencia, osamos decir:
"Dios dirá la última palabra.

2. Canasto de frutas desde el hospital San José

La visita de las Hermanas, a pesar del recelo que había suscitado, no tuvo consecuencias perjudiciales. A comienzos de agosto y fines de septiembre se produjeron dos incidentes, de los cuales uno pudo ser superado en ese momento, pero el otro desató una reacción en cadena.

El lunes 2 de agosto de 1943, llegó a Dachau, para el P. Kentenich, un canasto con peras enviado por las Hermanas del hospital San José de Coblenza. Junto con otros envíos, fue llevado a la pieza 26/2 para pasar allí por el control del SS antes de ser entregado a los destinatarios. Uno de los hombres del SS puso el canasto a un lado, pero con el golpe que le dio no sólo cayeron peras sobre la mesa sino también un segundo fondo y, con éste, una gran cantidad de cartas, papeles y dibujos.

---

292 El P. Kentenich.

Las Hermanas o no habían entendido bien o no habían tomado suficientemente en serio la advertencia que P. Kentenich les había hecho llegar en abril a propósito de la torta enviada desde la misma filial. En esa ocasión, el P. Fischer había escrito a Coblenza: "Que la bomba no haya estallado frente a la casa del tío fue algo tres veces admirable". Una desobediencia tan grave a las estrictas normas del campo de concentración se hacía merecedora de severos castigos. Un sacerdote a cargo de ayudar en el control del correo trató de convencer al guardia para que sencillamente echara a la salamandra todos los escritos, algo imposible debido a la presencia de otro hombre del SS a cargo de vigilarlo. Anotaron el nombre del destinatario y la dirección de la remitente, la superiora del hospital de Coblenza. Y el asunto siguió su curso.

Después de esto, el P. Kentenich fue sometido a un control más estricto. Él mismo, por la vía más rápida posible, dio instrucciones de no enviar comunicaciones escritas de ninguna clase en los paquetes. Para estar prevenido en caso de que lo interrogaran, también pidió que le informaran en detalle los contenidos de las cartas. Por lo demás, se mantuvo relajado y optimista. "Van a ver ustedes, le dijo al P. Fischer, que todo va a salir bien". De hecho, a él no lo molestaron con este asunto.

La historia no terminó tan bien para la superiora de las Hermanas de Coblenza. Recibió una orden de presentarse a la Gestapo en la calle Vogelsang. Felizmente, el empleado que tomó su caso resultó ser, en cierto modo, tratable y amistoso, y hasta le dijo a su jefe que las cartas encontradas en el canasto eran todas enteramente inocuas, que bastaba con amonestar a la superiora y amenazarla con una elevada multa en dinero para que aprendiera a acatar órdenes. Pero tanta suavidad no fue del gusto del jefe, quien insistió en hacerla encarcelar por una semana. El encargado no debía decírselo, así la Hermana quedaría en la incertidumbre durante todo ese tiempo y la lección se le grabaría con más fuerza. Sin embargo, al comenzar el castigo, el funcionario a cargo de encerrarla le dijo la verdad. Para la fiesta de la Presentación de María, en noviembre, la historia del canasto de peras había terminado.

3. Fin de las comunicaciones a través de la oficina de correos

El P. Allebrod estuvo al centro del otro incidente. El contacto establecido a través de él y la oficina de correo en el campo de concentración había funcionado desde comienzos de abril sin dificultades. Pero, a fines de septiembre, se descubrió una carta para él, a raíz de lo cual quedó sometido a vigilancia especial. Era de suponer, por lo tanto, que los paquetes con cartas de contrabando que le enviaban al P. Kentenich, a nombre del P. Allebrod, corrían serio peligro de ser descubiertos.

El P. Kentenich envió inmediatamente una advertencia: *"San Juan escribió una vez desde Patmos: / debéis mantenerme fuera de las cartas a Edus*[293]*./ Escribid, no enviéis nada hasta que yo os diga. / Dormid bien. Os deseo a todos muy buenas noches".* Para mayor seguridad, hizo despachar un telegrama a Schoenstatt por medio de un SS de su confianza.

Afortunadamente, en Schoenstatt se llevaba un recuento muy exacto de los despachos a Dachau y sabían cómo proceder. Dos Hermanas se dirigieron inmediatamente a Stuttgart en el tren rápido de la noche para alertar a otra Hermana que, desde allí, pretendía enviar otros dos paquetes a nombre del P. Allbrod. Lo lograron pero, desgraciadamente, uno de los paquetes ya iba en camino a Dachau.

En Dachau, los esfuerzos se dirigieron a atrapar los paquetes antes de que cayeran en manos del control del SS. El P. Kentenich, el

---

293 Edus: el P. Allebrod.

Inspección de Himmler al campo de Dachau.

P. Allebrod y el P. Fischer confeccionaron pequeños paquetes, iguales a los que iban a llegar, y los dejaron en la oficina de correos para que el P. Allebrod los cambiara por los auténticos. (Aún no se sabían cuántos podrían llegar). El plan resultó.

El P. Allebrod logró que lo ayudaran dos sacerdotes polacos que venían diariamente a la oficina de correos a retirar los paquetes, que ya había aprobado el control. Cuando llegó el único paquetito peligroso, no pudieron retirarlo a tiempo: ya estaba en la fila de control cuando a uno de los sacerdotes polacos se le ocurrió llamar al jefe de la SS al cuarto contiguo. Con la rapidez del rayo, el otro hizo desaparecer el paquetito en su saco para la correspondencia, mientras el P. Allebrod ponía en su lugar uno de los paquetes preparados en el campo de concentración. En éste, naturalmente, el jefe no encontró nada que mereciera reparos. El 7 de octubre, la noticia arribó a Schoenstatt por "correo aéreo": "Llegó todo y fue recibido con agradecimientos".

Capítulo 15

CELEBRACIÓN DEL OCTAVO CENTENARIO DE UN LUGAR SANTO

1. Contratiempos en la vida del campo de concentración

Respecto a la salud y actividades del P. Kentenich en Dachau, en 1943 llegaban a Schoenstatt noticias cada vez más alentadoras. El P. Fischer escribió lo siguiente, en carta autorizada del 20 de junio: "Él vive todo el día en su mundo y trabaja en la Obra, donde Dios lo ha colocado. Sólo más tarde veremos lo que Dios ha estado haciendo y creando por medio de él".

En ese tiempo pudo dedicarse más a Schoenstatt gracias a que Jacob Koch, el capo de su comando de trabajo y uno los más antiguos de su pieza, más otro llamado Martin y un tercero a quien le decían Hanne, le dejaban cada vez más libertad. Esto significaba que podía dictar cartas y trabajos al párroco Bettendorf, su compañero de trabajo, que se había ofrecido con gusto para hacer el papel de secretario.

Por cierto que en un campo de concentración del SS nunca se estaba libre de sorpresas. De un día para otro, más aun, de un momento para otro, podían cambiar las cosas y esta relativa mejoría podía revertirse. Mientras más se prolongaba la guerra, peor se hacía la opresiva estrechez de los barracones, debido al ingreso de un número cada vez mayor de prisioneros provenientes de los países ocupados.

Para los sacerdotes del bloque 26, la estrechez se hizo especialmente desagradable en el verano de 1943, cuando ordenaron desocupar la pieza N° 2 para albergar allí al comando de sastres. Los sacerdotes de la pieza N° 2 debieron repartirse entre las piezas N° 3 y N° 4. No se consideró la pieza N° 1 porque allí, desde enero de 1941, se había instalado la capilla.

En los espacios para dormir, los camastros quedaron tan arrimados entre sí que los prisioneros tenían que acostarse de manera que la cabeza de uno quedara junto a los pies del otro. Como era verano, este hacinamiento los hacía sufrir mucho por las noches a causa del calor. El 11 de julio, el P. Fischer escribió a su casa: "Desde la festividad de la Visitación, las condiciones de vida para Theo y los suyos se han vuelto más duras". Theo era otro seudónimo del P. Kentenich.

El remedio vino de Weiß, jefe del campo de concentración. Catorce días después que los sacerdotes salieran de la pieza N° 2, inspeccionó el campo y estimó que a ellos se les había quitado demasiado espacio indebidamente. Por orden suya, a los sastres se les asignaron otros lugares, de modo que se reestablecieron las antiguas condiciones habitacionales, muy primitivas y que destrozaban los nervios, pero mejores.

Cuán repentinamente empeoraron aun más las cosas para muchos prisioneros, pudo experimentarlo el P. Fischer en el caso de un joven "prisionero de la noche y la neblina"[294], de nacionalidad holandesa y estudiante del área humanística, que se había interesado por Schoenstatt. El P. Fischer lo estaba preparando porque posiblemente ingresaría al pequeño círculo de candidatos al Instituto de los Hermanos de María. Estaban a mitad del proceso de formación cuando

---

294 Así llamaban a los prisioneros provenientes de los países ocupados de Europa occidental y que eran llevados a Alemania sin derecho a dar noticias sobre su paradero. La orden fue dada por Hitler a fines de septiembre de 1941, y seguida el 7 de diciembre de 1941 por el correspondiente bando del Alto Mando del Ejército. Martin Broszat, *Nationalsozialistische Konzentrationslager*, op. cit., p. 113.

llegó la orden de trasladar al holandés al campo de concentración de Natzweiler, en Alsacia, que tenía muy mala fama debido al pesado trabajo en las canteras. En la tarde, antes de su partida, el P. Fischer logró darle la comunión en el patio. El joven también hizo la primera consagración a la Madre tres veces Admirable de Schoenstatt.

2. Participación en la vida fuera del campo de concentración

A través de la correspondencia ilegal, que marchaba bien, desde su aislamiento el P. Kentenich podía participar en la vida de su fundación. Si fuera posible imprimirla, esta correspondencia ocuparía una importante cantidad de volúmenes. Gran parte de las cartas iba dirigida a particulares y tocaba asuntos privados: la vida religiosa del destinatario, sus esfuerzos en materias relacionadas con la formación del carácter y la ascética, su posición y labor en la comunidad a la cual pertenecía, entre otras cosas. Estas cartas no entran en nuestra exposición.

El P. Kentenich reaccionaba con especial prontitud cuando recibía noticias de que algún conocido suyo estaba sufriendo, sobre todo a causa de la guerra. A una Hermana de María que perdió simultáneamente a dos hermanos, caídos en el campo de batalla, le envió estos versos: "Si Dios te ha quitado dos hermanos / que ya no volverán a casa,/ vuélvete insistentemente hacia el Padre…/ Él será en todo tu consejero; / puedes hablarle siempre como hija / de tus alegrías, tus quejas, tus preguntas".

Cuando también el Santuario de la Mater ter Admirabilis que había en Colonia, al lado de la "Elendskirche", fue presa de las llamas a raíz de un bombardeo aéreo en junio de 1943, el P. Kentenich comparte el sufrimiento de las víctimas y se hace cargo de la pregunta que los angustia: ¿Cómo pudo ser destruido el Santuario, si es lugar predilecto de la Madre de Dios y si, como había insistido el P. Kentenich desde el estallido de la guerra, proporcionaba mejor protección que los sólidos refugios antiaéreos? El P. Kentenich respondió: "Hijo, ¿no has leído y meditado, entonces, sobre mi preocupación del año pasado, que estas crisis de fe tenían que sobrevenir si se tomaba en serio la Inscriptio?" Y termina con estas estrofas:

Oh Madre, haz que en esta tierra seamos
grandes milagros de fe y confianza.
Haz que seamos fieles a tu ejemplo
aun cuando todo se derrumbe a nuestro alrededor.
Creemos firme y filialmente, llenos de confianza,
que el Padre quiere construir un mundo nuevo,
que nos ha elegido como instrumentos
porque tú has dado a luz al Hijo entre nosotros.

El P. Kentenich escribió otros versos destinados a consolar a las Hermanas de María de Neheim. Sobre esta pequeña ciudad y sus alrededores se derramó una avalancha de agua a causa de la destrucción del muro de contención de un embalse del valle del Möhne, provocado por bombardeos ingleses. Murieron alrededor de cien personas. El P. Kentenich expresó su aprecio a las Hermanas porque habían colaborado en las labores de rescate con valor y espíritu de sacrificio: *"En medio de tantas ruinas/ y de lamentos humanos/ van figuras marianas/ a servir como María"*. Las Hermanas de Neheim había dado así un ejemplo elocuente: *"Una maravillosa imagen en pequeño/ de cómo Dios quiere brillar a través de nosotros/ en la medida en que en todo permanezcamos fieles"*.

La avalancha del valle del Möhne se convirtió para el P. Kentenich en una imagen de la época y de la misión que Schoenstatt tenía que cumplir en el futuro: *"Desde el cúmulo de ruinas/ veo un barco arribando a la orilla,/ que presagia una época y un mundo nuevos,/ porque es capaz de vencer"*.

3. 800 años fundación Primer Convento en Schoenstatt: 24 de octubre de 1943

En el mes de octubre de 1943, correspondía celebrar tres importantes eventos en la historia de Schoenstatt: el día 18, como era costumbre, día de la fundación de la Obra de Schoenstatt; el 4 de octubre se cumplían 25 años de la muerte de José Engling, y el día 24, el ya varias veces mencionado octavo centenario de la fundación del convento medieval de Schoenstatt.

En carta del 3 de octubre, el capellán Dresbach dice: "Ha llegado el mes de octubre, grande e importante. Esta vez se necesitan bendiciones sobreabundantes para ustedes y para nosotros. Mañana dirigiremos la mirada hacia nuestro hermano José Engling, el héroe. Él debe interceder para que la generación de la Segunda Guerra Mundial también llegue a ser una generación de héroes. Y el 24 será el gran día de la Familia…"

No hay relatos detallados sobre la celebración en Dachau del aniversario de la muerte de José Engling. Como el 4 de octubre fue en día de trabajo, no hubo tiempo para actos especiales. En sus recuerdos de la vida de su grupo, el capellán Dresbach menciona que tuvieron una pequeña celebración y que después compartieron una comida sencilla.

Tampoco se han conservado relatos sobre la conmemoración del día de la fundación de Schoenstatt, el 18. Parece que orientaron su tiempo y sus fuerzas hacia el día 24, en que debían celebrar, dentro de un marco más amplio, los comienzos de Schoenstatt en la Edad Media. Y como fue en día domingo, pudieron hacerlo.

El convento medieval de Schoenstatt, de las Monjas Agustinas, fue fundado por el obispo Albert, de Tréveris, el 24 de octubre de 1143, en tiempos del emperador Conrado III y de san Bernardo de Claraval. En el acta de fundación, el arzobispo dio el nombre al convento y al lugar: "Eyne schoene Stat"[295]. Las Hermanas habían venido de Lon-ning, Maifeld, donde tenían un convento cerca de una abadía fundada en 1137 por canónigos agustinos. El nuevo convento de Schoenstatt, cuya construcción fue posible gracias a una donación de los condes Gerlach, Reinbold y Siegfried von Isenburg, prosperó rápidamente. Ya en el siglo XII se comenzó a construir una imponente iglesia para el convento. En 1226, el arzobispo Teodorico, de Tréveris, exhortó a las Hermanas a que limitaran a cien el número de integrantes del con-vento, lo cual era señal de sus bondades y de que atraía vocaciones.

Sin embargo, a fines de la Edad Media, se inició la decadencia. Desde 1434 a 1436, se les impuso la excomunión. Al fusionarlo con un convento de agustinas proveniente de lo que actualmente es Ehren-breitstein, y que fue trasplantado a Schoenstatt, la decadencia se de-tuvo por algún tiempo. En medio de las borrascas provocadas por la escisión de la Iglesia en el siglo XVI, la comunidad del convento se re-dujo de tal modo que, en 1567, sólo había cinco monjas y siete her-manas laicas. Como la comunidad tampoco contaba con seguridad exterior, la superiora solicitó el traslado del convento a Coblenza, pe-tición que le fue concedida ese mismo año. El arzobispo Jakob von Eltz le asignó como nueva sede un edificio situado en la calle Vogel-sang, que hasta entonces había albergado un convento franciscano que honraba a san Jorge. Estaba casi exactamente en el mismo lugar donde, cuatro siglos después, el P. Kentenich estuvo prisionero des-de el 20 de septiembre hasta el 18 de octubre de 1941, en la bóveda oscura de un subterráneo de la Gestapo.[296]

Toda la propiedad que había en Schoenstatt fue adquirida, a raíz del traslado del convento a Coblenza, por la corte de Tréveris. En los siglos siguientes, Schoenstatt tuvo diversos propietarios. En 1901, se instaló de nuevo una comunidad religiosa: la Sociedad Misional de los

---

295 En español, un hermoso lugar.
296 Sobre la historia del lugar y de la calle de ese nombre, véase el artículo de la revista *Reg-num,* 1941, Nº4, p. 187-189.

Palotinos, que había sido fundada en Roma por Vicente Pallotti y establecida en Alemania, en 1892.

Pertenecía también a la antigua Casa que había cerca de las dos torres del convento, adquirida por los palotinos, la capilla de san Miguel, que antiguamente fuera capilla del cementerio de las agustinas. Un documento de 1319 la menciona. En 1633, durante la Guerra de los 30 Años, fue saqueada e incendiada por los suecos, junto con la gran iglesia del convento, y fue reconstruida en 1681. La misma suerte corrió durante las guerras napoleónicas, a comienzos del siglo XIX. La reconstrucción se hizo durante el siguiente período de paz, respetando el antiguo diseño.

En 1914, esta capilla fue el lugar de origen y centro del nuevo Schoenstatt, el Movimiento Apostólico y sus numerosas comunidades. El Movimiento de Schoenstatt se difundió durante la Primera Guerra Mundial, primero por Alemania y después por muchas otras partes del mundo. Fue fundado el 18 de octubre de ese año, con una plática que el P. Kentenich dio en la capilla y que hasta hoy se conoce como el Acta de Fundación.

La profunda conciencia histórica y religiosa del P. Kentenich se demuestra en el hecho que, como fundador y director del moderno Schoenstatt, no haya pasado por alto la historia del Schoenstatt medieval y sus episodios relevantes; por el contrario: les dio gran importancia, los recogió y quiso grabarlos en la conciencia de la Familia de Schoenstatt. Con más de un año de anticipación, en medio del verano de hambre de 1942, había recordado a los suyos la fundación del primer convento de Schoenstatt, 800 años antes.

En preparación a este aniversario, en el verano de 1943 aprovechó, entre otras cosas, *"El Espejo del Pastor"*. En este poema, manifiesta su deseo de que, tanto en la preparación del octavo centenario como en la celebración del mismo, se realizaran actos de expiación.

Porque el nuevo Schoenstatt tiene mucha relación con el antiguo. Participa del hecho de haber sido elegido y, por tanto, de sus bendiciones; pero también tiene que contar con el lastre acumulado a lo largo de los siglos. Porque un lugar elegido y bendecido por Dios, generalmente atrae al demonio. Y es parte del misterio del mal y de la libertad humana que también en estos lugares se produzcan serias violaciones a la voluntad de Dios, acumulando así graves culpas. El P. Kentenich trató de hacer comprender a los suyos que la misión que Dios había encomendado a Schoenstatt exigía también una seria expiación por las culpas acumuladas en los 800 años de historia de ese lugar.

A raíz de sus tentativas por hacer comprender estas cosas, el P. Kentenich se dio cuenta de que el hombre actual había perdido, hacía mucho tiempo, la noción del contexto histórico que lo antecede y rodea, el concepto de la comunicación e interdependencia que se da en la historia, en virtud de la cual el pasado vive inserto en el presente y el presente decide el futuro.

Por eso escribió en *"El espejo del pastor"*:

*"Lo que escribí hace algunos meses sobre la expiación cuando
aún les llegaban mis cartas nadie lo entendió.
Por eso golpeo una vez más a sus puertas..."*

En la estrofa subsiguiente intenta que comprendan la necesidad de realizar actos de expiación, tanto desde el punto de vista de la realidad sobrenatural como de la secuencia de los hechos históricos:

*"Ustedes conocen la importancia de nuestro lugar.
No necesito decir nada más.
Saben que depende de la protección de Dios y de sus
bendiciones
abundantes e inagotables.
Los pecados impiden su protección
y los hay en abundancia*

durante 800 años acumulados.
Ellos son como pesadas cadenas
¿Quién nos ayudará a salvarnos de su lastre?"

Un poco más adelante, dice:

"La fidelidad al lugar exige
no sólo nuestra penitencia,
sino la expiación / como auténtica corriente…"

Y el P. Kentenich no puede ocultar una cierta desilusión:

"Yo esperaba una lucha así / celebrando el octavo centenario,
pero no escucho ningún cántico de reparación.
Somos tal vez hijos de nuestra época.
La expiación está lejos de nosotros, tan lejos, tan lejos".

En una carta del P. Fischer, con fecha 17 de octubre de 1943, el P. Kentenich envió una estrofa de cuatro versos que expresa concisamente su petición sobre cómo conmemorar el octavo centenario:

"Que Dios bendiga a la familia y su misión
la conduzca más y más
hasta que se cumpla a cabalidad
lo que le fue encomendado.
Como ofrenda nos entregamos por ellos,
para que en nosotros
Dios haga su voluntad".

En la misma carta comunica que la comunidad schoenstatiana de Dachau se reuniría a la 1:25 de la tarde en la capilla del campo de concentración para celebrar la santa misa. El capellán Dresbach contó que después del P. Kentenich, él también iba a celebrar Misa por primera vez desde su llegada a Dachau, hacía más de dos años. Aparte de ello, nos hace saber que la comunidad schoenstatiana de Dachau quería preparar ese día con una novena.

4. La santa misa

Referente a la tarde del 24 de octubre, el capellán Dresbach sólo dice: "¡Qué magnífico día fue el 24! La familia defiende maravillosamente la causa de la Madre y su Obra. La misa celebrada por el P. Kentenich en la tarde congregó a toda la Familia. Yo también pude celebrar en la capilla".

En Schoenstatt, la celebración del octavo centenario tuvo una nota especial con la consagración de la parroquia de Vallendar a la Madre tres veces Admirable de Schoenstatt. El P. Bezler había preparado a la comunidad parroquial para este acontecimiento con un triduo. El 24 de octubre, se celebró una misa solemne en la Iglesia de Peregrinos. Por la tarde, el párroco, asistido por sus dos coadjutores, celebró el acto de consagración. El día finalizó con una obra de teatro de la Hermana Uta, titulada *"La lucha por un lugar santo"*.

Capítulo 16
FIN DE AÑO

1. Otras dos visitas a las "plantaciones"

Después del contratiempo en la oficina del correo del campo de concentración, a fines de septiembre y comienzos de octubre no pareció aconsejable seguir empleando el camino a través del P. Allebrod. La SS estaba alerta e iba a vigilarlo por largo tiempo. En vista de ello, el P. Kentenich decidió intentar de nuevo la vía de las plantaciones e invitar a las Hermanas de María a que vinieran de visita, porque así se podría intercambiar una cantidad considerable de correspondencia.

Habían transcurrido cuatro meses desde la primera visita. Esta vez las Hermanas de María no debían usar el hábito, que llamaba la atención, sino vestir ropa corriente. Pocos días después del feliz término del asunto del paquetito, el P. Kentenich hizo llegar a Schoenstatt una nueva invitación a través del "correo negro":

"Cuando san Juan estaba en Patmos,
vio en torno a él al grupo de los suyos
y escribió brevemente y con convincente claridad:
El día de Santa Maternitas [297] *a las nueve,*
Laura [298] *puede, como otrora, estar aquí en el jardín.*
Vista como lo hacía antes en el mundo;
deje de lado la vestimenta consagrada.

---

297   Santa Maternitas: Festividad de la Maternidad de María, celebrada el 11 de octubre. Al mismo tiempo, festividad de la patrona del Santuario de Schönstatt.
298   La Hermana Laurentia.

Pase de largo la casa de su amigo
y vaya directamente al jardín que conocemos.
Traiga noticias y dinero para flores.
Ésa es mi petición para la fiesta de hoy".

La invitación, empero, llegó el 12 de octubre a Schoenstatt y no pudo realizarse el encuentro. En carta del 17 de octubre, el P. Fischer se dice: "Lástima que la invitación a la colega Katharina para la festividad de la maternidad haya llegado demasiado tarde". Pero en el mismo texto menciona una nueva fecha: "Es de esperar que resulte a fines de octubre".

La nueva invitación fue fijada para el jueves 28 de octubre, festividad de los apóstoles Simón y Judas. Esta vez no debía haber ningún contacto con el empleado del correo del campo de concentración, como el 4 de junio, pues al P. Kentenich le pareció demasiado peligroso.

En esta ocasión sólo vino la Hermana Laurentia a las plantaciones y al invernadero. Su acompañante, la Hermana Josefina, esperó afuera. Había que concentrarse en lo esencial: el intercambio de correspondencia. La conversación tenía que ser muy breve. El P. Fischer escondió la correspondencia en un hueco que había excavado en la arena, debajo de una de las mesas del invernadero.

Si bien la visita se realizó sin contratiempos, no pasó inadvertida. Michael Siegert, un empleado civil de la plantación que vivía con su familia en Herbertshausen, un pueblo vecino, se acercó ese mismo día al P. Fischer y le dejó caer este comentario: "Usted tuvo visitas". El P. Fischer, que conocía bastante bien a Siegert, se dio cuenta del sentido que tenía esta observación. No intentó disimular: le contestó francamente: "Sí, la cosa es peligrosa; a usted ya le llamó la atención". Sintiendo que debía decirle algo más, le preguntó si podía ayudarlos y hacer de intermediario, así las Hermanas no tendrían que correr tanto peligro viniendo a las plantaciones. El intercambio de correspondencia podría hacerse en la casa de Siegert. Para hacerle más fácil la ayuda, el P. Fischer le explicó que la correspondencia de la cual le pedía que se encargara no contenía ningún tipo de noticias sobre las circunstancias o procedimientos del campo de concentración, sino que era de índole puramente religiosa y muy importante para la fundación del P. Kentenich, la Obra de Schoenstatt.

Las palabras del P. Fischer deben haberle impresionado. Después de reflexionar durante más o menos una hora, Siegert volvió y le dijo: "Está bien, colaboro". El tiempo demostró que tanto él como su esposa eran absolutamente confiables. De esta manera, a raíz de la visita del 28 de octubre se abrió otra puerta hacia afuera, que compensaba sobradamente la pérdida de la vía a través del P. Allebrod.

Esta nueva posibilidad fue empleada por primera vez con ocasión de la siguiente visita de las Hermanas a las plantaciones, el 25 de noviembre, justamente cuatro semanas después. Esta vez las dos Hermanas se atrevieron a ir nuevamente al lugar de ventas del invernadero. Allí, el P. Fischer estuvo, afortunadamente, un tiempo lo suficientemente largo con ellas como para explicarles el acuerdo con Siegert y describirles el camino a Herbertshausen, donde su esposa les entregaría la correspondencia.

La visita se desarrolló nuevamente sin dificultades de ninguna clase. Por eso, el P. Fischer pudo escribir en la carta del domingo siguiente (28 de noviembre): "A Laura y su colega (la Hermana Virginia había sido esta vez su acompañante) las felicito de todo corazón con motivo de la carrera de obstáculos que resultó tan bien. Admiro el ánimo y me alegro muchísimo por la forma en que superaron un obstáculo tras otro, cosa que me preocupaba. Todos tenemos que estar muy agradecidos…"

A partir de esta visita, cada 14 días iba una Hermana a Herbertshausen para entregar y recibir correspondencia. En esa misma época, el P. Kentenich tuvo la alegría de verificar que el hombre del SS de más edad, recientemente nombrado jefe del bloque 26 de los sacerdotes, que a menudo había sostenido conversaciones muy francas con él, estaba igualmente dispuesto a transmitir correspondencia ilegal hacia Schoenstatt. Cuando este hombre, a mediados de noviembre de 1943, fue con permiso a su tierra de Baden, envió, por ejemplo, un telegrama a Schoenstatt para avisar que la Hermana Laurentia podía visitarlo para recoger unos papeles que él había traído de Dachau.

Después de todo esto, se puede decir que entre el P. Kentenich y su fundación se realizaba un floreciente intercambio de correspondencia. Se comprende que el P. Fischer, en carta del 28 de noviembre de 1943, escribiera: "Él está extremadamente contento, lleno de alegría por la fidelidad, la preocupación por él y el amor que recibe; por el celo de sus familiares y las abundantes noticias que recibe de su casa".

2. Navidad de 1943

También el trabajo de los grupos, que después de Pentecostés se había puesto lentamente en marcha, daba frutos alentadores. Leo Fabing, sacerdote de Lotaringia, y su compatriota Haumesser, de Alsacia, hicieron su primera consagración a la Mater ter Admirabilis de Schoenstatt. El primero la hizo el día de la Presentación de la Virgen, y el otro en la fiesta de la Inmaculada Concepción.

El grupo del P. Fischer decidió prepararse con especial devoción para Navidad durante las cuatro semanas de Adviento. Destinaron la primera semana al cultivo de la oración y del espíritu de oración; la segunda, a la festividad de la Inmaculada Concepción; la tercera, a reflexionar sobre la expiación; y la cuarta, al apostolado mediante la caridad práctica hacia sus camaradas.

Para alegría del P. Fischer, en la Noche Buena el sacerdote polaco Boleslan Burian, "Bolek", como le decían, se decidió a participar en el grupo schoenstattiano con sus *confratres* polacos. No se realizó, sin embargo, el día de retiro antes de Navidad propuesto por Ignaz Jez.

Soldados celebran la Navidad junto a Hitler.

En todo el bloque 26 de los sacerdotes, los preparativos para Navidad se iniciaron con bastante anticipación. A mediados de noviembre, el capellán Dresbach anunció que él daría la plática en la capilla del campo. Evidentemente, el capellán Schelling se lo había pedido. Dresbach se alegró mucho, porque como recompensa por la prédica podría celebrar misa el día de Navidad o en los días siguientes. En la misma carta le comunicó a su hermana que había cambiado de comando de trabajo: el 4 de noviembre había sido trasladado al comando del correo. Debía comenzar a trabajar muy temprano: a las 5 am. A las 6 am. iban a buscar a la estación de ferrocarril los paquetes con destino al campo de concentración de Dachau, bajo estricta vigilancia del SS. A cambio de ello, quedaban desocupados a las 9 am., y Dresbach podía ponerse a disposición del P. Kentenich por el resto del día, como segundo secretario.

Desde 1932, como parte de la preparación a la Navidad, el P. Kentenich acostumbraba formular y anunciar el lema del año para la Familia de Schoenstatt. Hasta que fue encarcelado, generalmente lo daba a conocer la misma Noche Buena, en la plática que daba en la capilla de la Casa de Ejercicios de Schoenstatt. Estando en Dachau, tenía que comunicarlo antes, para que al comenzar el nuevo año lo dieran a conocer en la reunión que tenían tradicionalmente, entre Navidad y Año Nuevo, los dirigentes del Movimiento.

El primero en comunicarles el contenido del lema fue el P. Fischer: "Vengo recién de la misa de Adviento", les dice en una carta. "El nuevo año eclesiástico ha comenzado y para nosotros es el año de la fidelidad".

La carta del capellán Dresbach, del mismo primer domingo de Adviento, contiene explicaciones más detalladas: "...Así, pues, Dios quiere nuestra fidelidad durante el nuevo año eclesiástico. La busca y la espera de nosotros cada día. No se nos imponen nuevas tareas, sino que él desea el cumplimiento fiel y fidelísimo de las antiguas, conocidas y ejercidas desde hace tiempo. Y aquí la caridad es la tarea principal. Lo más pequeño, lo que menos luce, hecho con caridad, con caridad fiel, es grande a los ojos de Dios. Aquellos de entre nosotros que se esfuerzan cada vez más en anteponer la fidelidad a todo lo demás, y así lo piden, van en camino hacia lo alto. Nuestro Señor no conoció ni quiso otra cosa. Y su Madre fue fiel, justamente en la hora en que la fidelidad a los deseos del Padre se le hacía más difícil. Una y otra vez hemos de reflexionar sobre el valor de nuestras antiguas prácticas, introducirlas concreta y firmemente en nuestro programa de vida, y examinar y revisar su cumplimiento. ¡Y todo por la Familia! Entonces tendremos un año de gracias..."

El sentido del lema del año 1944, se expresa sucintamente en la forma definitiva que le dio el P. Kentenich: "Por fidelidad a la consagración, apóstoles de la consagración".

Por "consagración" se entendía la Inscriptio hacia la cual se encaminaban, inspirados en el 20 de enero de 1942, cada vez más sectores de la Familia de Schoenstatt. El acento principal para el año debía ponerse en la palabra programática "fidelidad" y, más aun, en una fidelidad práctica, llevada a la realidad en la vida diaria de la Segunda Guerra Mundial, que era agotadora al extremo y marcada cada vez más por el sufrimiento y la muerte.

El P. Kentenich se daba cuenta de que la creciente destrucción y disolución de todo lo que antes existía, que la catástrofe de la guerra, constituían un desafío único para la fidelidad, que él había descrito años atrás como el "intachable, heroico y fiel cultivo del primer amor".

En medio de los preparativos para la Navidad sucedieron dos hechos que suscitaron gran inquietud y generaron una atmósfera sombría, especialmente entre los sacerdotes del campo de concentración. El primero se produjo el 15 de diciembre y afectó al P. Kentenich. El segundo ocurrió una semana después y se centró en Hans Carls, su compañero de sufrimientos desde el principio.

Con motivo del toque diario que llamaba a formar filas para pasar revista, el 15 de diciembre de 1943 apareció allí otra vez, en la revista de la tarde, el jefe del campo de concentración, von Redwitz, quien tenía un alto grado en el SS. Estaba muy ebrio, lo cual no era raro en él. Comparado con su antecesor, era un jefe en cierto modo soportable, excepto cuando estaba ebrio, pues entonces se volvía totalmente impredecible. Venía de la fiesta del solsticio de invierno, que el SS celebraba en lugar de la Navidad cristiana. Después de haber estado con los jóvenes prisioneros rusos, casi niños, se plantó delante del bloque de los sacerdotes alemanes.

Aun cuando el P. Kentenich estaba en la cuarta o quinta fila, von Redwitz fijó los ojos en él y quiso hacerle una especie de examen, para lo cual se sentía muy competente por haber sido católico. Joseph

Revista de prisioneros.

Joos relata en *"Vida hasta nueva orden",* que von Redwitz se dirigió primero al P. Kentenich diciéndole: "Tú, ¡Consejero Espiritual!" (título honorífico que se daba a los obispos). Entonces ha de habérsele pasado por la cabeza, repentinamente, la duda de si el aludido era en realidad un Consejero Espiritual en el sentido corriente de la expresión, porque le preguntó: "¿Eres tú, en realidad, Consejero Espiritual?"

El P. Kentenich ni siquiera se había dado cuenta, al principio, de que se dirigía a él. Cuando sus compañeros se lo advirtieron con gestos, respondió con una leve sonrisa: "No soy Consejero Espiritual, pero a veces puedo dar un consejo espiritual". "Esta respuesta", escribe Joos, "dejó mudo al borracho. Durante un momento pareció reflexionar sobre qué picardía había tras esta respuesta. Súbitamente, se le oscureció el rostro, se desfiguró de rabia y rugió: "¿Qué? ¿Tú quieres darme a mí, el jefe del campo de concentración, un consejo? ¿Tú, atorrante...? ¡Yo te lo daré a ti!... ¡Quiere darme un consejo espiritual…!" Algunos prisioneros que estaban cerca intentaron explicarle que se trataba de un malentendido. No hubo caso, él se sentía absolutamente ofendido y siguió gritando y echando pestes. "¡Este atorrante quiere darme un consejo espiritual…! ¡Prefiero a los comunistas…!" Y así continuó con sus improperios contra los curas, colérico y gesticulando"[299]. Edgar Kupfer-Koberwitz informa en las notas de su diario que von Redwitz gritó, además: "¡Te haré colgar!" y que esto lo repitió cinco veces.

Es comprensible que, sobre todo en el bloque de los sacerdotes, los prisioneros se sintieran muy ansiosos. Un jefe del campo de concentración, enfurecido y en un estado de ebriedad descontrolada, podía acarrear graves desgracias. Sin embargo, nada sucedió durante la revista. El P. Kentenich tuvo que presentarse ante él, acompañado del capellán Schelling. El incidente fue aclarado en una breve conversación entre este último y von Redwitz, y el P. Kentenich pudo volver al campo de concentración sin siquiera haber visto al jefe.

Más graves y prolongadas repercusiones tuvo el asunto de Hans Carls, el director de Caritas. El 22 de diciembre lo llamaron para interrogarlo. Un funcionario del cuartel de la policía de Düsseldorf, que había venido a Dachau con este objeto, condujo el interrogatorio. Por el giro de las preguntas, Carls se dio cuenta de que, evidentemente, habían descubierto las informaciones que él había enviado desde el campo de concentración, hacía un año, por medio de un hombre de las SS, sobre los experimentos médicos inhumanos que se hacían en los prisioneros. Una de las cartas había caído recientemente en manos de la Gestapo.

Carls corría el peligro de que se le aplicaran los más duros castigos y aun la muerte. Después del interrogatorio tuvo que estar 42 días en una celda solitaria. Como justamente entonces sufría una severa diabetes, la prisión ponía en peligro su vida pues allí no dispo-

---

299 Joseph Joos, *Leben auf Widerruf,* op. cit., p. 53.

nía de los medicamentos que necesitaba. Pero más aun le impresionó que la Gestapo de Düsseldorf hubiera encarcelado a su secretaria, la señorita Husmean, en la sede de Caritas de Wuppertal.

Junto con Carls habían caído otros tres sacerdotes del bloque 26, por envío ilegal de cartas. Entre ellos estaba el director de un internado, Karl Schrammel, de Freudental, Silesia; un año después, el 4 de diciembre de 1944, fue trasladado al campo de concentración de Buchenwald, donde fue asesinado por la Gestapo el 5 de febrero de 1945.

A pesar de todo, la fiesta de Navidad llenó sus expectativas, dadas las condiciones existentes en Dachau. El P. Fischer la describe en su primera carta del nuevo año: "En la tarde del 24 rezamos maitines y la misa solemne a las 5:30. Enseguida compartimos alegremente hasta las once de la noche. El primer día de Navidad por la mañana, alrededor de las 9 am., misa de los Pastores (segunda misa de Navidad), con canciones alemanas y, enseguida, plática de Heinz[300]. Después, misa con diáconos, la misa orquestada de Huber. Al caer la tarde del 25, vísperas solemnes y luego una animada celebración de Navidad en la pieza. ¡Vean ustedes todo lo que pudimos hacer! Lo más hermoso de todo, sin embargo, fue la tarde, cuando estuvimos unidos espiritualmente…"

Con esta última frase, el P. Fischer se refería a la misa de toda la Familia schoenstatiana en Dachau, que había anunciado en su carta del 12 de diciembre en el párrafo siguiente: "Nos alegra que Theo vaya a celebrar con los suyos la santa misa el día de Navidad por la tarde, a las dos. Seguramente, todos ustedes estarán allí. Entonces agradeceremos también la maravillosa protección recibida en las circunstancias más difíciles y los extraordinarios favores, a pesar de las artimañas y perfidias de Satanás…"

---

300   El capellán Dresbach

Comedor de la barraca.

Después de la misa, la Familia de Schoenstatt se juntó para celebrar con una modesta cena, sazonada por la alegría que obsequió el P. Kentenich con el contenido del paquete de Navidad, que había llegado muy a tiempo. Como corresponde a un "banquete", él se preocupó de que sus cohermanos más pobres, especialmente los polacos, recibieran una parte no muy mezquina de la mesa navideña con regalos schoenstatianos.

Ocho días después de Navidad, el primer día del nuevo año, el P. Fischer da noticias de Carls en una carta dirigida a su familia: "¡Cuán agradecidos están Simón y Theo! Cuatro de sus camaradas fueron capturados y llevados a prisión tras una acción de las tropas de choque. Muchas veces habían tenido éxito en estas acciones y vuelto sanos y salvos. ¡Grande sea la alegría por ellos, ferviente el agradecimiento!

QUINTA PARTE

1944

Capítulo 17

LA DIRECCIÓN SUPERIOR DE SEGURIDAD DEL REICH

1. Visión de conjunto

A comienzos de 1944 parecía seguro que Alemania perdería la guerra; una guerra que habían iniciado los mismos hombres que habían impuesto en Alemania una férrea y cruel dictadura. De sus principales aliados, Italia, después de la caída de Mussolini el 25 de julio de 1943, había pactado a comienzos de septiembre un armisticio con los aliados, bajo el gobierno del mariscal Badoglio. El 13 de octubre declaró la guerra a Alemania. El año 1944 iba a traer la capitulación de otros aliados: en agosto, Rumania, que el 25 de ese mes se puso igualmente del lado de los enemigos; en septiembre, Finlandia, lo cual fue para los alemanes, por una serie de razones, muy doloroso. El 19 de marzo, el ejército alemán ocupó Hungría para impedir un cambio de bando de este país.

En 1943, en todos los frentes, la iniciativa había pasado a los aliados. En el mar, la flota de submarinos alemanes había causado a la navegación enemiga importantes pérdidas, pero, a su vez, ésta sufrió un menoscabo de tal magnitud que la batalla del Atlántico tuvo que considerarse perdida. También la fuerza aérea de los aliados se impuso, en 1943, sobre la alemana. Considerables eran también las pérdidas territoriales y personales del ejército alemán en tierra. En el este, la Unión Soviética había recuperado, después de la derrota alemana en Stalingrado, todas las conquistas logradas por la ofensiva alemana de 1942, sobre todo Ucrania. El 3 de enero de 1944, la ofensiva soviética alcanzó la antigua frontera con Polonia; el 8 de abril, la frontera con Checoslovaquia; y el 10 de abril, la frontera con Rumania.

En el sur, el 13 de mayo de 1943 había capitulado el Afrika Korps. Siguieron, con precisión verdaderamente irresistible, los desembarcos de los aliados ingleses y norteamericanos en Sicilia (10 de julio de 1943) y en Italia continental (Calabria, 3 de septiembre; Salerno, 9 de septiembre), así como en Anzio y Nettuno, en enero de 1944. Finalmente, el exitoso desembarco de los Aliados occidentales en Normandía, el 6 de julio de 1944, inició la fase final de la guerra en Europa.

Sin embargo, nadie podía asegurar que la guerra terminaría pronto. El ejército alemán todavía tenía tropas altamente especializadas y con voluntad de lucha.

A pesar de la intensificación de los bombardeos anglo-norteamericanos, también la producción alemana de armamentos recibió, hasta mediados de 1944, un impulso asombroso aunque tardío, desde que Albert Speer fue nombrado, en 1942, Ministro de Armamentos y Municiones. En suma, era claro que los altos mandos nacionalsocialistas, fundamentalmente Hitler y los fanáticos que lo rodeaban, no pensaban dar término a la guerra.

También los aliados pensaban que la guerra se prolongaría por largo tiempo e invertían un gran esfuerzo en sus industrias bélicas, aun cuando ello, como en el caso de la apertura de un nuevo frente en Europa Occidental, dio lugar a repetidos cambios y también a discrepancias de los ingleses y norteamericanos con los rusos.

En el campo de concentración de Dachau, el curso desfavorable para Alemania que tomaba la guerra se hizo notar de la manera más heterogénea y, en parte, contradictoria, sobre todo porque cada vez más prisioneros eran trasladados a campos externos para hacerlos trabajar en la producción de armamentos. Como, por ejemplo,

Albert Speer visita el taller de un Campo de Concentración en 1944.

en München-Allach (Bayerische Motorwerke), Augsburg (MAN, Messerschmitt), Landsberg (Dynamik Ag), Kaufsbeuren (Dornier Werke) y Friedrichsafen (Zeppelin-Werke).

A pesar de todo, el número de internos no disminuía en el campo de concentración porque, especialmente en el año 1943, se registró un nuevo y considerable aumento de prisioneros llevados a Dachau por la Gestapo. En 1944 se vio llegar, una vez más, esos atroces transportes de infelices. Triste fama logró un tren con prisioneros franceses que venían de Compiègne y entró a Dachau el 5 de julio. Entre todos los informes que poseemos sobre este caso están los del párroco Goldschmitt, de Lotaringia[301]; del sacerdote jesuita Johann Maria Lenz[302]; del director polaco de un seminario y posteriormente obispo

---

301 En *"Zeugen des Abenlandes"* (Testigos de Occidente", p. 150, citado por Johannes Neuhäusler, *Wie war das?*, op. cit., p. 29.

302 Johann Maria Lenz, *Christus in Dachau,* op. cit., p 229s.

Frantisek Korszynski[303]; de Edmond Mechelet[304]; y de Edgar Küpfer-Koberwitz[305]. El de Josep Joos tiene las cifras más exactas y más confiables. Según las guías de despacho, el tren había transportado 2.582 hombres. "Llegaron vivos sólo 952 y 483 muertos. Los otros muertos habían sido desembarcados en el camino".[306]

El campo de concentración de Dachau no fue afectado por los ataques aéreos norteamericanos ni ingleses. De acuerdo con declaraciones de pilotos aliados, el Comando Aliado había impartido órdenes en ese sentido. Solamente en la noche del 2 al 3 de octubre de 1943, cayó una bengala encendida sobre la bodega donde se guardaban los objetos y ropas retirados a 20 mil prisioneros. El maderamen del techo fue consumido por las llamas, junto con todas las cosas allí guardadas.

La zona que ocupaba el SS junto al campo de concentración fue bombardeada el 13 de junio de 1944 y, de acuerdo con el P. Lenz, doce prisioneros perdieron la vida[307]. También perecieron muchos de los que habían sido enviados a trabajar fuera de Dachau, en las fábricas de armamentos, a causa de los bombardeos. Así, por ejemplo, Kupfer-Koberwitz indica que murieron alrededor de doscientos a raíz de un ataque contra la Messerschmitt, en Augsburgo, a fines de febrero.[308]

En cambio, unas 1.200 bombas incendiarias que, según el P. Fischer, cayeron el 31 de julio de 1944 sobre las plantaciones, no hirieron a ninguno de los prisioneros que allí trabajaban.

Naturalmente, el curso de la guerra alentaba en los prisioneros la esperanza de que terminara el confinamiento, con sus padecimientos y horrores. Al mismo tiempo, aumentaba la inquietud por lo que los

---

303 Frantisek Korszynski, *Un vescovo polacco a Dachau* op.cit., p. 83.
304 Ibid p. 133ss.
305 Ibid., p. 195.
306 Joseph Joos, *Leben auf Widerruf*, op. cit., p. 147s.
307 Ibid., p. 251.
308 Ibid., p. 180.

nazis, especialmente los SS, podrían hacer con los internos si la guerra terminaba con la derrota de Hitler y sus camaradas.

Para el P. Kentenich y la comunidad de schoenstatianos en Dachau, el año 1944 trajo una vigorosa expansión y la máxima intensidad del trabajo que había comenzado con la decisión del 25 de marzo de 1943.

En el curso de los primeros meses ocurrieron acontecimientos que indujeron al P. Kentenich a retirarse de su acción pública en el bloque 26 y a concentrarse en su tarea de fundador de la Obra de Schoenstatt, tendencia que acentuó en 1943. Es así como en 1944 aumentó considerablemente su dedicación a la correspondencia y al dictado de otros escritos, todo ello al servicio de la conducción del Movimiento fuera del campo de concentración. También se ocupó más de los grupos schoenstatianos que allí había, inspirándolos e instruyéndolos.

En enero de 1944 había terminado *"El Espejo del Pastor";* en abril, emprendió un tratado más largo con el título *"La Piedad Mariana del Instrumento".* En el verano nació *"El Oficio de Schoenstatt";* en septiembre, el *"Vía Crucis del Instrumento";* en los últimos meses del año, una serie de oraciones que tienen gran importancia en la Familia de Schoenstatt. Además, compuso dos estudios fundamentales sobre *"Schoenstatt como lugar de gracias"* y *"Fátima y Schoenstatt",* con los cuales intervino, desde Dachau, en las discusiones suscitadas en el seno de la Iglesia en torno a Schoenstatt.

Finalmente, en el año 1944 se celebraron los 25 años de la fundación de la Federación Apostólica en Dortmund-Hörde, el 20 de agosto de 1919. Con ocasión del trigésimo aniversario de la Obra total, el 18 de octubre surgió la *"Tercera Acta de Fundación".*

Este voluminoso trabajo sólo pudo ser realizado porque las condiciones materiales en Dachau, debido a la llegada regular de paquetes con víveres, eran, hasta cierto punto, soportables. Es así como el

5 de enero de 1944, el P. Fischer comunicó a su familia: "Estoy muy bien, gracias a Dios. También está arreglado lo que se refiere a la ropa, sobre lo cual ustedes preguntan cariñosamente". Sin embargo, la debilidad física de los prisioneros se puede apreciar, por ejemplo, en el siguiente episodio: el 8 de junio de 1944, el capellán Dresbach fue destinado a trabajar todo el día en la cosecha, en los alrededores de Dachau; al regresar al campo de concentración cayó desmayado durante la revista de la tarde.

Tal como el año anterior, también en 1944 los grupos schoenstatianos pudieron celebrar en común algunos aniversarios y festividades. El P. Fischer cuenta cómo se celebró, en marzo, el día del santo del P. Kentenich: "Para su día, el 19, Theo va a celebrar la santa misa por la tarde, a las 3:30. Seguramente le ayudará Simón. Los familiares de Theo, tanto los presentes como los ausentes, van a participar con fervor en esta celebración que tendrá lugar en tiempos de serias tribulaciones". En carta del 1° de abril cuenta que: "La fiesta de san José se celebró tal como se había previsto, puntualmente a las 3:30, con el pequeño círculo de Theo; por cierto que algo más calladamente que el año anterior, porque a causa del "constante peligro aéreo", desgraciadamente nuestros familiares que viven fuera no pudieron participar en la santa misa…."

Volveremos sobre el sentido de la alusión del P. Fischer al "constante peligro aéreo". Él había solicitado al capellán del campo de concentración poder celebrar la santa misa en dos festividades marianas, la Anunciación y María Reina de los Apóstoles. También el capellán Dresbach pudo celebrar misa dos veces en 1944: la primera, el 22 de febrero y la segunda, al 11 de junio, un día después de cumplir tres años en prisión. En una carta a su hermana hace algunas reflexiones que, debido a la invasión de los aliados en Normandía, el 6 de junio, reflejan su esperanza en que el fin de la guerra y del cautiverio estén cerca: "El cuarto, y si Dios quiere, el último año en este lugar, comienza con muchas oraciones y bendiciones, y mañana a las 4:30, con la celebración en la cual están incluidos todos los interesados... Y con ocasión de ella, no se aparta del corazón una esperanza callada y tenaz, a saber, que el cuarto no terminaría con ellos en prisión..."

La comunidad schoenstatiana de Dachau conmemoró también un importante hito en la vida del P. Kentenich: el cuadragésimo aniversario de su llegada a Limburgo para iniciar su noviciado y la consiguiente toma de hábito, el 24 de septiembre de 1904, en la festividad de la Virgen de la Merced.

El capellán Dresbach cuenta esta conmemoración en un lenguaje velado que resulta un tanto divertido: "El día de hoy no es sólo importante porque recordamos a la Madre de Dios, que tanto intercede por los cautivos, sino también porque es un aniversario: hace 40 años, papá se compró su traje de novio. Tenemos, por eso, un motivo para dar gracias. ¡Cuánto ha crecido y se ha fortalecido en todo este tiempo su familia! También estos hijos suyos para quienes él, en medio de todos los sucesos del frente, es un ejemplo de sus antiguos ideales. Pienso que debería pedirles que ayuden a dar gracias, muchas gracias. En esta semana de conmemoraciones y aniversarios, debemos rogar para que él pueda construir y completar la obra de su vida..."

Debido al desfavorable desarrollo de la guerra, en 1944 la jefatura del SS del campo de concentración no pudo mantener el control tan firmemente como antes. Mientras más duraba la guerra y más sangrienta resultaba para Alemania, más prisioneros tenían que emplear en la industria bélica. Esto puso en contacto a los prisioneros, de muchas maneras, con los trabajadores civiles, lo cual les hizo más fácil establecer vínculos prohibidos por la Gestapo. Además, entre los civiles había un número creciente de personas que no temían mostrar simpatía por los prisioneros.

Otro factor que contribuyó a relajar el férreo control del SS fue que cada vez más miembros de ese cuerpo eran enviados al campo de batalla y reemplazados por hombres de más edad, muchos de ellos obligados a incorporarse al SS. Estos nuevos guardias querían cumplir con su deber, pero no atormentar a los prisioneros. Aun cuando las posiciones claves del campo de concentración, comenzando por la jefatura y pasando por los jefes de vigilancia de los barracones y los que organizaban los trabajos, estaban todavía en manos de representantes del cuerpo de guardia del SS, el mecanismo, según lo expresa Michelet, comenzó a descomponerse.[309]

El descubrimiento, a fines de 1943, de las vinculaciones secretas que lograron mantener Carls, Strammer y otros, pareció a la Dirección Superior de la Seguridad, en Berlín, una clara señal de cuán lejos habían llegado las cosas en Dachau. Se tomó la decisión de intervenir por medio de una comisión y poner orden. En virtud de esta decisión, en marzo de 1944 hubo un cambio en la jefatura del campo de concentración. En lugar de Weiß, un comandante relativamente blando, llegó Weiter, oficial del SS; y como jefe del campo de concentración, en lugar de von Redwitz nombraron a Roppert, también del SS, que venía del campo de concentración de Natzweiler, en Alsacia, y a quien precedía una fama de hombre impredecible y rudo.

Antes que sucedieran estos cambios, las Hermanas de María lograron hacer otra visita al P. Fischer en las plantaciones.

2. Última visita en las "plantaciones"

Después de la visita del 25 de noviembre, que había resultado bien, el P. Kentenich pensó invitar de nuevo a las Hermanas de María para el 27 de diciembre. Por una razón que no es posible aclarar, la invitación fue anticipada para el día 21. Sin embargo, las Hermanas no pudieron acudir en esas fechas. Los viajes por ferrocarril durante

---

309 Edmond Michelet, *"Freiheitsstraße"*, op. cit., p. 146.

el tiempo de Navidad requerían un permiso especial que la Hermana Laurentia, a pesar de todos sus esfuerzos, no pudo conseguir, de manera que la visita fue postergada para enero.

Una vez que llegaron a Munich, las Hermanas se dirigieron directamente a Herbertshausen a intercambiar correspondencia. También dejaron tarjetas de racionamiento y dinero para que la señora Siegert pudiera comprar pan, que su marido llevaría a los prisioneros de las plantaciones.

El 19 de enero, las dos Hermanas fueron de nuevo al puesto de ventas del invernadero N° 3, donde las esperaba el P. Fischer. Para disimular, éste tenía bajo el brazo uno de los pequeños cajones en que se acarreaban las plantas. Mientras conversaba con las Hermanas, se abrió la puerta del puesto de ventas y, para sobresalto del P. Fischer, entró nada menos que el jefe SS del comando. Afortunadamente, el P. Fischer conservó la sangre fría, y también su capo, quien le ordenó perentoriamente: "Puede irse", para que se marchara inmediatamente. Las Hermanas también se fueron. Como el intercambio de cartas se había realizado el día anterior en Herbertshausen, ni ellas ni el P. Fischer llevaban consigo nada que pudiera incriminarlos en caso de que se los sometiera a un control.

Sin embargo, al jefe del SS le saltó a la vista que ahí había algo extraño. Alrededor de una hora después comentó al escribano: "¿Piensa usted que soy tonto y no me di cuenta de lo que pasaba?" Agregó que si no les había echado el guante fue para que no se produjera una "carambola". Es decir, se vio obligado a disimular porque estaba bastante comprometido: desde hacía tiempo recibía géneros y zapatos del capo y el escribano del comando del invernadero, cosas que ellos conseguían sacándolos del inventario del SS.

Meditando después sobre la visita del 19 de enero y la protección allí experimentada, el P. Fischer escribió lo siguiente: "Estamos, en verdad, en manos de Dios y de la Virgen María… Lo mismo pueden afirmar, según infiero, L. y M[310]. Andreas[311] se puso muy suspicaz, y lo hizo saber; sin embargo, no tuvo pretexto visible para cogernos. Por lo demás, él está comprometido y no le conviene que lo investiguen… Todo anduvo muy bien el día anterior[312], gracias a la bondad de Dios. Nos alegramos. Por lo tanto, nuestra Madre triunfó una vez más, como lo ha hecho tan a menudo".

Como la vinculación a través del señor Siegert y su esposa había demostrado ser segura y discreta, no fue necesario seguir contactando al P. Fischer en las plantaciones. Por lo tanto, la cuarta visita de las Hermanas, el 19 de enero de 1944, fue la última. No obstante, ellas viajaban con gran regularidad, cada catorce días, desde Schoenstatt a Herbertshausen para intercambiar correspondencia y entregar paquetes con víveres, vino de misa, hostias y medicamentos. En junio, llevaron, además, ternos, abrigos y ropa blanca; en agosto, zapatos.

Los viajes en tren, sin embargo, se fueron haciendo cada vez más peligrosos. En una carta del P. Fischer, del 10 de septiembre de 1944, el P. Kentenich envió el siguiente mensaje: "Puedo comprender muy bien que Lore viaje solamente cuando sea absolutamente necesario".

Sin embargo, hasta fines de 1944, las Hermanas nunca dejaron de ir todos los meses a Herbertshausen, por distintas rutas y a costa de grandes sacrificios.

3. 8 y 9 de marzo de 1944

La comisión de la Dirección Superior de Seguridad del Reich llegó a Dachau a principios de marzo. Su presencia se notó, en primer lugar, en un registro repentino que realizó en el bloque 26. El propósito de esta acción sorpresiva era descubrir correspondencia y escriba-

---

310   Las Hermanas Laurentia y Marianne.
311   El jefe del comando.
312   Cuando las Hermanas fueron a Herbertshausen

nos ilegales. Respecto a los schoenstatianos, el más afectado por esta inspección fue el P. Fischer. Al volver de su comando en las plantaciones, le salieron el encuentro unos compañeros sacerdotes para informarle que el SS le había confiscado un atado de escritos. En la entrada de su pieza lo esperaban el P. Kentenich y el capellán Dresbach.

Tuvo que confesarles que en su armario guardaba siete cuadernillos con copias del "Espejo del Pastor", fácilmente visibles en caso de inspección. Al P. Kentenich le interesaba mucho saber qué partes del *"Espejo del Pastor"* estaban en esas copias, pero antes de que el P. Fischer le respondiera, fue al armario, lo abrió y he aquí que los cuadernillos estaban ahí, en el mismo rincón donde los guardaba el P. Fischer. No se los habían llevado. Cabe imaginar el peso que se les quitó de encima.

Hieronymus Bochnia, un sacerdote checo, contó después al P. Fischer que el jefe de la cuadrilla del SS que revisó el armario, un hombre de apellido Schmidt, que ya había ayudado a los sacerdotes, había tomado los cuadernillos, y después de cerciorarse de que no lo observaba el oficial que dirigía la revisión, los devolvió al lugar donde los encontró. Sin embargo, se habían llevado unos cuadernillos del P. Fischer que estaban debajo de su camastro, en una caja de ropa para el lavado. En ellos había toda clase de anotaciones, pero totalmente inocuas. El P. Fischer los recibió de vuelta sin observaciones.

Si en el bloque de los sacerdotes pensaron que el asunto había terminado con la inspección del 8 de marzo, estaban equivocados. La mañana del día siguiente regresó el SS a hacer un nuevo control. No sólo eso: se llevaron a tres prisioneros del bloque, a Carls, al P. Johan Lenz y al P. Kentenich, y los encerraron en las celdas aisladas que estaban detrás del edificio de la administración.[313]

---

313 En su biografía del P. Kentenich (*"José Kentenich, una vida para la Iglesia"*), Ed. Encuentro, Madrid, 1985, p. 203, el P. Monnerjahn relata que esas celdas estaban construidas de mo-

Celdas aisladas.

El P. Fischer se enteró de lo sucedido cuando regresó al campo de concentración durante la pausa del mediodía. El capellán Dresbach le comunicó lo sucedido con gran consternación. Pensaba que el SS había encontrado y confiscado al P. Kentenich un atado de correspondencia ilegal. Si ése era el caso, el asunto podía ser extremadamente grave para él y también para sus secretarios.

El P. Fischer, sin embargo, que durante las situaciones críticas conservaba la sangre fría, recordó su experiencia del día anterior y pidió al capellán Dresbach que fuera a revisar el escondite que el P. Kentenich le había mostrado precisamente dos días atrás. Efectivamente, al poco rato volvió a contarle, alegre y aliviado, que el SS no lo había descubierto: todo el material escrito, que Dresbach conocía bien porque día a día había trabajado en él junto al P. Kentenich, estaba donde mismo lo habían dejado. También había allí algunas cartas llegadas a Dachau por el "correo negro". Naturalmente, hizo desaparecer todo oportunamente y sin ser notado.

El capellán Dresbach opinó que, dado el arresto del P. Kentenich, lo mejor sería, ante la posibilidad de nuevas inspecciones, que en este caso eran de temer, deshacerse de todo el material comprometedor de la manera más segura: quemándolo. Inmediatamente echó al

do que los prisioneros no podían estar ni sentados ni tendidos, sino solo de pie. Allí permanecieron los tres hasta el día siguiente (N. del T.)

fuego las cartas que habían llegado y las respuestas; en total, unas veinte páginas.

En la mañana del 10 de marzo, sacaron al P. Kentenich de la celda solitaria para interrogarlo. Lo acusaron de entregar noticias a radios extranjeras sobre las condiciones que reinaban en el campo de concentración de Dachau; de colaborar con los comunistas y, más aun, de ejercer gran influencia sobre ellos, y de escribir cartas por el correo negro.

Con su conciencia tranquila, el P. Kentenich pudo impugnar las tres acusaciones. Respecto de la tercera, contestó: "No escribo cartas negras ni blancas[314], porque tengo prohibido escribir"[315]. En efecto, desde que decidió comunicarse por vías ilegales con Schoenstatt, no había escrito por su propia mano ninguna carta, ni siquiera la más breve nota: se las escribían (voluntariamente) sus secretarios.

Después del interrogatorio, que no se prolongó demasiado, el P. Kentenich pudo volver al bloque 26. En su pieza lo recibieron con exclamaciones de alegría. Como si nada hubiera sucedido, le dijo al capellán Dresbach: "Hoy en la tarde, Heinz, seguiremos escribiendo".

La comisión fue igualmente benévola con el P. Lenz y con Carls. Incluso, al P. Lenz le devolvieron un manuscrito que le habían confiscado porque su contenido era puramente religioso[316]. Carls tuvo que soportar seis interrogatorios en un total de cuatro horas. Sin duda, su situación era la más delicada, porque le habían encontrado material considerado gravemente incriminatorio: relatos escritos por él sobre los experimentos médicos con los prisioneros. Sin embargo, salió de este

---

314 Blancas, es decir las que pasaban por la censura del campo de concentración.

315 Comenta Monnerjahn, (op. cit. p. 204): Cuando el año anterior se decidió a entablar correspondencia clandestina con Schönstatt, se impuso la obligación expresa de no dar noticia alguna en sus cartas sobre las condiciones de vida ni sobre los hechos que ocurrieran en el campo de concentración. Como se atuvo rigurosamente a esta limitación voluntaria, era imposible que llegaran noticias suyas de este tipo al extranjero". (N. del T.)

316 Johann Maria Lenz, *Christus in Dachau*, op. cit., p.253.

trance sin un gran castigo. En sus recuerdos sobre Dachau, escribe que los interrogatorios se desarrollaron en forma objetiva y tranquila.[317]

Si bien los interrogatorios no tuvieron consecuencias especiales para ninguno de los llamados a declarar, y tampoco se encontró, aparte de Carls, que había sido descubierto antes de este episodio, ninguna vinculación ilegal, la Dirección Superior de Seguridad del Reich decidió tomar algunas medidas que, al menos, dificultaran el contacto de los sacerdotes con el exterior. El 14 de marzo fueron removidos todos los sacerdotes del comando de correos y el 2 de abril también los de la oficina del SS destinada al pago de sueldos[318]. Finalmente, el 16 de abril se decretó la separación, en el bloque 26, entre los sacerdotes alemanes y los que no eran de esa nacionalidad. (Los sacerdotes polacos ya habían sido apartados de sus cohermanos provenientes del resto de Europa en septiembre de 1941). Los sacerdotes que no eran alemanes fueron reunidos en la pieza N° 4, y los alemanes de esa pieza, repartidos entre la N° 2 y la N° 3. El P. Kentenich quedó en la pieza N° 3. En la nueva habitación no continuó con las meditaciones vespertinas que había dado diariamente, desde hacía un año y medio, en su antigua pieza.

Para el P. Fischer, poco tiempo después los acontecimientos del 8 y 9 de marzo tuvieron un inesperado epílogo. El 21 de marzo, un jueves, decidió no ir al trabajo en su comando del invernadero porque quería estar todo el día a disposición del P. Kentenich en calidad de secretario. Precisamente ese día sucedió que la bodega del invernadero fue registrada por uno de los jefes (SS) de vigilancia y otro hombre del SS. Su propósito era buscar objetos de valor, supuestamente escondidos ahí por el capo del comando, ahora caído en desgracia

---

317 Ibid p. 34. También Reimund Schnabel, *Die Frommen in der Hölle,* op. cit., p. 168, relata que, en esa ocasión, él fue llamado a declarar y "después de un áspero interrogatorio" lo encerraron tres días a una celda en que solo se podía estar de pie.
318 Según Reimund Schnabel, *Die Frommen in der Hölle*, op. cit., p. 146, también los que pertenecían al comando de manufactura de porcelanas.

y encerrado en una de las celdas en que sólo se podía estar de pie. Como el otro hombre del SS quería hacer un trabajo minucioso, hizo arrancar las colchonetas de paja que recubrían el techo a manera de aislante. Ya había llegado al rincón donde el P. Fischer había puesto, entre las colchonetas de paja y el cielo raso, los siete cuadernillos con partes del *Espejo del Pastor* (los mismos que el jefe de cuadrilla había encontrado en su armario y dejado allí de nuevo, en un gesto de benevolencia), cuando el jefe de vigilancia le gritó: "¡Deja ahí esas porquerías!" La exclamación llegó justamente a tiempo, y los cuadernillos se salvaron una vez más.

Sin embargo, por esos mismos días un sacerdote de la diócesis de Münster encontró el escondite donde el P. Kentenich ponía su correspondencia secreta. Afortunadamente, no fue un SS ni un soplón de la Gestapo. En adelante, el P. Kentenich dejó una parte de ésta en el almohadón del capellán Dresbach y el resto con unos sacerdotes italianos. Y como ellos y el capellán dormían en la tercera fila de camastros, había pocas posibilidades de que el SS la descubriera.

En cartas enviadas a Schoenstatt, relataron, en el usual lenguaje en clave, los peligros por los que habían pasado. El P. Fischer dice: "Debemos recordar con especial gratitud la protección realmente maravillosa que, en el mes de marzo, dispensó la Madre de Dios a los nuestros que combaten en el frente".

El capellán Dresbach había escrito antes, el 10 de marzo, lo siguiente: "En tu primera carta de marzo escribes sobre las esperanzas que has puesto en la primavera. Pero se anuncian con tormentas. Männi escribe sobre nuevos peligros y combates en el frente. Si la Madre no hubiera protegido a su instrumento y a su obra con su poder, habría caído víctima de un ardid del enemigo. Nuestra Señora celestial ha conquistado para sí una nueva e inmensa fama en la guerra... Él oyó decir que el padre se había comportado, en medio de la batalla, como un héroe dispuesto a cualquier sacrificio...".

Komplet

Die Sonne geht nun müde, still zur Ruh',
und Sion lächelt uns von ferne zu.

Dein Sterben war Entrücktsein nur aus Schnee,
dein Leib lernt die Verwesung niemals kennen:
Du kommst verklärt nun in der >heil'gen Stadt<,
auf Sion, das dir Gott geöffnet hat.

Durch's Heiligtum weist Du uns stets nach oben
zum ew'gen Resa, wo wir Gott einst loben,
zeigst die Vergänglichkeit der ird'schen Welt,
bis Du auf's Ew'ge uns hast eingestellt.

Lehr täglich mich so leben, daß das Sterben
wird leicht, wie es sich schicket für Himmelserben,
am Abend mit mir zum Gericht so geh'n,
daß nach dem Tod ich Dich und Gott darf seh'n.

Die Ehre sei dem Vater froh erwiesen
durch Christus mit Maria, hochgepriesen,
im Heil'gen Geiste, voller Herrlichkeit,
im Weltall jetzt und alle Ewigkeit.

Capítulo 18

INTENSIFICACIÓN DE LOS ESTUDIOS SOBRE SCHOENSTATT

1. Estudio sobre "Piedad Instrumental"

En *El Espejo del Pastor,* el P. Kentenich había compuesto un manual para uso de los responsables de la conducción de la Comunidad de las Hermanas de María, pero sus principios y aplicaciones fundamentales tenían validez para todos los dirigentes de las distintas comunidades de Schoenstatt. La obra, comenzada en abril de 1943, fue terminada en enero de 1944.

En abril de 1944, empezó a dictar al capellán Dresbach un nuevo y largo trabajo que hizo llegar a Schoenstatt, capítulo tras capítulo, por la vía que ya conocemos: las plantaciones de Dachau y Herbertshausen. Lo tituló *La Piedad Mariana del Instrumento.* Es más breve que *El Espejo del Pastor* y fue escrito en prosa. Este trabajo no estaba pensado solo para los dirigentes sino también para todas las integrantes de las comunidades de las Hermanas. Una edición que se ha difundido por años en la familia de Schoenstatt abarca 210 páginas (junto con el *Cántico del Instrumento,* igualmente compuesto en Dachau, que resume los pensamientos fundamentales de *La Piedad Mariana del Instrumento*).

La ocasión para redactarlo, según se desprende de la introducción y del epílogo, fue el doble aniversario que celebraba la Obra de

Schoenstatt: los treinta años del Acta de Fundación (1914) y los 25 de la fundación de la Federación Apostólica. A propósito de ambos aniversarios, el P. Kentenich quiso llamar la atención, a partir del tema de la instrumentalidad, sobre las fuerzas y actitudes fundamentales que habían dado origen y hecho crecer a Schoenstatt hasta llegar a ser lo que era, a pesar de las circunstancias adversas y del lapso relativamente breve transcurrido desde su fundación. Al mismo tiempo, se refiere a la espiritualidad que Schoenstatt había desarrollado durante esos tres decenios.

Respecto a esto, dice la introducción: "Permítanme llamar la atención sobre una de las líneas más esenciales, si bien no es, en modo alguno, la más esencial, que atraviesa hasta ahora y en todo sentido nuestra vida y nuestros esfuerzos. Esto es, la piedad instrumental. La piedad instrumental, concebida en un espíritu marcadamente mariano, refleja completa y acertadamente la forma de piedad que nos es propia".

La piedad de alianza, la piedad de la vida diaria (o santidad de la vida diaria) y la piedad instrumental son, para el P. Kentenich, la triple estrella que ilumina y dirige la existencia cristiana.

Para comprender lo que quiere decir con esto, hay que tomar conciencia de que, para él, la tarea más importante de Schoenstatt era formar un nuevo tipo de hombre, tal como a través de la historia de la Iglesia, san Benito, san Francisco, santo Domingo y san Ignacio formaron los nuevos tipos de cristianos que la Iglesia y el mundo requerían en el momento en que les tocó vivir. Estos "hombres nuevos" estaban, y están llamados, a partir de sus respectivas espiritualidades, a resolver la crisis antropológica de su tiempo.

El P. Kentenich siempre experimentó y comprendió su vocación y misión de sacerdote y educador como un llamado a formar, en el marco de las crisis y transformaciones del tiempo actual, un tipo de ser humano capaz de llevar a la Iglesia hacia los nuevos tiempos y de hacer surgir una nueva sociedad cristiana capaz de abarcar el mundo entero. Este hombre nuevo (o cristiano del futuro) tiene un sello distintivo: la piedad de alianza, la piedad instrumental y la piedad, o santidad, de la vida diaria.

La piedad de Alianza es la forma original que tiene Schoenstatt de vivir la alianza bautismal. Es una concreción original de la alianza salvífica del Nuevo Testamento. La espiritualidad de Alianza es la Alianza que sellamos con la Mater ter Admirabilis en su Santuario como expresión, camino y seguro de la alianza bautismal con Dios en Cristo Jesús.

La piedad (o santidad) de la vida diaria es la actitud que integra armónicamente fe y vida en todas las circunstancias de la vida concreta, haciendo las cosas ordinarias en forma extraordinaria, es decir, con el mayor amor posible. Esto supone extender la relación con Dios a la totalidad de la vida. La santidad de la vida diaria se define como la armonía querida por Dios y cargada de afecto, entre la vinculación a Dios, a las personas, a las cosas y al trabajo.

La piedad instrumental es el compromiso que adquiere el schoenstatiano con María, la Compañera y Colaboradora de Cristo en toda su obra de Redención; significa ponerse a su disposición como sus instrumentos. Es actuar en la vida diaria como un aliado de Dios, y realizar en y con el mundo las tareas que Dios nos ha encomendado.

El P. Kentenich llegó a esta espiritualidad por diversos motivos y distintos caminos. Desempeñó en ello un papel decisivo la ley del gobierno del mundo por Dios, que el P. Kentenich resumió en la expresión *"Deus operator per causas secundas"*, Dios actúa a través de causas segundas. Y actúa principalmente a través del hombre, que creó a su imagen como un ser libre, capaz de decidir por sí mismo. De esta manera, Dios se hizo dependiente, y también hizo dependientes al mundo y a la humanidad, de la libre colaboración humana. Aquí nos encontramos con un misterio que nos resulta casi incomprensible.

El P. Kentenich dividió *La piedad mariana del instrumento*[319] en dos partes: una más larga y sistemática, destinada a los fundamentos, y otra más breve de carácter histórico. En la parte histórica, afirma que el tema de la instrumentalidad fue, desde el acto de fundación de Schoenstatt en el año 1914, *el* ideal de la Familia de Schoenstatt y que determinó, como ley fundamental, su desarrollo. Ello se expresó en el lema *Nada sin ti, nada sin nosotros*. La cooperación humana se expresa a través de las *"contribuciones al Capital de Gracias"*[320].

Ya lo marca el P. Kentenich en el *Acta de Fundación*: "Es esta santificación la que exijo de ustedes: tráiganme con frecuencia contribuciones al Capital de Gracias". Se expresa, además, en las tres consagraciones a la Virgen, que representan los distintos grados de entrega a Dios y a la Mater ter Admirabilis: Alianza de Amor, Poder en Blanco e Inscriptio.

En la parte dedicada a los fundamentos, el P. Kentenich examina primeramente la "esencia y cualidades de la piedad instrumental en general". Si bien se abstiene de dar una definición erudita y exacta, destaca: "… que un instrumento, según su esencia, supone siempre a alguien que lo utiliza. El instrumento es efectivo en virtud de esa causa *principalis efficiens* y concentra todas sus fuerzas y capacidades en una meta determinada por la *causa principalis;* la *causa instrumentalis* lo asume plenamente si es un instrumento dotado de razón y libre voluntad".

Ser instrumento es, para el P. Kentenich, tanto una forma de vida como una fuente de conocimiento. En cuanto forma de vida, pre-

---

319 Actualmente también conocida con el nombre de *Instrumentos de María*.

320 Nuestro capital es nuestro esfuerzo por alcanzar la santidad; son las obras meritorias, todo lo que hacemos, rezamos y sufrimos con amor, y que ofrecemos a María como don de nuestro amor. La idea de juntar méritos para formar un Capital de Gracias implica la conciencia de responder a un pacto, compromiso, alianza; no basta la buena acción, hay que santificarse mediante hechos concretos, realizando acciones *"comunes"* pero mucho más que antes, y llevar toda esa obra al Santuario para que la Mater disponga de ello a Su voluntad y al servicio de la gran misión. (www.schoenstatt.cl, diciembre, 2007.

supone el "total desprendimiento de sí mismo, especialmente de la voluntad enferma", y también una "vinculación total o entrega total y dependiente". Se caracteriza por "un gran coraje e incansable ánimo de conquista". Proporciona algo especialmente importante en el tiempo actual lleno de ansiedad: "una seguridad que libera". Y, finalmente, porque es el Dios vivo quien actúa a través del instrumento una "abundante fecundidad".

En cuanto fuente de conocimiento, ser instrumento significa que para conocer los deseos y la voluntad de Dios (y este conocimiento es esencial para el instrumento), hay que "considerar permanentemente el carácter de instrumento de las cosas creadas, ya sea la palabra hablada, las causas segundas que obran libremente (es decir, las personas en los distintos ámbitos de la realidad), el orden de ser de las cosas, las corrientes de la época, los sucesos universales y todos los acontecimientos que Dios permite en nuestra vida personal".

El centro de gravedad de todo el trabajo sobre la piedad instrumental está en el análisis de la "impronta marcadamente mariana de la piedad instrumental". Estas reflexiones del P. Kentenich son como un compendio de su original mariología, que se fundamenta en la posición que ocupa María en el plan divino de la Salvación: "Designada por Dios para esa misión, ella acompaña al Señor y colabora permanentemente con él en toda la obra de la redención; lo hace como cabeza de la Iglesia y de toda la humanidad, como Madre y Esposa singularmente digna".

Esta posición significa que María, instrumento por excelencia del Dios trino, puede ser Maestra, *"causa principalis secundaria"*. Y es así como se manifiesta en Schoenstatt, tanto en su fundación como en su historia. Por eso, el Movimiento se considera no sólo obra e instrumento de Dios, sino también "obra e instrumento escogidos de la Virgen María", quien, en el Santuario de Schoenstatt, actúa como Madre y Reina, Educadora y Soberana.

A juicio del P. Kentenich, especial importancia tiene el hecho de que, en distintas épocas, la Iglesia, a través de sus fieles, sacerdotes y teólogos, haya reconocido la posición y función que Dios confió a la Virgen María en la obra y el orden de la salvación. Por ello, reducir sólo a un mínimo la devoción a María, sea en la teología o en la vida de la Iglesia, repercute en Cristo y la cristología, la Iglesia y la eclesiología, la vida cristiana y la totalidad de la doctrina cristiana. Hace treinta años, cuando él ya prevenía contra la separación mecanicista de la biunidad de Cristo y María, pocas personas daban importancia a la dependencia recíproca entre la mariología, la cristología y la teología y, especialmente, a aquello que el P. Kentenich denominaba la "biunidad" de Cristo y María, querida y dispuesta por Dios. Los desarrollos recientes de la teología han aclarado y confirmado estas relaciones.

El P. Kentenich escribió *La Piedad Mariana del Instrumento* entre abril y junio de 1944. El texto estuvo listo a tiempo para servir como base y orientación a los nuevos grupos de sacerdotes schoenstatianos que se estaban formando en el campo de concentración.

2. Sacerdotes polacos

Durante los meses del invierno 1943-1944, el P. Kentenich siguió cultivando el contacto iniciado en la primavera de 1943 con sacerdotes polacos. El día de retiro propuesto por Ignaz Jez para la Noche Buena de ese año, no pudo realizarse. Sin embargo, esta iniciativa demostraba su interés por Schoenstatt.

El P. Fischer y sus compañeros de grupo agradecieron, como un regalo de Navidad de la Mater, que otro sacerdote polaco, Boleslaus Burian, director de un internado, se hubiera decidido, en esa fecha, a participar en el Movimiento. Burian tomó esta decisión después de estudiar la historia de los orígenes de Schoenstatt en el libro *Bajo la protección de María.* A Burian se unió un estudiante de teología polaco que se preparaba para el sacerdocio.

El día de retiro propuesto por Jez se realizó el primer domingo del año nuevo, el 2 de enero. Naturalmente, adaptándolo a la realidad de Dachau: haciendo pasar las conferencias y debates como horas de charla y camaradería. La primera reunión tuvo lugar en la mañana después de la Misa dominical, al aire libre. En la tarde se realizaron otras dos junto al camastro de Ignaz Jez. El P. Fischer eligió el tema de la Redención, que enlazó con el misterio de Navidad, y habló sobre el hombre y el sacerdote redimidos como instrumentos de la Redención de una humanidad cuya profunda carencia se manifestaba en forma terrible en la guerra y los campos de concentración. Habló también sobre el misterio del amor como la fuerza redentora más entrañable; de Schoenstatt como obra del amor del Dios y de la Virgen María, pero también del amor de las personas que se entregan a ella y a su obra a través de la Alianza de Amor.

Las reuniones de grupo con los sacerdotes polacos continuaron a comienzos de febrero. Anton Engel hizo una exposición basada en "Las alturas del Tabor": en primer lugar habló de la imagen de María, tal como el P. Kentenich la había ido mostrando en Schoenstatt desde 1912-1914. Sin María es imposible entender Schoenstatt.

El P. Fischer propuso a Ignaz Jez que hiciera su primera consagración a la Mater ter Admirabilis. Pero antes, debía estar muy seguro de su decisión. Con este fin, se pusieron de acuerdo en hacer una novena con ocasión de la festividad de la Candelaria, en la cual ambos pedirían luces para que Ignaz viera si era o no la voluntad de Dios que se uniera al Movimiento de Schoenstatt. Dos días después de esas festividades, éste comunicó al P. Fischer que todavía no podía decidirse, y ello por tres razones:

1) Como él conocía su tendencia a entusiasmarse muy fácilmente, pensaba que necesitaba más tiempo para meditar.
2) Estaba consciente de que entrar a Schoenstatt le traía importantes consecuencias.

3) Quería saber más acerca de Schoenstatt.

Cuando el P. Fischer comentó la posición del P. Jez con el P. Kentenich, éste le respondió que estaba totalmente de acuerdo, pues difícilmente le hubiera alegrado una decisión rápida, pero liviana. Después de esto, Jez y Burian pidieron conocer más y mejor el Movimiento. Naturalmente, el P. Fischer accedió con gusto, y en la bodega del invernadero elaboró un plan de trabajo basado en los siguientes enfoques: Importancia de Schoenstatt:

1) para la formación de personalidades sacerdotales;
2) para el desempeño de la labor sacerdotal;
3) para la solución del problema de las asociaciones mundiales de sacerdotes;
4) para la Iglesia en todo el mundo, en las actuales tribulaciones y luchas;
5) para nuestra patria.

Conviene recordar que a los sacerdotes polacos, en cuanto polacos y prisioneros en Dachau, no les resultaba fácil interesarse por Schoenstatt ni participar en sus grupos, ni reflexionar sobre sus ideas o ponerse a disposición del Movimiento en su propia patria. Schoenstatt estaba en Alemania y a ellos les parecía, en primer lugar, un Movimiento alemán. Y todo lo alemán, aun cuando no tuviera nada en común con el nacionalsocialismo y, como en el caso del Movimiento, fuera perseguido y oprimido por éste, producía en los polacos un instintivo y muy comprensible rechazo. Otra dificultad, no menor, consistía en que el clero polaco, desde hacía siglos, poseía una rica espiritualidad marcadamente mariana y vinculada al santuario nacional de Zchestochowa. No sentían, por tanto, necesidad ni deseos de vincularse a otro santuario mariano, especialmente si estaba en el extranjero y en tierra enemiga.

Habla muy bien de los sacerdotes polacos el que su interés por Schoenstatt no respondiera a una simple curiosidad sino que se preguntaran seriamente qué quería decirles Dios, qué podría significar para sus vidas el haberlo conocido en las inusuales circunstancias del campo de concentración. Lo mismo cabe decir respecto de su decisión, a pesar de las reservas de índole nacionalista, que nadie podía tomar a mal, de llevar el Movimiento de Schoenstatt a su patria. La decisión final fue tomada durante la Cuaresma a raíz de las festividades de los Siete Dolores, que en 1944 cayó un 31 de marzo. El primero en decidirse fue Ladislaus Burian, quien había sido el último en tomar contacto con un grupo schoenstattiano[321]. Como educador de jóvenes, le interesó especialmente la pedagogía del Movimiento, basada en la aspiración a ideales y en la confianza. A ello se agregaba, como le confió un día al P. Fischer, el haber tenido siempre una profunda fe en la divina Providencia, que también era tan fundamental en la espiritualidad de Schoenstatt. Ello le había parecido un signo, una invitación a participar en el Movimiento.

Ignaz Jez dio a conocer su decisión el Domingo de Ramos (2 de abril) [322]. En ella influyeron tres crónicas sobre la vida de la Familia de Schoenstatt que, en esa época, llegaron a Dachau: la primera informaba acerca de cómo 59 sacerdotes schoenstatianos de la diócesis de Münster se habían preparado para la Inscriptio y luego hicieron esa consagración. Para los dos sacerdotes polacos, el principal valor del informe fue el haber podido conocer, a través de un ejemplo concreto, cómo se enfocaba en Schoenstatt la labor pastoral en las parroquias y qué aportaba el Movimiento a la vida espiritual de los sacerdotes dedicados a esa labor, en cuanto estímulo, orientación y enriquecimiento.

---

321 Boleslaus Burian nació en 1906 y murió en 1958. Fue tomado prisionero en su patria polaca en marzo de 1940, y llegó al campo de concentración de Dachau el 8 de diciembre de 1940. Después de la guerra trabajó algunos años como director espiritual en un internado polaco de Francia. Después, ya seriamente enfermo, en un hogar de niños en Alemania. Su tumba está en el cementerio principal de Mannheim.

322 Ignaz Jez (se pronuncia Jej) nació en 1914. Fue encarcelado en agosto de 1942 e ingresó a Dachau el 7 de octubre de 1942. Después de ser liberado, al principio se dedicó a ayudar a sus compatriotas en el sur de Alemania. Luego volvió a su patria. Fue consagrado obispo de la diócesis de Kösling-Kolberg.

Monseñor Ignaz Jez.

Los otros dos informes no fueron menos valiosos, pues les demostraron que, si bien Schoenstatt había nacido en Alemania, ya no era exclusivamente alemán. Uno provenía de Sudáfrica y relataba que las Hermanas de María, llegadas allí como misioneras en 1933, habían recibido las primeras candidatas de ese país en su noviciado. El otro, proveniente de Uruguay, traía una noticia aun más importante: allí, la joven Familia de Schoenstatt, a fin de minimizar, por así decirlo, la separación física con el Santuario original, había construido un Santuario de la Mater ter Admirabilis igual al original. Apenas terminada la construcción del Santuario filial, habían constatado que el trabajo y la vida de Schoenstatt en ese país experimentaba un notable progreso y vitalidad.

Este informe abrió una nueva perspectiva, no sólo a los dos sacerdotes polacos sino también al P. Kentenich. La construcción del Santuario de Nueva Helvecia (Uruguay) demostró ser una señal de la Providencia para que Schoenstatt experimentara un nuevo desarrollo: la construcción de Santuarios filiales. El P. Kentenich entendió que la Santísima Virgen quería que se multiplicara el Santuario de Schoenstatt por todo el mundo, por todos los pueblos, a fin de repetir y continuar, desde los santuarios filiales, lo que ella había puesto en marcha desde 1914 en el Santuario original, en Alemania.

Burian y Jez expresaron el deseo de consagrarse el 3 de mayo, festividad de María, Reina de Polonia. Se prepararon durante todo el mes de abril con el P. Fischer. Estudiaron el Ideal Personal, a fin de profundizar la propia vocación, el llamado original que Dios hace a cada persona y que él va develando progresivamente cada día.[323]

---

323 Definición del P. Kentenich: desde el punto de vista filosófico: idea original preexistente en la mente divina respecto de cada persona; desde el punto de vista teológico: imitación y

Durante estas semanas de preparación, el P. Fischer recibió una ayuda inesperada del sacerdote checo Vaclav Soukup, un schoenstatiano que la Gestapo había enviado a Dachau en febrero de 1944, quien les relató cómo se había desarrollado el Movimiento de Schoenstatt entre el clero de su patria, en Bohemia y Moravia. Allí, a pesar de las inmensas dificultades debidas a la ocupación alemana, se habían integrado a grupos schoenstatianos cuarenta sacerdotes y sesenta estudiantes de teología que se preparaban para el sacerdocio. Este éxito se debía especialmente al trabajo del P. Kastner, en Silesia.

El propio P. Kentenich tomó en sus manos la preparación inmediata de los dos sacerdotes polacos. En las tres tardes anteriores al 3 de mayo, paseándose con ellos por la calle que separaba los bloques 27 y el 28, les habló sobre el sentido de la Consagración: el primer día, sobre la consagración como decisión libre y personal; el segundo, como misión; el tercero, como Alianza.

El 3 de mayo, el P. Fischer celebró misa muy de madrugada, a la cual asistieron Jez y Burian, aun cuando les estaba prohibido ir a la capilla del bloque de los sacerdotes alemanes. Allí entregaron al P. Fischer una oración de consagración, que pusieron sobre el altar. La consagración propiamente tal se realizó en la tarde en presencia del P. Kentenich, también en la capilla, pero poniendo mucho cuidado en no llamar la atención de los guardias. El P. Kentenich se hincó junto a Jez y Burian. Ellos rezaron en silencio la oración de consagración y luego se la pasaron al P. Kentenich, quien la recibió también en silencio.

---

manifestación original de las perfecciones humano-divinas de Cristo; desde el punto de vista psicológico: impulso y disposición fundamental que Dios depositó en lo más íntimo del alma, que fielmente cultivada nos lleva a la plena libertad de hijos de Dios. Esto lo detectamos a medida que descubrimos el designio de la Divina Providencia y el plan de amor que Dios tiene para y con nosotros, que nos va señalando una tarea en la vida; también podemos descubrirlo a través de la oración o de retiros espirituales. (www.schoenstatt.cl, -¿Qué es Schoenstatt?, diciembre, 2007)

Ambos, Burian y Jez, se habían puesto de acuerdo en confesar-se de ahora en adelante con el P. Kentenich y pedirle que fuera su director espiritual. Evidentemente, él no rechazó su petición. A partir de entonces, les dio todas las mañanas del mes de mayo, después de la revista, temas de meditación sobre la Virgen María, que ellos elaboraban durante el día.

Con la consagración de los dos sacerdotes, el mes de mayo de 1944 comenzó con bendiciones. El P. Fischer no olvidó comunicar con anticipación este acontecimiento tan significativo; el 23 de marzo escribió: "Me alegro por el día solemne de los compatriotas de la Hermana Marianne, el 3 de mayo. Se preparan para el gran día. La celebración familiar propiamente tal será en la tarde después del trabajo, a las seis. Para estar espiritualmente unidos a ellos, voy a cambiar la celebración de mi misa del diecinueve para el día tres, a las 4:30 de la mañana". Después de la consagración, en carta del 7 de mayo, dice: "Uno de los regalos más hermosos... La Familia aumenta, [llegaron] mellizos que se complementan y llevan muy bien. La Hermana Marianne seguramente se alegrará mucho..."

3. Grupos de Federación internacionales

A fines de mayo, el P. Kentenich y el P. Fischer acordaron reestructurar los grupos de sacerdotes que había en Dachau. El número de schoenstatianos había aumentado de manera considerable respecto del verano de 1943, en parte debido a los nuevos sacerdotes que se habían incorporado a Schoenstatt y también por los que iban llegando en gran número a Dachau, en 1944. Ya hemos conocido a uno de éstos, el sacerdote checo Vaclav Soukup. En mayo y junio llegaron varios cohermanos de la provincia palotina de Limburgo, los cuales se incorporaron tan pronto como les fue posible a los grupos de Schoenstatt: el 12 de mayo, el P. Wilhelm Poieß, que estaba en una prisión de la Gestapo desde el 22 de diciembre de 1942; el 26 de mayo, el P. Heinrich Schulte, el provincial; el 9 de junio, el P. Johannes

Wimmer [324], durante largos años director espiritual en el seminario palotino de Limburgo.

Un reordenamiento de los grupos les permitiría aprovechar las experiencias de los trabajos de grupos realizados durante el año. Pero la principal razón que para ello tenía el P. Kentenich era introducir la Federación y Liga, instituciones que formaban parte de la estructura que normalmente tenía el Movimiento, la cual había demostrado ser muy eficaz.

Entretanto, los días jueves y viernes, 25 y 26 de mayo de la semana de Pentecostés, el SS les deparó una nueva sorpresa desagradable y peligrosa. La jefatura de Dachau seguía empeñada en descubrir a los prisioneros que mantenían correspondencia ilegal en el bloque de sacerdotes alemanes. El 25 de mayo apareció uno de los jefes de cuadrilla en el bloque para someter a control a cada sacerdote por separado. Al día siguiente volvió con un grupo del SS y procedió con más rigor. Desde las piezas N° 2 y N° 3 arrojaron fuera del bloque todos los objetos que encontraron: armarios, jergones, almohadas, pisos, paquetes. Registraron rincón por rincón. Afuera, en la calle, se veía una caja de galletas donde el capellán Dresbach guardaba una copia de *El Espejo del Pastor.*

Al comienzo, el P. Kentenich no se sorprendió por el nuevo registro. En ese momento estaba sentado con el capellán Dresbach, que hacía de secretario, en el espacio para dormir de la pieza N° 4 y le dictaba una carta. Desde la ventana los vio un guardia. El P. Kentenich se dio cuenta y rápidamente hizo desaparecer los papeles en un almohadón que el capellán Dresbach había preparado, precisamente con ese objeto, y lo lanzó sobre los camastros. El guardia lo vio y le ordenó

---

324 El P. Johannes Wimmer nació en 1884 y murió en 1950. Trabajó después de su ordenación sacerdotal, en 1911, como misionero en el Camerún. En 1922 era director espiritual en Schönbrunn, cerca de Freising. Durante 20 años fue director espiritual en la Casa de las Misiones de los palotinos en Limburgo. Desde 1945 hasta su muerte, se desempeñó en la dirección central del Movimiento de Schoenstatt.

que se lo entregara. Entonces, el P. Kentenich cogió otro almohadón, pero esta vez también lo descubrieron: "Déjelo ahí, después yo mismo le voy a echar una mirada", le dijo el guardia; pero como se dedicó a hacer otras cosas y durante ese tiempo se desentendió del almohadón, el capellán Dresbach, que entretanto había puesto a buen recaudo *El Espejo del Pastor*, logró hacer desaparecer el almohadón con el correo negro.

Los registros deben haber sido bastante brutales, pues en una carta (permitida), el P. Dresbach se refiere a "los combates de los últimos catorce días, en los cuales el enemigo mostró toda su animosidad contra la cultura, propia de bandidos y de partisanos guerrilleros…" A su vez, el P. Fischer, que no había estado presente, escribió lo siguiente: "Los días 25 y 26 de mayo fueron peligrosos para la Familia. Theo y Heinz pueden cantar un pequeño cántico a propósito de ello. Y, sin embargo, la Madre fue, una vez más, protectora poderosa…"

En lo sucesivo, el P. Kentenich dio gran importancia a organizar la distribución y trabajo de los grupos. Esto se hizo, como era típico en él, respetando la vida y el desarrollo natural de las cosas. Había que tomar en cuenta que el trabajo de grupo del capellán Dresbach, a pesar de algunos vaivenes inevitables en medio de las condiciones del campo de concentración, había progresado muy bien a lo largo del mes.

Por ejemplo, en la Cuaresma de 1944, siguiendo la liturgia, había elaborado un programa de educación e instrucción bien pensado y eficaz, aun cuando no pudo realizarse hasta en sus últimos detalles. También durante la Cuaresma el grupo se abocó con gran interés al ideal de grupo. Finalmente lo formularon con la expresión *Victor in vinculis,* que había propuesto el capellán Pruszkowski, de Ermland. Karl Leisner, el diácono de la diócesis de Münster que pertenecía a este grupo, la escogería después como lema en la estampa de recuerdo de su primera misa.

En este grupo surgió otra iniciativa importante y fructífera a raíz de las conversaciones preliminares sobre el trabajo de mayo. Desde la fundación de Schoenstatt, durante la Primera Guerra Mundial, esta idea tenía una importancia especial. En lugar del rezo del Oficio Divino, que no se podía cumplir en Dachau a causa del trabajo, necesitaban oraciones más bre-

Estampa recuerdo de ordenación de Karl Leisner.

ves que pudieran aprenderse de memoria y rezarse en el trabajo en reemplazo de las horas canónicas y en los momentos correspondientes. De esta necesidad nació, después de un trimestre, el Oficio de Schoenstatt, obra del P. Kentenich.

Después de conversar con el P. Kentenich sobre la conveniencia de fundar la Federación en Dachau, el P. Fischer se dedicó a hablar con los sacerdotes acerca de este tema y a averiguar si alguien se interesaba en participar en la Federación de Sacerdotes. Los interesados fueron el párroco Ludwig Bauer, Vaclav Soukup y los dos polacos, Burian y Jez.

Para no llamar la atención, se reunieron por primera vez el domingo de la Santísima Trinidad, el 4 de junio, en la cancha de fútbol del campo de concentración, en medio de un gran bullicio. En primer lugar, acordaron reunirse todos los domingos por la tarde, de 2 pm. a 3:30 pm. Además, el primer domingo del mes harían un retiro personal. El P. Kentenich daría la plática correspondiente y recibiría las respectivas cuentas mensuales, como es habitual en la Federación de Sacerdotes de Schoenstatt.

El P. Kentenich había ideado una doble meta para el nuevo trabajo de grupo:

1) Formar jefes y crear un círculo de dirigentes capaces de hacerse cargo responsablemente de la dirección de los grupos schoenstatianos existentes, o de fundar nuevos grupos.

2) Por medio del trabajo de grupo, que deliberadamente no organizaron en bases a las nacionalidades de sus miembros, debía surgir una "generación de fundadores que estuvieron en Dachau", internacional y supranacional, paralela a la generación fundadora de la Primera Guerra Mundial. Esta nueva generación de fundadores debía estar junto al fundador en la nueva fase del desarrollo de la Obra: la de su difusión más allá de Alemania. Es decir, junto al P. Kentenich, tendría la misión de fundar la Internacional de Schoenstatt.

La carga principal del trabajo relativo a esta nueva concepción de las comunidades de Schoenstatt en Dachau recaía sobre el P. Kentenich. Ya durante el mes de mayo les había dado diariamente una plática, a las 8 pm., a los grupos Fischer y Dresbach. Como su misión consistía en formar dirigentes, le pidieron que continuara con estas pláticas.

Durante los primeros días, el P. Kentenich habló sobre "la santidad mariana de la vida diaria" y después, sobre "la santidad litúrgica de la vida diaria"; sobre el ideal del sacerdote y su actitud ante los cambios de la época. Relacionando los temas siguientes con la santidad de la vida diaria y con la piedad mariana litúrgica, abordó los criterios a partir de los cuales había desarrollado, en las décadas de 1920 y 1930, su nueva concepción de la figura y papel del sacerdote en la Iglesia del mundo de hoy. A juicio del P. Kentenich, el sacerdote, en virtud de su relación específica con Cristo, estaba esencialmente al servicio de lo sacro y de la santificación. Ello hace imprescindible un serio esfuerzo por la santidad. Pero ésta debe ser, también para el sacerdote, una "santidad en la vida diaria", vivida en las circunstancias concretas del mundo de hoy condicionado cada vez más por la industrialización y la tecnología.

Sin embargo, con las pláticas para los grupos Fischer y Dresbach, el P. Kentenich apuntaba más allá: no sólo se trataba de formar sacerdotes capaces de cumplir las nuevas tareas que imponían los tiempos actuales; también quería formar instrumentos sacerdotales aptos, que se pusieran al servicio de la Madre tres veces Admirable de Schoenstatt y de la Obra de Schoenstatt.

En su trabajo de formación en el campo de concentración, el P. Kentenich evitaba, en general, hablar a más de un grupo a la vez. Su manera de trabajar preferida era la labor minuciosa, individual. Esto tenía como consecuencia, por cierto, que en una misma tarde tuviera que dar dos, tres y a veces hasta cuatro o cinco pláticas, porque todos los grupos, comprensiblemente, querían recibir lo más posible del P. Kentenich. La mayoría de las veces, las reuniones de grupo tenían que realizarse al aire libre, paseándose de un lado a otro en la gran calle del campo de concentración, o en una de las calles entre bloques, o cerca de la cancha de fútbol. Los grupos, que a veces tenían seis u ocho miembros, iban en dos filas, lado a lado, con el P. Kentenich al centro. Muy a menudo, en medio del hormigueo de gente sólo podían avanzar abriéndose camino como una cuña, según expresión de P. Fischer.

Durante el otoño, como en Dachau ya comenzaba a llover más a menudo, el P. Kentenich caminaba durante horas bajo la lluvia con los distintos grupos, y muchas veces pasaba bastante empapado al siguiente grupo. Sin embargo, no se dejaba intimidar por el clima y, como en sus discípulos no desfallecía el interés, las pláticas vespertinas se convirtieron en una sólida institución hasta su liberación, en abril de 1945.

Otra práctica que perduró fue la de hacer retiros espirituales los primeros domingos del mes, ocasión en que él, a pedido del grupo Fischer, daba una plática. Los temas de los distintos meses nos han sido transmitidos por escrito, excepto los de noviembre de 1944 que denotan una gran agilidad y capacidad de adaptación. Con ocasión de la primera renovación espiritual, el 2 de julio, el P. Kentenich abordó dos temas de actualidad: La posición del Estado nazi respecto a Schoenstatt, y la posición de los obispos alemanes respecto a Schoenstatt. Más adelante nos referiremos al segundo tema.

En agosto expuso *Principios para la fundación de la Obra de Schoenstatt en otros países.* En septiembre habló sobre la importancia de la educación schoenstatiana basada en ideales, que debe enfrentarse a la época de las masas y las máquinas.

Con ocasión del retiro espiritual de octubre, pidió al P. Poieß, quien participaba con mucho entusiasmo en su grupo, que expusiera algunas reflexiones sobre las dificultades que había encontrado en la conquista de sacerdotes para Schoenstatt, tema que había adquirido también mucha actualidad en Dachau a raíz de la organización de los grupos de Federación.

Los participantes ya no recuerdan el tema de la meditación de noviembre. En diciembre, el retiro se hizo en la festividad de la Inmaculada Concepción; en enero, se dio una mirada retrospectiva al año 1944 y una visión anticipada del año 1945; en febrero, el P. Kentenich habló sobre la Obra de Schoenstatt y la gracia que implicaba el ser llamado a formar parte de ella; en marzo, sobre la "experiencia de la propia debilidad como ser humano y su significado positivo".

En el último retiro que presidió el P. Kentenich, el 2 de abril de 1945, se refirió a la liberación de los sacerdotes, que había comenzado la semana anterior. Con el presentimiento de que ésa era la última vez que se dirigiría a la comunidad schoenstattiana de Dachau, formuló el lema que debía orientarlos, no solamente en los ejercicios espirituales, sino también durante el período de reconstrucción después del fin de la guerra, que estaba próximo: *Procedamus in pace! In nomine Domini et Dominae Matris ter Admirabilis!*

En la mayoría de las reuniones de julio y agosto de 1944, el grupo Fischer meditó sobre el significado que para ellos tenía la expresión "Generación de fundadores que estuvieron en Dachau". Discutieron acerca de alianza de fundadores, la tarea de fundadores, el espíritu de fundadores, las gracias de fundadores, la comunidad de fundadores, la conciencia de fundadores, los esfuerzos de fundadores y los actos de fundadores. A fines de agosto y comienzos de septiembre, el grupo había avanzado tanto que pudo plantearse la formulación del ideal del grupo. Resultó que todas las reflexiones sobre la generación de fundadores que estuvieron en Dachau convergieron en el ideal del instrumento que había descrito el P. Kentenich en *La piedad mariana del instrumento.*

Entre tanto, el grupo del capellán Dresbach obervaba los cambios experimentados en el nuevo grupo Fischer. Dirigidos prudentemente desde el trasfondo por el P. Kentenich, empezaron a prepararse para formar un grupo dirigente internacional y supranacional. El 3 de septiembre, segundo aniversario de la muerte del P. Eise, el grupo decidió preparar la festividad del Santo Nombre de María con una novena. Ese día se tomó la decisión de formar en Dachau un segundo círculo schoenstattiano internacional de dirigentes, dado que los dos sacerdotes franceses, Haumesser y Leo Fabing, que ya conocemos[325], se decidieron a colaborar en este círculo.

August Haumesser había sido arrestado en su patria, y llegó a Dachau el 2 de septiembre de 1942, en la fatídica época del hambre. Durante las primeras semanas, en el bloque de acceso, su salud empeoró cada día más y lo que es peor, se deprimió gravemente y perdió

---

325 Se los mencionó en p. 304.

toda esperanza. Fue entonces cuando conoció al P. Kentenich quien lo ayudó psíquica y espiritualmente.

Cuando en 1943, se formaron los nuevos grupos schoenstatianos; se incorporó al del P. Allebrod (del cual, más tarde, se hizo cargo por un tiempo el P. Richard Henkes). En la festividad de la Inmaculada Concepción (1943), Auguist Haumesser hizo su primera consagración a la Mater ter Admirabilis. Después, cuando en 1943 y 1944 llegaron a Dachau un gran número de sacerdotes y candidatos al sacerdocio, se propuso ganar para Schoenstatt a todos los que se interesaran en el Movimiento, y lo consiguió. Como es de suponer, formó parte del segundo grupo internacional de dirigentes.[326]

Leo Fabing, párroco de Fossieux-en-Mosselle, es el sacerdote que Edmond Michelet conoció de una manera bastante original a poco de llegar a Dachau, y a quien dedicó una descripción no menos original en su excelente relato sobre su tiempo en prisión[327]. El propio Fabing cuenta cómo conoció al P. Kentenich: "La relación con el P. Kentenich comenzó después del 15 de diciembre (1942), cuando todos los extranjeros, con excepción de los sacerdotes polacos, llegaron al bloque 26. Allí conocí también a August Haumesser. Él era alsaciano; yo, de Lotaringia. En cuanto tales, nuestro destino ha sido siempre el mismo. El P. Kentenich dio por la tarde una plática en el bloque N° 26, pieza N° 4. Su devoción a María se parecía más a la nuestra que a la de los otros sacerdotes alemanes. Su fe en la divina Providencia y en la santidad de la vida diaria me llegó directamente al corazón. Elegí al P. Kentenich como confesor y director espiritual. Él también me consiguió trabajo en el comando de desinfección después de la cua-

---

326 El abate August Haumesser nació en 1910 y murió en 1971. Tras regresar de Dachau, fue párroco en Katzenthal, Alsacia. A él se debe especialmente la erección de un Santuario schönstattiano en el lugar donde murió José Engling, en Cambrai.

327 Michelet, *Freiheitsstraße*, op. cit., p. 75.

Barraca 26.

rentena por la fiebre tifoidea y por eso no necesité volver al comando de construcción No. 1 "[328].

El domingo 17 de septiembre, el capellán Richarz tomó el grupo que hasta entonces había dirigido Dresbach, su cohermano de Colonia. El mismo día se constituyó un nuevo círculo internacional de dirigentes, formado por los dos franceses ya mencionados y por los alemanes Joseph Mühlbeyer, Hermann Richarz y Heinz Dresbach. Entre los dos grupos, según la ley de la tensión, se suscitó una santa competencia que el P. Kentenich supo, también en Dachau, poner en juego con maestría.

---

328 Heinz M. Dresbach, *Zur Geschichte der Dachauer Werkzeugskreise, (Acerca de la historia del grupo del instrumento en Dachau)*, p. 4.

4.
Kennst Du das Land, von Freud' durchweht,
wo nie die Sonne untergeht?
wo im Besitz der ew'gen Güter
in Ruhe leben die Gemüter;
wo Herz und Wille stets sich laben
an Gottes überreichen Gaben;
wo schnell der Zauberstab der Liebe
in Freude wandelt alles Trübe?

Dies Wunderland ist mir bekannt:
Es ist im Taborglanz die Sonnenau,
wo unsre dreimal wunderbare Frau
im Kreise ihrer Lieblingskinder thront
und alle Liebesgaben treulich lohnt
mit Offenbarung ihrer Herrlichkeit
und endlos reichen Fruchtbarkeit:
Es ist mein Heimatland, mein Rosaland.

Capítulo 19

LOS FRUTOS LITERARIOS DEL VERANO DE 1944

1. "Oficio de Schoenstatt"

En las conversaciones preliminares sobre el trabajo de mayo había surgido en el grupo Dresbach, según ya dijimos, la idea de una suerte de sustituto del Breviario[329] basado en la espiritualidad y el mundo de los valores de Schoenstatt, propuesta que comunicaron al P. Kentenich. El propio capellán Dresbach, a quien Jakob Koch había incluido en el comando de desinfección y ahora podía estar más tiempo a disposición del P. Kentenich, instó a su maestro a que accediera a la petición del grupo.

Al P. Kentenich le agradó mucho este plan, pero fiel a su procedimiento pedagógico no quiso llevarlo a cabo él solo. Pidió a los grupos Fischer y Dresbach que trabajaran en más detalle el futuro texto del Oficio de Schoenstatt. Entonces, el grupo del capellán Dresbach propuso que, a la manera de la Liturgia de las Horas oficial de la Iglesia, el Oficio de Schoenstatt incorporara el simbolismo del curso del sol. El grupo del P. Fischer expresó el deseo de que cada Hora se refiriera a una escena bíblica vinculada a la vida de María y, al mismo tiempo, expresara algunos vínculos, tanto locales como ideales y personales, que se cultivaban en Schoenstatt.

---

329 Liturgia de las Horas u Oficio Divino.

Entretanto, el P. Poieß, quien se había incorporado al grupo del P. Fischer, se entusiasmó con la idea, y como en el pasado había escrito algunos textos schoenstatianos que fueron muy apreciados, empezó a escribir el Oficio a pesar de su duro trabajo en el comando Liebkopf. Al P. Kentenich le pareció muy bien, pero insistió en que el capellán Dresbach estuviera de acuerdo. Su aprobación, sin embargo, fue un "sí" a medias. En realidad, quería que el P. Kentenich compusiera el Oficio, y se mantuvo firme en ello a pesar de que a las tres semanas el P. Poieß presentó un borrador redactado en alemán y en latín. El grupo Fischer, entretanto, comenzó a aprender y rezar el Oficio compuesto por el P. Poieß. El capellán Dresbach, en cambio, insistía al P. Kentenich en que fuera él quien lo escribiera, y sólo se contentó cuando hacia mediados de agosto, en una fecha próxima a la festividad de la Asunción de María, el P. Fischer le contó que el padre espiritual estaba trabajando en su propio borrador. El 13 de agosto lo tenía listo, y el día 15 lo entregó al capellán Dresbach, al P. Fischer y a Vaclav Soukup. En esos mismos días de agosto, obsequió una copia del Oficio al P. Poieß, quien inmediatamente, se puso a traducirlo al latín para los cohermanos que no entendían el idioma alemán. En la Navidad de 1944, regaló al P. Kentenich la traducción ya terminada.

Para la publicación del Oficio de Schoenstatt en el *Hacia el Padre*[330], poco después de volver de Dachau, el P. Kentenich envió una concisa introducción que versa sobre su contenido y estructura.

El Oficio de Schoenstatt comienza con la ley religiosa y pedagógica fundamental de Schoenstatt, tal como la había formulado en *El Espejo del Pastor:*

Únenos en santa tri-unidad
y así caminaremos

---

330 Originalmente llamado *Himmelwaerts - Hacia el cielo.*

en el Espíritu Santo
hacia el Padre.[331]

Dice la introducción: "Este pequeño Oficio debe servir para fomentar y asegurar nuestra unión con Dios y con la Madre de Dios, poniéndonos en sintonía con las Horas Litúrgicas correspondientes al Breviario. Puede ser rezado antes, porque se inspira en las ideas litúrgicas centrales del Breviario Romano y las aplica a nuestro mundo de valores. También puede rezarse separadamente como un Oficio propio".

Por consiguiente, el Oficio fue concebido como una práctica de vida cristiana: esencialmente, una vida vinculada personalmente al Señor y a su Madre, a fin de cumplir, según su ejemplo y en comunión con ellos, los propósitos de salvación del Padre celestial. O bien, según solía formularlo de manera muy sencilla: una vida vinculada tanto a la vida terrenal como a la vida glorificada de Jesús y de su Madre. El Oficio de Schoenstatt, además, vincula al lector a la vida e historia de la Familia de Schoenstatt.

A partir de estos conceptos, el Oficio fue estructurado en la siguiente forma: la primera estrofa recuerda un acontecimiento de la vida del Señor y de María. La segunda, muestra brevemente cómo ese acontecimiento se convierte en una nueva realidad. La tercera, en forma de petición, nos hace presente que dicho acontecimiento debe hallar expresión en la vida de cada cristiano. Estas tres estrofas van precedidas, en cada caso, por dos versos que, como dice el P. Kentenich en su introducción, anuncian "el tono fundamental y el elemento esencial de las distintas horas litúrgicas".

Como ejemplo de una Hora y de su estructura, transcribimos a continuación las estrofas de Laudes:

Tu Santuario es nuestro Belén
en cuya aurora Dios se regocija.

---

331 P. José Kentenich, *Hacia el Padre,* op. cit., p.60.

*Allí diste a luz
virginalmente al Señor,
quien te eligió
por Madre y Compañera.
En esa admirable fecundidad
nos trajiste al Sol de Justicia.*

*Para que nuestro tiempo
pueda mirar la Luz eterna,
erigiste benignamente a Schoenstatt.
Como enviada de Dios y portadora de Cristo,
quieres, desde el Santuario,
recorrer el mundo en tinieblas.*

*Con alegría sumerge nuevamente
al Señor en mi alma, y, al igual que tú,
me asemeje a él en todo;
hazme portador de Cristo a nuestro tiempo
para que se encienda
en el más luminoso resplandor del sol.* [332]

El ejemplo permite ver cómo el P. Kentenich tomó en cuenta los deseos de los grupos Dresbach y Fischer. Las dos líneas de introducción emplean el simbolismo de la salida del sol; al mismo tiempo, establece un vínculo con uno de los lugares bíblicos relacionados con María y con el Santuario de la Mater ter Admirabilis de Schoenstatt. La primera estrofa alude a un acontecimiento de la vida del Señor y María, en este caso al nacimiento de Jesús en Belén. La segunda estrofa se refiere a Schoenstatt y a su Santuario, en el cual se repite lo sucedido en Belén, porque allí la Madre de Dios da a luz misteriosamente al Señor. En la tercera estrofa se expresa el deseo que lo que sucedió en Belén se realice a través de María en el alma de cada bau-

---

332   Ibid, n. 186-190.

tizado, para que ellos sean, a semejanza de María, "portadores de Cristo a nuestro tiempo".

Posteriormente, el P. Menningen, en su interpretación teológica del Oficio, destaca que el P. Kentenich fundamentó y desarrolló un concepto de la historia de la Salvación que hoy tiene gran importancia para la renovación de la fe. Éste consiste en que el acontecimiento de la Salvación, al que se refiere en la primera estrofa, debe completarse en la historia de la Iglesia y de las comunidades eclesiales, a las cuales se refiere la segunda estrofa, tal como sucedió en la vida de Jesús y de María, a fin de que también se haga realidad en la vida de cada cristiano, según lo expresa la tercera.

2. "Via Crucis del Instrumento"

Justamente un mes después del *Oficio de Schoenstatt,* el P. Kentenich completó otra tarea espiritual de gran alcance: El *Via Crucis del Instrumento.* Lo terminó de escribir para la festividad de los Siete Dolores de la Santísima Virgen, en septiembre de 1944. El acontecimiento y el mensaje de esa fecha, que el P. Kentenich siempre vio como expresión de la *biunidad* de Jesús y María, fueron decisivos para el contenido y estructura del Via Crucis.

Con trazos vigorosos, el P. Kentenich hace ver, a través del sufrimiento y la muerte del Redentor, el trasfondo del gran drama de la historia del mundo y de la salvación y a los actores de este drama: por un lado Satanás y sus cómplices; por el otro, Dios y su enviado, el Hijo hecho hombre; y entre ellos, el hombre, por el cual luchan Dios y Satanás.

Más que entregar una visión cristiana tradicional, al P. Kentenich le interesa proclamar una visión renovada, válida y verdadera, que se destaca sobre el panorama y la experiencia del presente, en oposición a las visiones y modelos de la historia puramente inmanentistas que se originan en la creciente secularización del mundo occidental.

Al mismo tiempo, muestra que los acontecimientos del presente son parte de esta lucha que se da en un segundo plano y que, desde allí, se hacen comprensibles.

Del lado de Dios, la lucha es conducida por el Hijo de Dios hecho hombre, con quien está asociada, de acuerdo con los planes de Dios desde toda la eternidad, la Santísima Virgen, su Madre, que lo acompaña y colabora con él. Y así sucederá hasta el fin de los tiempos. María, que por amor y libremente se decide por Cristo y los planes divinos de salvación realizados en él, es para el P. Kentenich el arquetipo y el ideal del cristiano que lucha entre Dios y Satanás. Ella se decide por Dios, de manera que participa a su favor como instrumento libre. María hace propia la causa de Dios. Su forma de luchar y los medios que emplea son los de su Hijo: la obediencia al Padre celestial, aun cuando ello implique la renuncia y el sacrificio de sí mismo, el sufrimiento y la cruz y hasta la muerte.

La devoción del Via Crucis no sólo debe servir como un medio de "edificación espiritual", sino también para aclarar el sentido de la historia universal, sobre todo respecto del tiempo actual, a partir de la disputa por el hombre que se desarrolla entre Dios y el demonio a lo largo de la historia de la salvación. Al mismo tiempo, el hombre debe tener claridad acerca de su propia posición en esta lucha colosal; claridad sobre la importancia y consecuencias de su decisión; y, finalmente, claridad para decidirse libremente por Dios y participar en la obra de la redención, vinculado a Jesús y María.

Esta teología, fundamento del Via Crucis, se puede ver ya en las primeras estrofas de la oración introductoria:

Padre, junto a María, nuestra Madre,
quiero acompañar
al Redentor del mundo
y, en su lucha a muerte,

ver esos poderes
que actúan en todos los sucesos de la historia.

Ayúdame, con su Esposa, la Gran Señal,
a ofrecerle como instrumento
mis débiles manos
a él, el Señor,
a quien, por amor a nosotros,
constituiste para enjuiciar a Satanás.

Me veo situado
entre esos dos grandes poderes
que se proscriben mutuamente en una eterna lucha,
y, con entera libertad,
una vez más me decido por Cristo
ahora y para siempre. (HP, 240-242)

De estas estrofas se desprende la razón por la cual el P. Kentenich escogió el nombre *Via Crucis del Instrumento:* sus oraciones apuntan al anhelo y a la decisión de entregarse como instrumento de Cristo y de su Madre y, en ellos, del Padre celestial.

El Via Crucis está también concebido como una escuela de piedad instrumental. Según expone el P. Kentenich en la "Nota preliminar" del *Hacia el Padre*, su Via Crucis enseña las cualidades de la piedad propiamente instrumental, ante todo la actitud esencial de la Inscriptio, de entrega total y disposición a acatar en todo la voluntad de Dios. De allí se desprende que el *Via Crucis del Instrumento* tenga una orientación claramente apostólica: la imitación de Cristo, la participación en los sufrimientos de Jesús y de su Madre no se limitan a hacer eficaz la gracia de la redención en la vida personal, sino que cada cual debe ponerse, como instrumento, a disposición de la redención de todos los hombres del mundo.

3. Dos textos para el episcopado

Entre los trabajos redactados durante el verano de 1944, hay dos textos que el P. Kentenich compuso para dar a conocer y defender su Obra de Schoenstatt, y que dedicó al episcopado alemán. Uno lleva por título *Schoenstatt como lugar de gracias,* y el otro, *Fátima y Schoenstatt*. Después de la guerra, ambos fueron publicados por el P. Ferdinand Kastner en la colección *Tierra de Santa María*.[(333)]

Durante los años del Tercer Reich, la Obra de Schoenstatt no sólo tuvo que librar una lucha de vida o muerte con la dictadura nazi: también, durante aquellos años, se agudizó y alcanzó su culminación la controversia a la cual dio origen en el seno de la Iglesia. Ésta se había iniciado ya poco después de su primera aparición pública, a comienzos de la década de 1920.

En este trabajo no cabe dejar constancia de todas las fases de esa controversia. Las objeciones, críticas y polémicas contra Schoenstatt que se desencadenaron en esa década y en la primera mitad de la siguiente, fueron condensadas, en 1935, en el primer tomo de los *Estudios sobre Schoenstatt,* bajo el título de *Cuestiones pendientes*, escrito principalmente por el P. Kentenich. En 1936, el sacerdote franciscano P. Bernardin Jacobi comenzó una campaña dirigida, en primer lugar, contra el libro del P. Kastner, recientemente aparecido: *La configuración mariana del mundo en Cristo*. Tres años más tarde, en 1939, el mismo P. Jacobi puso bajo la mira la *Ascética Orgánica,* de Hermann Schmidt. En 1940, August Dörner publicó una aguda crítica contra Schoenstatt: *Sentire Cum Ecclesia*.

Más que estas expresiones de algunos teólogos, pesó el hecho de que Schoenstatt y su fundador disgustaron a algunos obispos y a sus consejeros en materias teológicas, al punto de que sugirieron al obis-

---

333 Ferdinand Kastner, *"Heiliges Marienland"*, Limburgo, Lahn, 1947.

po de Tréveris, así como también a la Conferencia Episcopal de Fulda, que Schoenstatt fuera llevado al Santo Oficio de Roma.

Un *Informe sobre el Movimiento de Schoenstatt,* del año 1937, concluía su posición crítica con una doble recomendación:

1) Someter "al Santo Oficio en Roma la cuestión del "Capital de Gracias de la Mater ter Admirabilis de Schoenstatt" y la consiguiente "vinculación local"; la "misión de Schoenstatt querida por Dios", y lo referente al "contrato"... a causa de la magnitud adquirida por el Movimiento y del creciente peligro de una equivocada formación ascética de quienes reciban su influencia".

2) "Advertir a la dirección del Movimiento, sería mejor que lo hiciera el Santo Oficio, que no emplee ni divulgue formas inusuales de expresión".

Un segundo informe, hecho por la misma persona en 1938, renovó la proposición de llevar el Movimiento de Schoenstatt ante el Santo Oficio. Cinco años más tarde, en junio de 1943, el mismo consejero teológico, en un apéndice a su informe de 1937, concluyó que: "Dado que todos los intentos por inducir a la dirección de Schoenstatt a que hiciera enmiendas no habían tenido resultados y que los fundamentos de las objeciones se habían ampliado aun más, parece indicado, ahora como antes, llevar todo el asunto al Santo Oficio".

Los obispos, entretanto, vacilaban ante la idea de precipitarse en dar su consentimiento a las sugerencias del informe. Sin embargo, en 1943, la Conferencia Episcopal de Fulda recibió nuevas quejas contra Schoenstatt, en un informe cuya conclusión era que, a pesar de que en lo referente a materias dogmáticas podía prescindirse de una apelación al Santo Oficio, consideraban que Schoenstatt mostraba aun muy poca apertura. Prueba de ello era que intentaban fundar "...con un grupo de miembros de Schoenstatt pertenecientes al sexo femenino, algo así como una Orden Religiosa que actuaría en el mundo

...totalmente dirigida por mujeres... que no soporta ningún tipo de influencia sacerdotal y trabaja en forma insoportablemente secreta".

En 1943, el arzobispo de Friburgo, Dr. Gröber, dio a conocer el famoso memorando que incluye a Schoenstatt entre los fenómenos surgidos en la Iglesia Católica de Alemania que le causaban mayor intranquilidad (números 1, 10, 11 y 12).

En la medida de lo posible, desde Schoenstatt informaban al P. Kentenich acerca de todo esto. Supo que los obispos, por el momento y en atención a su encarcelamiento, no querían provocar una intervención de las autoridades de Roma. Sin embargo, le asistía la seguridad de que, después de la guerra y de su regreso de Dachau, ya no tendrían tanta consideración y que el asunto sería sometido a Roma. Por eso, para él era importante no permanecer ocioso. Pidió a los dirigentes de Schoenstatt que dialogaran con los obispos y se esforzaran por clarificar los puntos en controversia, lo cual significaba, ante todo, hacerles comprender la originalidad propia de un Movimiento de renovación, como era Schoenstatt. Con ese objetivo, el P. Kastner escribió *El acervo de ideas y la terminología de Schoenstatt* [334]. El propio P. Kentenich prestó ayuda dictando varios de los textos que componen este trabajo.

La comparación entre Fátima y Schoenstatt se debe a que los sucesos ocurridos el año 1917 en ese lugar portugués de peregrinación comenzaron a divulgarse, cada vez más, también en Alemania, durante la Segunda Guerra Mundial, llamando la atención y aprobación de un creciente número de obispos. Esto se debió, en parte, a la consagración del mundo al Corazón Inmaculado de María (que el Papa Pío XII realizó en el vigésimo quinto aniversario de las apariciones de Fátima), y, en parte, a los sucesos devastadores provocados por la guerra. A partir de lo ocurrido en Fátima y su mensaje, el P. Kentenich esperaba facilitar la comprensión de Schoenstatt y su mensaje.

---

334   Ibid.

La comparación con Fátima constituye, sin embargo, la segunda parte del estudio. En la primera, aborda el grave reproche que se hacía a Schoenstatt en el sentido de ser poco obediente a la Iglesia, o su falta de fidelidad a ella. En este punto, distingue entre la Iglesia entendida como una corriente de vida y un organismo de vida y la Iglesia en cuanto autoridad eclesiástica.

La falta de fidelidad a la Iglesia, en el primer sentido, significaría que Schoenstatt se encontraba fuera de las principales corrientes de vida de la Iglesia, y que, en consecuencia, habría abandonado el *sensus catholicum,* la "sana percepción católica de las cosas", el "olfato católico", como decía el P. Kentenich, citando a san Clemente María Hofbauer.

Pero eso era absurdo, y lo comprobaba el hecho de que Schoenstatt, por su marcada piedad mariana, se situaba en medio de la corriente de vida de la Iglesia, en plena consonancia con su corriente mariana. Ésta se expresaba en la preparación de la canonización del gran apóstol mariano Grignon de Montfort y, aun más, en la Encíclica *Mystici Corporis,* con su importante epílogo mariano.

Si la fidelidad a la Iglesia es entendida como un permanente contacto con el episcopado, el P. Kentenich admite que, en ese sentido, Schoenstatt se había mantenido hasta entonces en una actitud más bien reservada, pero exclusivamente "por razones tácticas", como él hace ver, y no por principio. En ningún momento Schoenstatt se ha sustraído a la autoridad de los obispos por razones de principio. Sin embargo, una fundación de esa índole necesita un espacio de libertad para poder desarrollar su originalidad; más aun, necesita que los obispos interesados en ella se lo concedan sin temor. En el futuro, escribe el P. Kentenich, debe producirse un cambio: el Movimiento de Schoenstatt buscará, deliberadamente, el contacto con los obispos.

Esta comparación entre Fátima y Schoenstatt muestra similitudes y diferencias. El P. Kentenich las aborda para iluminar el significado de Schoenstatt desde todos los puntos de vista posibles, y destacar sus contornos. Ve similitudes, por ejemplo, en la fe en la misión de la Virgen María, fundamental tanto en Fátima como en Schoenstatt; en el empleo de instrumentos humanos insignificantes; en el carácter apostólico de ambos lugares de peregrinación; en la confirmación y corroboración de que la Santísima Virgen interviene a través de milagros morales, es decir, milagros de conversión; y, finalmente, en la promesa de la colaboración humana que, tanto en Fátima como en Schoenstatt, es deseada por María y que a ella se otorga.

El P. Kentenich admite diferencias en lo siguiente:
a) Las fuentes de conocimiento de la intervención de la Santísima Virgen: en Fátima es una visión impresionante; en Schoenstatt, la luz de la fe práctica en la divina Providencia.
b) En cuanto a la corroboración de la autenticidad de su intervención: En Fátima, a los milagros de las conversiones se agregan también milagros físicos; en Schoenstatt no se han producido, hasta ahora, milagros de curaciones físicas. La Familia de Schoenstatt se ha limitado, conscientemente, a orar pidiendo milagros de transformación espiritual.
c) En la advocación bajo la cual la Virgen es venerada en ambos lugares.
d) Finalmente, en el desarrollo histórico de ambos lugares y las corrientes que de ellos manan: en Schoenstatt, la colaboración humana según la ley de las causas segundas desempeña, evidentemente, un papel mayor que en Fátima.

Respecto a la semejanza entre ambos lugares de gracia, lo central es, como indica el P. Kentenich, la insignificancia de los instrumentos que María eligió tanto en Fátima como en Schoenstatt. En este sentido, llama la atención sobre la ley fundamental del actuar de Dios:

Oper Dei ex nihilo, "Dios escoge lo que a los ojos del mundo es débil y necio" (cf. 1 Cor. 1,27). Si en Fátima eligió a unos humildes pastores, en Schoenstatt, sus instrumentos fueron "jóvenes estudiantes de una sociedad poco conocida, en un lugar desconocido; en un Santuario pequeño y poco vistoso, situado en el valle, y una imagen de gracias que choca a los sabios de este mundo". [335]

Pero, justamente esta insignificancia de los instrumentos debiera abrir los ojos ante el hecho de que nadie sino Dios mismo es quien obra a través de ellos. Se trata de reconocer que Schoenstatt no es una obra de hombres, sino una iniciativa divina. Pero la validez de esta visión de Schoenstatt depende de otro supuesto que, para el P. Kentenich, fue algo evidente e incuestionable durante toda su vida: el hecho de contar con la conducción y orientación provenientes de la Iglesia y, por lo tanto, también con la intervención de Dios en la vida e historia de la Iglesia. Es una intervención que procede de la libertad divina y, por lo tanto, no siempre se ajusta a las formas predominantes.

El segundo tratado, *Schoenstatt, lugar de gracias,* toca el núcleo de los problemas y controversias sobre Schoenstatt. Por eso, la frase de introducción dice así: "La discusión sobre Schoenstatt topa, tarde o temprano, con la pregunta fundamental: "¿Es Schoenstatt, en cuanto lugar y forma de vida, verdaderamente y de manera comprobable, aquello que ha considerado ser desde un principio y lo que le ha dado pujanza en todas las situaciones, vale decir, una obra de Dios?"

Respecto del lugar mismo, quiere decir: "¿Puede Schoenstatt ser considerado como un lugar de gracias?" Y, además, como un lugar de gracias en el sentido que le da el Acta de Fundación de Schoenstatt (18 de octubre de 1914). Es decir, la Madre de Dios ¿ha establecido su trono de manera especial en el Santuario de Schoenstatt?

---

335   Ibid, p. 90.

Pero, tanto para el que busca una solución satisfactoria a los problemas suscitados en torno a Schoenstatt, como para el propio P. Kentenich, el punto decisivo está en que la misión que él tiene como fundador de la Obra de Schoenstatt y que debe realizar, *importune opportune*, en la Iglesia, incluye, ante todo, la misión que mana del Santuario mariano de gracias, en cuanto lugar desde el cual la Virgen María actúa y educa y donde nace un nuevo hombre cristiano y una nueva comunidad cristiana.

Como escribió en el primer texto, la comparación entre Fátima y Schoenstatt, el P.Kentenich pudo remitirse a ella en el segundo. Pero esta vez destaca con más fuerza y en forma más penetrante las diferencias entre ambos lugares de peregrinación, a fin de iluminar mejor tanto la índole como la importancia histórica de Schoenstatt. Por medio de las apariciones de la Virgen en Fátima, Dios ha tenido en cuenta a aquellas personas "que, especialmente en una época de irracionalismo triunfante, en una época de una fe y una vida de fe raquíticas, necesitan milagros y signos extraordinarios, físicamente visibles y palpables".[336]

Schoenstatt, en cambio, parece haber surgido para aquellos "que toman en serio las verdades fundamentales de la fe… para ayudarlos a enfrentar la vida, también en las circunstancias más difíciles". Schoenstatt puede ser considerado como un baluarte de la fe "corriente", porque no ha apelado "en ninguna parte ni nunca a manifestaciones extraordinarias, ni a visiones o vaticinios, ni a milagros de orden físico. Todo se basa y depende de los deseos y el actuar de Dios, tal como están al alcance de cualquier cristiano con fe en la Providencia, en medio de la vida diaria y de los sucesos del mundo".[337]

Si tal es el caso de Schoenstatt, donde todo estriba "en los deseos y el actuar de Dios, tal como están al alcance y pueden ser per-

---

336 Ibid, p. 109 s.
337 Ibid, p.110.

cibidos por cualquier cristiano con fe en la Providencia", esto significa también que el Movimiento sólo puede ser reconocido como obra de Dios y lugar de gracias a la luz de esta fe en la Providencia. Esto es precisamente lo que afirma el P. Kentenich: si la Familia de Schoenstatt está convencida de que la Santísima Virgen efectivamente ha establecido su trono de gracias en el Santuario para "repartir abundantes dones y gracias", esta convicción se basa en el Acta de Fundación del 18 de octubre de 1914, "y en la interpretación, hecha con fe en la Providencia, del desarrollo histórico de este Movimiento multifacético, basado en dicha Acta".[338]

El Acta de Fundación indica un plan, y la historia de la Obra que procede de ella pone de manifiesto que, detrás de este plan, no hay sólo hombres, está Dios. ¿En qué se puede reconocer esto? En que el resultado de la historia de la Obra de Schoenstatt, su fruto, no se explica por la sola acción de las personas ni por las fuerzas humanas que en ella intervinieron; tanto más cuanto se trataba de débiles instrumentos humanos: de jóvenes alumnos, todavía inmaduros, con menos de 20 años de edad promedio, y que, además, tuvieron que vivir, siendo muy jóvenes e inexpertos, en circunstancias tan adversas como los cuarteles y las trincheras de la Primera Guerra Mundial.

Desde 1919, el P. Kentenich aportó como pruebas estas reflexiones: los instrumentos y medios empleados en la fundación y el desarrollo de la obra de Schoenstatt eran insignificantes; en cambio, las dificultades que se le oponían y que debió superar eran de tal importancia por su profundidad, duración y envergadura, y otro tanto cabe decir de los éxitos logrados, que un cristiano con fe no sólo está justificado al admitir una intervención y acción de Dios, sino que está obligado a hacerlo.

Posteriormente, el P. Kentenich, empleando una expresión acuñada por el filósofo Wilhelm Wundt, se refiere a la "resultante crea-

---

338   Ibid.

dora", que no sólo hacía posible sino que también exigía derechamente recurrir a la iniciativa y al actuar de Dios. Por cierto que la ratificación de estas pruebas supone creer en la inmanencia de Dios en el mundo; en que Dios está presente y actúa en el mundo; en que la Providencia lleva el timón del acontecer del mundo. Como decía el P. Kentenich, implica creer en el Dios de la vida y no mantenerse sólo en el concepto deísta de Dios, que ignora toda intervención divina en la historia del mundo.

El P. Kentenich acentúa especialmente que la forma cómo Schoenstatt se entiende a sí mismo y la visión que tiene de su nacimiento y de su historia, basada en la fe en la Providencia, tiene sus raíces en un "pasado probadamente católico", que pertenece "prácticamente a la esencia de la vida de fe de nuestro buen pueblo católico"[339]; así sucede también con la "impronta mariana" de esta fe en la Providencia, que corresponde a la posición y misión de la Santísima Virgen en el plano de la salvación, según lo expone "breve y luminosamente" el Santo Padre, en el epílogo de *Mystici Corporis*.

Con razón, el P. Kentenich señala que, a menudo, Dios se sirve de lugares de oración considerados como lugares de gracia y de la sencilla piedad popular. Es decir, Dios permite que estos lugares surjan por la vía de las gracias ordinarias. Los milagros supuestamente vinculados a su origen son posteriores.

Sólo podemos enumerar aquí algunos de los puntos que el P. Kentenich aborda en su estudio: Qué hacer si la Iglesia, para tener mayor seguridad de que Schoenstatt merezca ser llamado lugar de gracias, espera milagros físicos; qué significa considerar el Acta de Fundación de 1914 como una Alianza de Amor con la Virgen María; cómo se desarrollaron la forma y estructuras organizacionales y sociológicas de la Obra y, en especial, la recepción de la Federación Apostólica Universal propuesta por Vicente Pallotti.

---

339 *Ibíd.*

El P. Kentenich resume así estos puntos: La fe en Schoenstatt, como lugar de gracias y obra de Dios, descansa sobre sólidos fundamentos y corresponde al *sensus catholicus*. La posición jurídica de la Obra, su inserción en el orden eclesial existente, aún necesita una clarificación más precisa. "Lo que aún falta, ojalá se haga luego realidad". [340]

Lo que aportó el futuro, después de la guerra y del campo de concentración, fue, en primer lugar, una controversia más profunda y más amplia sobre las razones para considerar, o no, a Schoenstatt como obra de Dios. Es decir, se puso en juego no sólo su ordenamiento jurídico dentro de la Iglesia sino también su existencia misma. La controversia, que desde 1949 hasta 1965 ocupó incluso a los más altos jerarcas de la Iglesia, terminó definitivamente en el contexto del Concilio Vaticano II, con el pleno reconocimiento de la fundación del P. Kentenich por parte de la Santa Sede.

4. Textos sobre la oración

Otro texto de amplio alcance escrito por el P. Kentenich en el verano de 1944, es *Lecciones sobre la oración*. Ya en *El Espejo del Pastor* había tratado el tema de la oración en forma extensa y detallada. Como fundador de tantas comunidades religiosas dentro de la Obra de Schoenstatt, el P. Kentenich prestaba especial atención al cultivo de la oración. Como vimos anteriormente, siempre había destacado que la libertad que el hombre nuevo alcanzaba en Jesús y María, tenía su origen, permanencia y seguridad, únicamente en la vinculación viva con Dios y el mundo de lo divino.

A partir de la historia de otras comunidades similares, a las que él quería poner a disposición de la Iglesia, así como también de la experiencia de su propia vida interior, el P. Kentenich estaba consciente de que la conducción de sus comunidades y la realización de las tareas que Dios les encomendaba, sólo eran concebibles mediante una

---

340 *Ibíd.*

vida de oración contemplativa. Por eso, en 1934, había fundado, dentro de la comunidad de las Hermanas de María, un Instituto de Adoración dedicado al servicio eucarístico-litúrgico y a la contemplación.

En el texto sobre la oración, compuesto en Dachau durante el verano de 1944, expone un método introductorio que sirve para todas las formas de oración, desde la sencilla plegaria vocal hasta la contemplación. No está redactado en forma ordenada y sistemática debido a las circunstancias existentes en Dachau. Como fuentes, utilizó especialmente a Santa Teresa de Ávila, a cuyos escritos podía acceder en el campo de concentración. Además, se apoyó en maestros de la oración, tales como san Bernardo de Claraval, san Ignacio de Loyola y san Francisco de Sales. Este trabajo no tiene, sin embargo, un carácter ecléctico o de mera compilación.

El P. Kentenich menciona a los antiguos maestros de la oración porque, como lo hizo siempre como fundador, asignaba gran valor a la continuidad histórica. Estaba convencido de que, precisamente en épocas de convulsión y cambios, cuando lo viejo se desestructura y lo nuevo irrumpe con fuerza, hay que prestar especial atención a esa continuidad, aun en el contexto de un Movimiento innovador, como es Schoenstatt.

La índole inconfundible de las *Lecciones sobre la oración* deriva, en primer lugar, de la imagen de Dios que mostró el P. Kentenich desde siempre a la Familia de Schoenstatt, y de su concepción de la armonía existente entre la realidad natural y la sobrenatural. Ella se expresa en la fe en la Providencia y en la estructura de la Obra, que se funda en una Alianza de Amor con la Mater ter Admirabilis.

Para el P. Kentenich, como en Santo Tomás, rezar significaba "alzar el espíritu hacia Dios"[341], o sencillamente "conversar con Dios". Pero el Dios hacia quien él conducía a los suyos no era sólo el Dios

---

341 Cf. A.M. Nailis, *"Werktagsheiligkait"* (La Santidad de la Vida Diaria).

trascendente, sentado en su trono, lejano e inalcanzable, sino el Dios inmanente de la historia y de la vida. Como educador religioso, pocas cosas acentuó tanto como la necesidad de descubrir a Dios en la propia vida y de mantener un permanente contacto con el Dios de la vida. A todos los que ponían su confianza en él, les enseñaba a tratar de descubrir la conducción y la Providencia de Dios no sólo en la historia de Israel, el pueblo de la Alianza del Antiguo Testamento, sino también en la historia de la propia vida, y a acogerla con gratitud, una y otra vez.

A propósito de ello, no hay palabras que cite con más frecuencia que aquellas de san Ignacio: "Hay que buscar y encontrar a Dios en todas las cosas". Es característico del P. Kentenich que las amplificara diciendo que "hay que buscar a Dios en todas las cosas, en todas las personas y en todos los sucesos". Por eso, rezar significa hablar con Dios, pues él quiere hablar con nosotros en todas las circunstancias y sucesos de nuestra vida. Es indispensable adquirir la costumbre de examinar siempre, en nuestra vida diaria, el sentido de los "llamados de Dios a nuestra puerta". También la oración de contemplación se enfoca hacia este Dios presente que obra en la vida. A modo de ilustración, el P. Kentenich emplea la imagen de la "escala": en la contemplación, se pone la escala y se sube por ella en todos los acontecimientos de la vida, sean alegrías o sufrimientos, cosas esperadas o repentinas, cosas que se pueden dominar o no. En la "cumbre de todos los sucesos", encontramos a Dios. O, expresado de otra manera: Dios nos regala el encuentro con él. El P. Kentenich quería que en sus comunidades se cultivara, más que ninguna otra forma de oración, esta plegaria hecha a la luz de la fe en la divina Providencia.

Las *Lecciones* fueron enviadas a Schoenstatt en dos partes. Las Hermanas de María recibieron la primera en Herbertshausen, el 27 de junio; la segunda, en el viaje a ese lugar, correspondiente al 8 de agosto.

Capítulo 20

TERCERA ACTA DE FUNDACIÓN

I. "Tercera Acta de Fundación"

En ese mismo tiempo, el trabajo del P. Fischer en el grupo de la Federación marchaba aceleradamente, estimulado por las conferencias que daba regularmente el P. Kentenich y gracias al empuje de sus miembros. Además, gracias a un acuerdo secreto con el capo Jacob Koch, había podido dejar, desde principios de agosto, el remiendo de jergones y dedicarse a trabajar únicamente para Schoenstatt.

El segundo domingo de septiembre, el grupo había acordado las ideas centrales que compondrían el ideal de grupo. Tenían claro que querían un grupo de vida y no sólo una comunidad temporal de trabajo; en otras palabras, una comunidad donde sus miembros estuviesen dispuestos a conformar sus vidas según el ideal, adoptado de común acuerdo, y se esforzaran por lograr un estilo de vida que lo reflejara, para así fundar un Movimiento de vida y una corriente de vida.

El P. Poieß se ofreció para elaborar una fórmula adecuada al ideal de grupo, que abarcara todos los elementos aportados por los miembros del grupo. El ideal debía formularse en latín, dada la composición supranacional del grupo. La solución presentada por el P. Poieß y aprobada por todos, decía: *"Mater ter Admirabilis, accipe nos instrumenta, sanguine sigillata, igne inscripta, imperio tuo devota"* (Madre tres veces Admirable, acéptanos como instrumentos, sellados con sangre, inscritos con fuego, dedicados a tu reino).

Los miembros del grupo se consagraron a la Mater y le ofecieron su ideal de grupo en una ceremonia realizada en la festividad de la Nuestra Señora Redentora de los Cautivos [342], que coincidía con el cuadragésimo aniversario de la toma de hábitos del P. Kentenich. En 1944, ese día fue domingo. Todos aportaron sugerencias para la oración de consagración que rezarían ese día. El P. Poieß, que era el mejor dotado para escribir, compuso una en latín que fue aprobada después de que todos dieran su opinión y realizaran pequeños cambios.

El acto de la consagración se realizó el 24 de septiembre y comenzó con una conferencia del P. Kentenich. El grupo se reunió a las 7:30 detrás del barracón Nº 30, de los sacerdotes polacos, un lugar que los ponía un tanto a salvo de ser descubiertos (en el otoño de 1944, ya no se podía hacer reuniones en los barracones, porque estaban atiborrados con 225 a 250 prisioneros en cada pieza). Había llovido durante toda la tarde, casi hasta el comienzo de la plática, y a ratos torrencialmente, según cuenta el P. Fischer. Felizmente, la lluvia cesó del todo cuando llegó el P. Kentenich y comenzó a hablar. Para la consagración, después de la plática, todos se dirigieron en silencio a la capilla en el bloque Nº 26 donde, tal como hicieron los cohermanos polacos para su consagración, el 3 de mayo, rezaron en silencio la oración de consagración y luego se la entregaron al P. Kentenich firmada por todos.

Esta oración fue luego enviada a Schoenstatt vía las plantaciones y Herbertshausen, y allí depositada en el Santuario. La parte final decía: *"Et sic utere nobis, Mater ter admirabilis, instrumentia bene paratis, ut patria nostra et naciones subdentur Tuo suavi Schoenstattensi imperio ad infinitam Christi et Dei trini iniusque gloriam. Amen"*. (Utilízanos, pues, Madre tres veces Admirable, como instrumentos tuyos, para que nuestra patria y las naciones lleguen a obe-

---

342 También llamada Virgen de la Merced, que conmemora la fundación de la Orden de los Mercedarios, dedicada en sus orígenes a rescatar prisioneros de guerra. (N. del T.)

decer tu suave dominio, que ejerces desde Schoenstatt, para infinito honor de Cristo y del Dios trino. Amén).

Originalmente, el grupo había decidido entregar una medalla a cada consagrado. Ésta debía llevar, por un lado, el texto del ideal y, por el otro, una representación simbólica del mismo. Sin embargo, el grabador polaco encargado de fabricarlas, Boleslaus Burian, no tuvo listo su trabajo. Se fijó entonces el 18 de octubre como fecha para la entrega de las medallas. Se trataba de un día muy especial para la Familia de Schoenstatt: el trigésimo aniversario del Acta de Fundación del 18 de octubre de 1914. Al mismo tiempo, se cumplía el vigésimo quinto aniversario de la fundación de la Federación Apostólica de Hörde, con lo cual terminaba la primera fase de la fundación de la Obra y, a la vez, se daba el primer paso oficial más allá del ámbito de Schoenstatt.

En Dachau, el P. Kentenich inició la preparación para el 18 de octubre con una plática dada con ocasión de la renovación espiritual del 1° de octubre. Se propusieron que ningún mes careciera de un acto de apostolado. La idea era buscar entre los prisioneros a todos aquellos que la Providencia de Dios había elegido para colaborar en la Obra de Schoenstatt. Movido por el mismo espíritu apostólico, el P. Kentenich escribió, en los días de la preparación al 18 de octubre, una oración para pedir vocaciones masculinas para Schoenstatt. La primera estrofa dice:

"De entre todas las naciones que aquí sufren,
escoge a los mejores para que extiendan tu reino".

A partir de la festividad de la Maternidad de María (11 de octubre), todos los grupos schoenstatianos ofrecieron una semana de sacrificios como parte de la preparación al 18. El P. Kentenich se propuso enfocar este aniversario a partir de tres motivaciones:

1. Tal como en el momento culminante del verano del hambre, en 1942, había pedido a la Mater ter Admirabilis, junto con los pa-

dres Fischer y Eise, que se manifestara como Madre del campo de concentración y del pan, ahora, el 18 de octubre de 1944, propuso coronar a la Madre de Schoenstatt como Reina del campo de concentración, en vista de la incertidumbre sobre lo que allí sucedería con sus moradores, carentes de protección, al acercarse el fin de la guerra.

2. Después de haber logrado difundir el Movimiento de Schoenstatt sólo entre pequeños grupos de prisioneros que no eran alemanes, quiso dar una clara señal de propagación de la Obra más allá de Alemania, hacia el mundo entero, y fundar oficialmente el "Schoenstatt Internacional" o la "Internacional de Schoenstatt". Con este propósito, en los días de la preparación del aniversario, dictó una oración: la *Oración del círculo internacional*. Entre otras cosas, dice:

Para ello acepta
nuestro sencillo homenaje
y considera nuestra disponibilidad para el combate.
Te entregamos
a los pueblos aquí presentes,
que con nosotros comparten la suerte del destierro.

Sé para ellos Madre y Reina;
que vuelvan a su patria transformados
en sólidos garantes
de la paz entre los pueblos
y de la unión
de la ciudad de Dios aquí en la tierra. (HP, 546-547)

3. Junto con el provincial de la mayor provincia palotina, quien estaba en Dachau, el P. Kentenich quería fortalecer nuevamente la vinculación de la Obra de Schoenstatt, fundada por él, con la Sociedad de los Padres Palotinos. Él mismo pertenecía a ella y deseaba que ésta jugara un papel central en el Movimiento de Schoenstatt.

Con este pensamiento en mente, compuso también una oración para los "hermanos de Vicente", que fue incluida en una carta del P. Fischer fechada el 21 de octubre. (Los hermanos de Vicente eran los hijos espirituales de Vicente Pallotti.) Dice así: *"Que tus súplicas, Madre fiel y maternal, consigan que nuestro pequeño círculo sea siempre el alma de nuestra Obra de Schoenstatt y que a ella le consagremos toda nuestra vida y nuestra fuerza".*

El acto solemne del 18 de octubre se llevó a cabo en la calle del campo de concentración, a las 7:30 de la tarde. El cielo estaba cubierto de nubes oscuras; una fuerte tempestad rugía entre los álamos erguidos a ambos lados de la ancha calle. A la conferencia del P. Kentenich esta vez no sólo fue invitado el Grupo de Federación del P. Fischer, el *Círculo de la mano,* así llamado por el símbolo de su ideal de ser instrumentos, sino también representantes de los otros grupos schoenstatianos del P. Dresbach, que recién se formaban. En su lugar, participaron el capellán Dresbach y el abate Haumesser.

Lo que dijo el P. Kentenich esa tarde no sólo se refería al grupo del P. Fischer y a la comunidad schoenstatiana de Dachau, sino a la totalidad de la Familia de Schoenstatt en todo el mundo. Terminada la plática, el P. Kentenich entregó sus medallas a los siete miembros del grupo del P. Fischer. Al entregarlas, a cada uno dijo estas palabras: *Reciba usted este signo como símbolo de su eterna enemistad contra todo lo que vaya contra Dios, o carezca de Dios; signo de su misión señaladamente divina y mariana, y de su entrega permanente a la Madre tres veces Admirable de Schoenstatt y a su obra, por el pueblo suyo y de todo el mundo.*

Enseguida, los que tomaron parte en el acto se reunieron en la capilla para renovar en silencio su consagración y pedir a la Mater que en adelante tomara bajo su manto protector, como Reina, tanto al campo de concentración como a todo el mundo desgarrado por la guerra.

Si el grupo del P. Fischer había dado ocasión a que el P. Kentenich celebrara los importantes actos del 24 de septiembre y el 18 de octubre, el 8 de diciembre de 1944 correspondió el turno al grupo del capellán Dresbach. Para contribuir a la formación del grupo, iniciado el 17 de septiembre, el P. Kentenich le dio ejercicios desde el 24 al 26 de octubre, en la medida en que lo permitían las condiciones del campo de concentración, sobre la "comunidad familiar".

El fundamento y reflexiones del grupo se basaron en *La piedad mariana del instrumento.* Por lo tanto, su rasgo primordial sería su carácter de instrumento pero, a diferencia del grupo del P. Fischer, que lo veía y acentuaba ante todo respecto de la Virgen María, el grupo del capellán Dresbach proyectaba esta relación con María, orgánicamente, hacia Cristo y la Santísima Trinidad. Por lo tanto, expresaron su ideal de grupo con estas palabras: *Instrumenta Patris / per Christum / in Spiritum Sanctus / cum Mater ter Admirabilis / ad pacandum mundum.* (Instrumentos del Padre, por Cristo, en el Espíritu Santo, con la Madre tres veces Admirable, para la liberación del mundo). Como símbolo del grupo eligieron el corazón, de manera que además del *Círculo de la mano,* en las comunidades schoenstattianas del campo de concentración se formó el *Círculo del corazón.*

Eligieron el día de la Inmaculada Concepción (8 de diciembre) para celebrar su compromiso de grupo y entrega de su ideal a la Mater. Ese día, los grupos de la Liga del capellán Richarz y del abate Haumesser también quisieron consagrarse a la Mater ter Admirabilis. El *Círculo del corazón* se juntó en el mismo lugar elegido por el *Círculo de la mano,* el 18 de octubre, es decir, en la calle del campo de concentración, a un costado del bloque N° 27. Ese viernes también hubo tempestad y lluvia. Por el capellán Dresbach sabemos de las precauciones que tomaron para protegerse del SS: uno vigilaba la calle que daba al norte, hacia lo que hoy es la Capilla de la Angustia de Muerte de Cristo, y otro miraba en dirección a la plaza de las revistas. Como es de suponer, este tipo de reuniones estaban severamente prohibidas. También el P. Kentenich tomaba parte en las medidas de seguridad: antes de comenzar con su plática, ensayó con los presentes lo que dirían en caso de que algún SS apareciera sorpresivamente.

Los miembros del *Círculo del corazón* también recibieron, como recuerdo de su consagración, una medalla fabricada por el mismo grabador polaco que había hecho las del *Círculo de la mano*. Al entregárselas, el P. Kentenich expresó el simbolismo de las medallas con estas palabras: *"Reciban este símbolo de su total entrega por amor hasta la altura de la Inscriptio; como signo de su total entrega por amor, no sólo a los dos Sagrados Corazones sino también al Dios Trino; como signo de su total entrega por amor no sólo a su grupo sino también a su nación, a todo el mundo y a la Creación; y como signo de lo que reclama el amor de ustedes: que la Madre de Dios los utilice como sus perfectos instrumentos en la misión a ella encomendada en favor del mundo actual".*

2. "Pláticas"

Lo que dio mayor importancia a los sucesos del 24 de septiembre, del 18 de octubre y del 8 de diciembre, fue el conjunto de pláticas dadas por el P. Kentenich con motivo de las consagraciones que se realizaron en esos días. Ya en Dachau, él designó estas pláticas como la *Tercera Acta de Fundación,* y les reconoció, para la Familia y la historia de Schoenstatt, un rango que sólo poseía hasta entonces la plática de 18 de octubre de 1914 *(Primera Acta de Fundación)* y las Palabras para la Hora Presente, del 18 de octubre de 1939 *(Segunda Acta de Fundación)*. Esta Tercera Acta de Fundación indicaba el camino y los medios para la difusión y el crecimiento de Schoenstatt en el plano internacional y global.

Desgraciadamente, nadie memorizó las palabras exactas que el P. Kentenich usó en estas pláticas. En la oscuridad de la tarde, bajo la lluvia y el tiempo tempestuoso, ni siquiera un taquígrafo hubiera podido transcribirlas literalmente. El P. Fischer reprodujo, de memoria, un breve esquema de la estructura de la plática del 24 de septiembre. El P. Schulte, en los días siguientes, redactó un acta bastante extensa con el contenido de la plática del 18 de octubre. La mejor versión corresponde a la plática del 8 de diciembre. Dos miembros del *Círculo del corazón*, Richard y Dresbach, empezaron a reconstruirla según lo que ellos recordaban, pero como no tuvieron mucho éxito, el mismo P. Kentenich reprodujo su plática del 8 de diciembre. Por eso, esta plática, a diferencia de las del 24 de septiembre y el 18 de octubre, es igual a la que el P. Kentenich dio en esa ocasión.

El corazón de la T*ercera Acta de Fundación* está expuesto, y no se podía esperar otra cosa, en la plática del 18 de octubre. En la primera parte, al referirse al 24 de septiembre, describe lo sucedido esa tarde como *una hora de gracias:*

1) Ese 18 se confirmó el desarrollo iniciado con la consagración del 24 de septiembre, es decir, la difusión de Schoenstatt hacia todo el mundo: "Hasta hoy era una Obra limitada; ahora rompe este marco y se hace internacional [343]. Con ello se da *"el último paso de desarrollo"*, *"como se manifestaba ya en la Primera Acta de Fundación"*, en el sentido de que el Santuario de Schoenstatt podría llegar a ser un lugar de peregrinación *"para nuestra casa, para toda la Provincia y quizás también más allá"* [344]. "Por eso, el día de hoy es tan digno de ser recordado como el de 1914 *en Schoenstatt y el de 1919 en Hörde".*[345]

---

343 *Schönstatt. Die Gründungsurkunden (Schoenstatt. Las Actas de Fundación)*, p. 70.
344 Ferdinand Kastner, *"Unter dem Schutze Mariens"*, *(Bajo la protección de María")*, op. cit., p. 291.
345 Hörde, es decir, la fundación de la Federación Apostólica en Dortmund-Hörde; no hay un Acta de Fundación relativa a este acontecimiento.

Para el P. Kentenich, estos sucesos no son meras especulaciones humanas, sino más bien, tal como sucedió en 1914, instancias en que *"Dios habla a través de las circunstancias"*.

2) Según el P. Kentenich, la segunda gracia de ese momento, recibida en la calle del campo de concentración, consistía en la relación entre la Obra de Schoenstatt y la Sociedad de los Padres Palotinos: *"Nuestra Obra de Schoenstatt ahora contrae definitivamente sus desposorios con aquella comunidad que le fue destinada y bendecida por Dios como "pars centralis et motrix""*[346].

Siempre que el P. Kentenich abría una nueva perspectiva ante los suyos, hacía presente, con mucho sentido de la realidad, la distancia entre las metas propuestas y las fuerzas disponibles, distancia que humanamente no era posible suprimir. En esta oportunidad también se los recordó: Nos *"sentimos impotentes ante la tarea"* [347]. Así fue desde el principio en la historia de Schoenstatt: *"Todo se ha desarrollado a partir de comienzos pequeños y pobres"* [348]. Y casi con las mismas palabras que empleó en el estudio sobre *Schoenstatt como lugar de gracias,* describe los inicios del Movimiento entre los años 1914 a 1919: *"Débiles eran los instrumentos, una comunidad minúscula, jóvenes muchachitos esparcidos por la guerra, o como se desprende de la lápida conmemorativa que hay en el Santuario, muchos fueron escombros y madera de desecho; sólo unos pocos lo sobrellevaron todo".* [349]

La insuficiencia y la debilidad se incrementaban aun más por el hecho de que Schoenstatt siempre "estuvo dando la batalla", desde 1914 hasta 1944. Cuando veían con claridad que algo era la volun-

---

346 *Actas de Fundación,* op. cit., p. 70.
347 Ibid, p. 71.
348 Ibid.
349 Ibid., p. 71s.

tad de Dios, *"lo acometíamos sin pensarlo más, sin considerar nuestra debilidad".* [350]

Las pláticas del 24 de septiembre y del 8 de diciembre forman un todo con la del 18 de octubre y su proclamación de la Internacional de Schoenstatt, cada una aportando lo que tenía de original.

El 24 de septiembre el P. Kentenich puso el acento en la decisión. En el último párrafo de la conferencia, se dirigió directamente al *Círculo de la mano*, si bien se percibe inmediatamente que en ese momento tenía también ante sus ojos el presente y el futuro de toda la Familia de Schoenstatt.

Para el P. Kentenich, la consagración no era sólo una subordinación unilateral a una protección más alta, sino una decisión esencial para colaborar como instrumento en los planes divinos de salvación. Por eso, en su pedagogía schoenstatiana, el P. Kentenich asigna un lugar importante a la consagración y su renovación. También para los schoenstatianos de Dachau fue significativo que él los condujera constantemente, con intervalos más o menos breves, a hacer y renovar sus consagraciones.

El P. Kentenich interpretó la consagración del grupo internacional de Federación del P. Fischer, el 24 de septiembre de 1944, como una decisión "por el espíritu de comunidad de fundadores, de jefes e instrumentos". Es difícil decir a qué expresión programática él asignó más peso. Parece haber puesto un cierto énfasis en el *"espíritu de fundadores"*. El principal sentido de la consagración consistió en que el grupo se puso, como instrumento, a disposición del fundador, llamado por Dios para llevar Schoenstatt hacia el mundo y, de esa manera, se hizo partícipe de la tarea del fundador.

A propósito de ello, el P. Kentenich les permitió dar una mirada a su alma y a los principios que informaban su actividad: *"No debe-*

---

350 *Ibid..*

mos esperar que nuestros esfuerzos resulten en grandes éxitos, ni aquí ni afuera, pero siempre debemos buscar la voluntad de Dios y tratar de ponerla en práctica" [351]. A su juicio, el espíritu de fundadores, por lo tanto, está determinado esencialmente por la confianza, el espíritu de responsabilidad y de sacrificio.

El núcleo y tema de la plática del 8 de diciembre se denominan universalismo o infinitud. Con ello, el P. Kentenich se refería al ideal del grupo del capellán Dresbach, que contenía, por su referencia al mundo entero y a la Santísima Trinidad, el rasgo del universalismo y de la infinitud. Pero no es difícil ver que esos rasgos se desprenden directamente de la difusión de la Obra de Schoenstatt en el ámbito internacional. Una Obra que ha de echar raíces en la Iglesia de todo el mundo, entre todos los pueblos, debe estar marcada por el universalismo en su planificación, estructura y esencia. Lo mismo cabe decir de sus principales dirigentes. Esas son condiciones esenciales para que una Obra de esas características logre enraizarse en las distintas naciones y culturas, en su originalidad natural e histórica.

Más en detalle, el P. Kentenich habló de un *"universalismo o infinitud en profundidad, en altura, en anchura y a lo largo"*. De una universalidad o infinitud en cuatro dimensiones, que quisiera ver elevados a la categoría de un "programa de vida claramente reconocido y tenazmente perseguido" por la Familia de Schoenstatt.

Naturalmente, esto no significa que haya planteado una nueva meta obligatoria. Se trataba, más bien, de continuar el desarrollo de la meta que comenzó a surgir desde los inicios de Schoenstatt en el Acta de Fundación del 18 de octubre de 1914. Desde entonces, el propio P. Kentenich la había ido desarrollando y ahora completaba su despliegue. El "hombre nuevo", conforme a esto, es el que sumerge toda su persona, toda su existencia, su subconsciente y su inconsciente, su "corazón" y su "naturaleza", sin reservas y totalmente en la

---

351 Ibíd.

"nueva creación" ("universalismo en profundidad"). No permanece, por lo tanto, como un habitante marginal en el mundo de la "nueva creación", sino que se deja penetrar cada vez más por la gracia, por la plenitud divina, hasta llegar a ser, como diría más tarde el P. Kentenich, un "asociado [352] marcadamente original de la Santísima Trinidad". Ello corresponde al axioma de *El Espejo del Pastor:* "Haz que permanezcamos en santa biunidad,/ y de esa manera vayamos hacia el Padre en el Espíritu Santo" ("Universalismo en altura").

A estos dos universalismos o infinitudes corresponden el "universalismo o infinitud en anchura" y el "universalismo o infinitud a lo largo". Aquél significa, según las propias palabras del P. Kentenich, lo siguiente: *"Nuestro corazón pertenece a todos los seres humanos, a todas las naciones, sea cual sea su nombre y su historia. Más aun: todo el mundo debe ser sometido a la soberanía del Dios Trinitario. Todo lo abarcamos, lo grande y lo pequeño, y no tendremos descanso hasta que todo el mundo esté en Cristo a los pies del Padre".*[353]

"Universalismo a lo largo" quiere decir a lo largo de toda la vida humana. La misión que Dios encomienda a una persona es tarea para toda la vida, hasta el último momento y hasta el último aliento, y aun más allá. *"Lo que aquí en la tierra abrazamos con todo nuestro amor y deseamos vivamente, y por lo cual nos esforzamos, debe ser y convertirse en el objeto de nuestra solicitud durante toda la eternidad".*[354]

En la última parte de la plática, les habló de la fe y confianza que debían tener en las gracias de la consagración. En virtud de la Alianza de Amor, María obsequia a los suyos fe en la misión y conciencia de misión, bienes esenciales para quienes colaboran, en una época de trastornos totales y radicales, en la construcción de una obra de

---

352 *"Partner",* dice el P. Kentenich. (N. del T.)
353 *Actas de Fundación,* op. cit., p. 80.
354 Ibíd., p. 80.

resistencia como lo es Schoenstatt. Más aun: la Madre de Dios se obsequia ella misma en Alianza de Amor con todo su amor de Madre; obsequia a su Hijo divino y al Espíritu Santo, estableciendo así los vínculos personales y vitales que son absolutamente imprescindibles en la vida cristiana, y tanto más cuando se trata de cumplir una misión como la que corresponde realizar a Schoenstatt en el mundo.

Capítulo 21

NOVIEMBRE-DICIEMBRE DE 1944

1. Actividad apostólica y comunitaria

Las tres conferencias de la Tercera Acta de Fundación y las correspondientes consagraciones a la Mater marcan el cenit del trabajo schoenstatiano en el campo de concentración, iniciado a comienzos del año 1941. En las semanas siguientes al 18 de octubre y al 8 de diciembre de 1944, la vida de los grupos marchó con intensidad asombrosa, si se consideran las condiciones existentes en Dachau. De acuerdo con los antecedentes que se han conservado, se puede aseverar, tal vez, que se acentuó el contacto personal y el cultivo de la vida en común más que el cumplimiento de planes de trabajo.

Durante ese período, se abordó una tarea de gran envergadura: la traducción a distintos idiomas de varios textos fundamentales del P. Kentenich, especialmente las oraciones nacidas en Dachau. En esta materia fue especialmente meritorio el trabajo de Vaclav Soukup, por sus traducciones al checo.

En esas semanas, los grupos schoenstatianos establecieron el hábito de adorar al Santísimo y de reunirse en comunidad en torno a la mesa, o comunidad de los alimentos.

El deseo de formar comunidades de esa índole parece haber acompañado al P. Kentenich durante toda su permanencia en Dachau. Sabemos que en el otoño de 1942, cuando llegaron los primeros paquetes, formó una comunidad así con el Dr. Kühr, el Dr. Pessendorfer y el P. Fischer. En noviembre de 1944, volvió a impulsarla. Una razón para ello fue que, en esa época, la alimentación comenzó a escasear nuevamente en Dachau, también entre los sacerdotes alemanes.

Los bombardeos aliados causaban graves daños en las redes de transporte dentro de Alemania y el envío de paquetes por correo se retardaba considerablemente. Algunos se extraviaban y el contenido de otros llegaba en mal estado. La mejor manera de que alcanzara algo más para todos y de introducir un poco de variedad en el menu era poner todo en común. En esta materia, el P. Kentenich estaba en buenas condiciones para hacer un buen aporte. Como a causa de la guerra los envíos desde Schoenstatt se hicieron más escasos, algunos miembros previsores y esforzados de la Familia, de la región de Suabia, organizaron un servicio privado de envío de paquetes. Gracias a éste, el P. Kentenich no sólo podía abastecer con lo más necesario a la comunidad schoenstatiana, sino también proporcionar víveres a un gran número de otros prisioneros, principalmente a los que no recibían ningún paquete. [355].

El P. Kentenich perseguía un doble propósito al introducir la costumbre de la comunidad en torno a la mesa: por una parte, el cultivo y fortalecimiento de la comunidad entre los schoenstatianos y, por otra, asegurar la personalidad sacerdotal en constantemente peligro de dejarse nivelar a la altura del medio, dadas las brutales condiciones

---

355 Sobre este punto citaremos solamente el testimonio del obispo italiano Carlo Manziana, que permaneció en Dachau desde el 29 de febrero de 1944, como el prisionero No. 64.752. Se encuentra en la contribución a Pax Cristi, No. 3, 1949, pp. 30-32, de Henri Ferrera, titulada Sacerdotes alemanes en Dachau. Dice así: "Jamás voy a olvidar la cordialidad, el amor fraterno del capitular Nikolaus Jansen, de Aquisgrán; del P. Maurus Munch OSB, de Tréveris; del sacerdote Reinhold Friedrich; ni tampoco la nobleza de sentimientos de los Padres Palotinos, de su Provincial, el P. Schulte, y de su asesor espiritual, el P. Kentenich. Este padre logró dirigir secretamente, desde el campo de concentración, sus dos comunidades de laicos que estaban bajo la protección de la Mater ter Admirabilis de Schoenstatt. Generalmente, invitaba a las horas de comida a religiosos de todas las naciones y confesiones… Entonces repartía entre ellos los víveres que recibía, en su mayor parte, desde Alemania. A él agradezco haberme recuperado de mi afección pulmonar…"

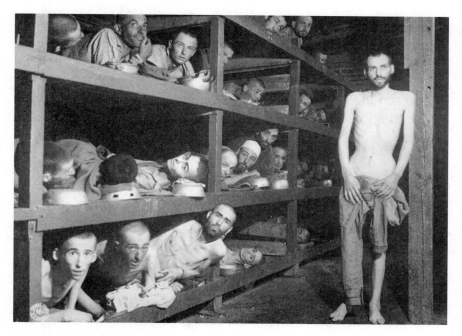

Hacinamiento en las barracas.

de Dachau y porque su supervivencia física se veía amenazada por el hambre, la estrechez de los espacios habitacionales y el ritmo de vida permanentemente forzado.

A comienzos de diciembre, el P. Kentenich ideó un reglamento de siete puntos como guía del comportamiento en la mesa. En los tres primeros expresaba claramente sus motivos y propósitos:

1) Nuestra *mensa communis* es expresión de nuestro espíritu de familia y un medio para fomentarlo y profundizarlo.
2) Dado que la mesa familiar no es sólo una mesa de placer sino también de sacrificios, cada uno contribuye con lo propio, como lo aconsejan la justicia, la equidad y el decoro.
3) Para que la *mensa communis* conserve su dependencia de Dios y de la Virgen María, recen todos diariamente la *Oración en*

medio de una necesidad y, tan pronto como alguno de nosotros reciba un paquete, la *Oración de acción de gracias"*. El
P. Kentenich compuso ambas oraciones en ese tiempo, precisamente con ese objeto.

La comunidad en torno a la mesa formada por los schoenstatianos se componía, la mayoría de las veces, de once personas. Al comienzo se reunían en la pieza N° 3 del bloque 26. A las horas de comida, todos acudían allí desde sus comandos de trabajo. Uno hacía
de cocinero y preparaba la comida, por lo demás bastante escasa. Generalmente consistía en una sopa, que se servía en tazones, y un pan
con manteca. El P. Fischer describió con cuanto humor transcurría la
conversación en la mesa. El P. Kentenich se preocupaba de que fuera placentera, llamando, por ejemplo, "gorriones" a los compañeros
más jóvenes, en tanto que al P. Wimmer, que era el mayor, lo llamaba "la palomita". Pero como la pieza se hacía cada vez más estrecha,
debido a la constante afluencia de nuevos prisioneros, las comidas en
común ya no pudieron continuar en el barracón y se las trasladó a la
calle del bloque, donde, por cierto, había que comer de pie.

La actividad y los contactos del P. Kentenich no se limitaban a los
schoenstatianos y a los grupos schoenstatianos. Justamente en el otoño de 1944 incluyó a otros cohermanos, en especial a los extranjeros
y también a los laicos. Muy a menudo entablaba largas conversaciones con el P. van Gastel, un jesuita holandés, encarcelado en Maas-
tricht cuando era rector de un colegio de su congregación. Después
de la guerra fue asesor de la dirección general de la Compañía de Jesús en Roma. También estableció una cordial relación con el P. Carlo
Manziana, superior de los Oratorianos, de Brescia, Italia.

Entre los laicos con quienes mantuvo relaciones muy cordiales,
aparte de los amigos de la primera época, como Joseph Joos, cabe
mencionar a Edmond Michelet, quien hacía de cabeza de los prisioneros franceses y que después fue colaborador y Ministro de De Gaulle;

y al Príncipe Xavier de Borbón-Parma, hermano de la última emperatriz de Austria-Hungría. El P. Kentenich no cultivaba estas relaciones, y así fue durante toda su vida, porque le gustara el trato con personas prominentes. En general, los contactos no se producían por iniciativa suya sino del otro, y nadie estaba más dispuesto que él a poner término a relaciones que sólo buscaban una forma de pasar el tiempo.

Especialmente cerca de su corazón estuvieron siempre sus cohermanos polacos, ese grupo insultado y vejado en Dachau más que ningún otro grupo de sacerdotes. En 1942 cuando, desde el 23 de agosto hasta el 13 de octubre, vivió casi dos meses entre ellos en el bloque 28, se puso a su servicio con la mayor naturalidad. El desarrollo de los grupos de Schoenstatt en los años 1943 y 1944 demuestra que siguió maneniendo una estrecha relación con ellos y que gozaba de su confianza. Lo que las Hermanas de María traían a Herbertshausen para celebrar misa, y que llegaba a Dachau a través de las plantaciones, como vino de misa, hostias y velas, siempre era entregado a los polacos a instancias del P. Kentenich, a fin de que pudieran celebrar en secreto. En el otoño de 1944, le solicitaron, tal como en 1942, que les diera conferencias, pero sólo para ellos. El P. Kentenich accedió inmediatamente. En la tarde de la festividad de Cristo Rey (29 de octubre), dio la primera conferencia en el dormitorio de la pieza N° 1, bloque 28. Al principio pensaron en una conferencia semanal, siempre los domingos por la tarde, pero después aumentaron a tres, que el P. Kentenich dio regularmente, no es posible precisar desde cuándo, hasta comienzos de 1945, cuando la epidemia de tifus exantemático puso término a este ciclo.[356]

En una carta del 3 de diciembre de 1944, el P. Fischer se refirió en estos términos a esta actividad y, en general, a todas las desarrolladas por el P. Kentenich durante esas semanas: "Me alegro junto con ustedes de que Theo, a pesar de su traslado a otra región, haya podido

---

356   Relato oral del padre Dr. Francis Cegielka, prisionero No. 29.232, 22 de julio de 1971.

continuar su actividad apostólica casi como en su tierra: recibe consagraciones, da retiros y a menudo cuatro o cinco conferencias. Naturalmente, las condiciones son mucho más modestas y las circunstancias más primitivas... Sin embargo, las penurias no sólo cierran los corazones, también los abren. ¿No son, acaso, la festividad de Cristo Rey y los domingos siguientes prueba suficiente de ello, cuando los compatriotas se reunieron en un número de cerca de cien para escuchar una conferencia religiosa, y en un lugar estrecho que sirve para que duerman muchos que no tienen hogar ni techo? La gracia de Dios no está precisamente amarrada a exterioridades. Demos gracias porque octubre aportó muchas cosas..."

Por otra parte, la vida diaria en Dachau, cuando el año de 1944 llegaba hacia su fin, se mantenía tensa debido al rumbo que tomaba la guerra. Allí estaban bien informados, hasta en los detalles, acerca de las novedades de la guerra; se sabía que los ejércitos aliados se acercaban más y más a las fronteras alemanas y que en algunas partes ya la habían cruzado. La primera ciudad importante, Aquisgrán, había sido conquistada por los norteamericanos el 21 de octubre. En esos mismos días, los rusos entraron a Prusia oriental.

Sin embargo, el ejército alemán logró estabilizar la situación durante un breve lapso mediante contraofensivas en el este, reconquista de Goldap a comienzos de noviembre y, en el oeste, con la ofensiva de las Ardenas poco antes de Navidad.

Y llegó un nuevo invierno, el sexto de la guerra. Como los años anteriores, esta vez también se hizo notar una aguda falta de ropa de invierno en el ejército alemán. Recurrieron, entonces, a los prisioneros de Dachau. El 6 de diciembre, precisamente cuando el invierno caía en la meseta de la alta Baviera, tuvieron que entregar sus capotes. Afortunadamente, se trataba de una medida transitoria; después de un mes, el 4 de enero de 1945, nuevamente les dieron abrigos.

Estado en que quedó la Iglesia de Nuestra Señora de Dresde.

Para los prisioneros alemanes, el curso que tomaba la guerra reavivó una preocupación que tenían desde hacía tiempo la mayoría de sus camaradas de otros países: ¿Qué iba a ser de sus familiares si Alemania, quizás por un largo tiempo, se convertía en el teatro de la guerra? El 25 de septiembre, el capellán Dresbach escribió a su hermana: "En el tiempo que viene, los encomendaré cada vez más a la protección del cielo… No le pondremos condiciones a Dios porque no podemos opinar ni hacer las cosas mejor que él…"

El P. Kentenich tenía que pensar, ante todo, en las Hermanas de María y sus numerosas filiales, grandes y pequeñas, repartidas por distintas partes de Alemania. Ellas esperaban de él, como su fundador y padre espiritual, indicaciones claras y prácticas para saber qué hacer en las circunstancias extraordinarias que se veía venir, especialmente si las operaciones militares y la ocupación por parte de tropas enemigas las alcanzaban. El P. Kentenich se había ocupado con anticipación y cuidadosamente de estos problemas, y les hizo llegar a tiempo sus indicaciones.

En una carta del P. Fischer, del 10 de septiembre, respondió, en primer lugar, la pregunta sobre si convenía huir en determinadas circunstancias o si era mejor permanecer lo más posible en donde estaban. Decía la carta: "Que la familia de la tía Ana [357] permanezca en el mismo lugar es algo que me parece evidente, siempre que sea posible..." Esto se refería principalmente a Schoenstatt y al Santuario, que correrían gran peligro si el Rhin se convertía en el frente de guerra entre las tropas alemanas y las aliadas. Sin embargo, la indicación tenía validez para todas las otras filiales.

2. Ordenación sacerdotal de Karl Leisner

En el invierno de 1944-45, que entonces se iniciaba, el 17 de diciembre (tercer domingo de Adviento) tuvo lugar un acontecimiento que concernía especialmente a la comunidad schoenstattiana de Dachau y que la llenó de alegría: la ordenación sacerdotal del diácono Karl Leisner. El P. Otto Pies SJ, también prisionero en Dachau y fiel consejero de Karl, la describió en una biografía publicada en 1950: *Un Esteban de nuestro tiempo. Karl Leisner, sacerdote y mártir.*[358]

Karl Leisner se encontraba en manos de la Gestapo desde el 10 de noviembre de 1939, y durante más de cuatro años en Dachau. Con motivo de algo que dijo irreflexivamente, a propósito del atentado contra Hitler en la tarde el 8 de noviembre de 1939, fue denunciado y arrestado en el sanatorio de St. Blasien, en la Selva Negra, donde se recuperaba de una dolencia pulmonar. Esto sucedió poco antes de alcanzar la meta de sus anhelos y vocación: su ordenación sacerdotal.

---

357 Es decir, la comunidad de las Hermanas de María.
358 Otto Pies, *Stephanus heute. Karl Leisner, Priester und Opfer.* Editorial Butzon & Becker, Kevelaer. Hay versiones en español de varias biografías sobre Karl Leisner. (N. del T.)

P. Otto Pies y Karl Leisner.

Durante sus años en prisión, constantemente volvía a encenderse en este diácono el deseo de ser ordenado sacerdote, sin que se diera la posibilidad de cumplirlo. Pero el 6 de septiembre de 1944, fue internado en Dachau el obispo Gabriel Piquet, de Clermont-Ferrand, arrestado el domingo de Pentecostés después de la misa solemne. Los amigos de Karl Leisner tuvieron entonces la idea de aprovechar la oportunidad que así se ofrecía.

El P. Pies describe cómo se llevaron a cabo, dentro y fuera del campo de concentración, los preparativos necesarios, parte de ellos con gran sigilo. Solicitaron el consentimiento del obispo de Münster, diócesis de donde era oriundo Leisner, y del obispo de Munich, la diócesis del lugar. Finalmente se celebró la ordenación sacerdotal en la

Karl Leisne, en el día de su ordenación.

capilla del bloque 26. El P. Pies describe también la primera misa celebrada por el ahora padre Leisner, el segundo día después de Navidad, festividad de san Esteban, diácono y protomártir. Fue la única misa que Leisner pudo celebrar antes de su muerte, el 12 de agosto de 1945.

Como estudiante de humanidades, Leisner había conocido Schoenstatt en 1933. En esa ocasión, el P. Josef Vermeegen invitó al joven de 18 años, que al año siguiente dio su bachillerato, a una jornada de ejercicios en Schoenstatt. Allí se encontró con algo que, en su diario, califica de "decisivo". "Los dos días silenciosos allá arriba, cuando comenzaba a germinar la primavera en las alturas cercanas a Westerwald, rezando en silencio ante la imagen de gracias de la Madre tres veces Admirable, y las bendiciones vespertinas con el Santísimo Sacramento, todo eso hizo vibrar mi alma poderosamente. Todo lo que había en mí de sacerdotal y caballeroso, allá en la trastienda, y latente en lo más profundo, despertó y surgió como una llamarada, conmoviéndome profundamente".[359]

---

359   Ibid., p. 32.

La vinculación a Schoenstatt y a su Santuario permaneció para siempre en el núcleo de su ser, y fue para él la fuente secreta de su vida y de su trabajo con la juventud católica de su tierra del bajo Rhin y en la diócesis de Münster. Cuando se enfermó del pulmón, en el verano de 1939, y viajó a St Blasien para someterse a tratamiento, interrumpió el viaje en Coblenza para intercalar una rápida visita al Santuario de Schoenstatt. Una vez más, puso en manos de la Mater ter Admirabilis su salud y su vocación sacerdotal: "Si tú sabes que puedo llegar a ser un buen sacerdote, ayúdame a sanar y a lograr mi meta. Si tú ves que voy a ser un mal sacerdote, antes déjame morir".[360]

Dijimos ya que Karl Leisner había sido el primer schoenstatiano en llegar al campo de concentración de Dachau. El 8 de diciembre de 1940, el día de la festividad de la Inmaculada Concepción, un año largo después de su arresto en St. Blasien, fue trasladado allí desde el campo de concentración de Sachsenhausen, en Brandeburg.

Cuando el P. Fischer inició el primer grupo schoenstatiano en Dachau, lo incluyó a él, y Leisner, a su vez, llevó al grupo a algunos schoenstatianos que había descubierto entre los sacerdotes alemanes. Entretanto, él no podía colaborar demasiado. No era posible, naturalmente, que su tuberculosis mejorara en la cárcel o en el campo de concentración. Al contrario, reapareció dos días después del ingreso del P. Kentenich, el 16 de marzo de 1942, de modo que debió ser trasladado desde el bloque 26 al barracón de la enfermería destinado a los enfermos de TBC.

Sin embargo, el contacto con su grupo no se rompió. Más aun, experimentó una gran alegría cuando el trabajo de grupo se reinició en 1943, y el grupo suyo, dirigido primero por el capellán Dresbach y después por el capellán Richarz, adoptó el ideal *"Victor in vinculis"*. Con este motivo, envió a sus cohermanos la siguiente nota desde la enfermería: "En este gran anhelo para llegar a ser "victoriosos" de-

---

360 Ibíd., p. 97.

bemos fortalecernos y bendecirnos recíprocamente. La Mater ter Admirabilis nos protegerá y conducirá bondadosamente en esta última etapa, tal vez la más difícil".[361]

En los días siguientes a su primera misa, de vuelta a la enfermería, les escribió lo siguiente: "Todos ustedes estaban allí espiritualmente. ¡Después de más de cinco años de oraciones y espera, horas y días de la más dichosa consumación! Todavía no puedo concebir que Dios, por la intercesión de nuestra querida Señora, nos haya escuchado en forma tan extraordinaria y singular. Desde hace catorce días sólo puedo rezar, conmovido: ¡Oh, Dios, cuán grande y bueno eres!"

Refiriéndose a la vida de grupo, decía en la misma carta: "Me gusta el ideal de grupo. Me recuerda todas las horas que he estado prisionero y el gran amor y fidelidad de la Mater ter Admirabilis durante este largo tiempo. En las semanas recién pasadas, pude experimentar profundamente algo del sabor anticipado de ese 'ser victoriosos'…" [362]

Con ocasión de la ordenación sacerdotal y de su primera misa, los grupos de Schoenstatt obsequiaron, al más joven de sus hermanos y el que más tiempo había permanecido en prisión, las oraciones del instrumento escritas hasta ese momento: el *Via Crucis, el Cántico al terruño y el Oficio de Schoenstatt.*

Posteriormente, una vez liberado y bien cuidado por las Hermanas del Sanatorio de Planegg, confesó que, en los momentos más difíciles, pedía tres cosas a la Madre tres veces Admirable: salud, libertad y la ordenación sacerdotal. Y agregó: "Dos cosas me ha regalado, pero en orden inverso (la ordenación sacerdotal y la libertad). También me dará la tercera".[363]

---

361   Joseph Klein, *Karl Leisner,* p. 23.
362   Ibíd., p. 26.
363   Ibíd., p. 27.

La divina Providencia había dispuesto otra cosa. Karl Leisner murió algo más de un trimestre después de su liberación. Sus restos mortales fueron llevados desde Planegg a su ciudad natal de Kleve y sepultados allí. Desde 1966, junto a los de otras víctimas del nazismo procedentes de esa tierra del bajo Rhin, descansan en la catedral de san Vicente, en Xantén.[364]

3. Navidad y comienzos de un nuevo año

La Navidad de 1944 se celebró en Dachau con sentimientos contradictorios. Un profundo abatimiento se apoderó de muchos prisioneros extranjeros con motivo del éxito inicial de la ofensiva alemana en las Ardenas, que comenzó el 16 de diciembre. Los nazis parecían tener más capacidad de resistencia que la que se suponía. Edmond Michelet opina en su libro sobre Dachau: "Bastogne[365] causó más víctimas en el campo de concentración que en el campo de batalla"[366]. Pero si no se podía esperar un rápido colapso de Alemania, ¿cuánto tiempo iba a durar, cuánto más tendrían que soportar, semana tras semana, el encarcelamiento y las penurias de Dachau, que en los últimos meses habían aumentado?

En la capilla del bloque 26, se celebró la misa de Nochebuena, a las 4 de la tarde. El primer día de fiesta hubo oficio y vísperas pontificales con el obispo Piquet. A diferencia del año anterior, la comunidad de Schoenstatt no celebró esta vez una misa aparte. El P. Kentenich había celebrado misa por última vez, el 10 de diciembre. No obstante, después de la misa de Navidad, se reunieron a celebrar en

---

364 El 15 de marzo de 1980, el Papa Juan Pablo II da inicio al proceso de su beatificación y el 23 de junio de 1996, lo beatifica como mártir del tiempo actual.
365 Pequeña ciudad belga de Ardenas sitiada por los alemanes, pero que no pudo ser capturada.
366 Edmond Michelet, Freiheitsstrasse (La calle de la libertad), p. 228.

Capilla del bloque 26.

su pieza. En los días de fiesta, todos se juntaban a comer. Los grupos también realizaron sus propios actos de Navidad.[367]

Recordando esta celebración, el día de san Silvestre el P. Fischer escribió a sus familiares: "¿Como celebraron ustedes la Navidad? Sospecho que exteriormente nunca hubo una fiesta tan dura y pobre como esta vez. Pero interiormente, quizás nunca una tan profunda. Así fue también la nuestra. Tal vez mientras más pobre y más rica en privaciones exteriormente, más profunda es interiormente. Sin embargo, este año hasta tuvimos oficio y vísperas pontificales. Los hermanos nos mantuvimos gratamente unidos. En los días de Navidad, intercambiamos durante una o dos horas experiencias navideñas. Ahora comenzamos con ánimo y confianza el nuevo año. ¿Irá a ser un gran año? Sabemos que Dios y la Virgen María han dispuesto nuestro plan de vida hasta en los menores detalles…"

---

367 Sobre la celebración del *"Grupo de la mano"*, véase Wilhelm Poie, *"Gefangener der Gestapo"* (Prisionero de la Gestapo), p. 133ss.

En la noche anterior al 1° de enero de 1945, en el límite entre los dos años, el P. Kentenich, el P. Fischer y el Capellán Dresbach hicieron juntos un recorrido por el campo de concentración, paseando la mirada hacia el pasado y hacia el futuro. El lema de la Familia de Schoenstatt para el año 1945 ya les había sido comunicado por carta poco después del 18 de octubre. Decía así: "Que en el 'año del instrumento' la impotencia se una a la omnipotencia de Dios para salud de las almas". Como un Tedeum por las gracias recibidas el año anterior, el P. Kentenich había compuesto, el 29 de diciembre, la estrofa final para las distintas horas del Oficio de Schoenstatt:

"El universo entero
con gozo glorifique al Padre,
le tribute honra y alabanza
por Cristo con María
en el Espíritu Santo,
ahora y por los siglos de los siglos. Amén". (HP, 185)

SEXTA PARTE

1945

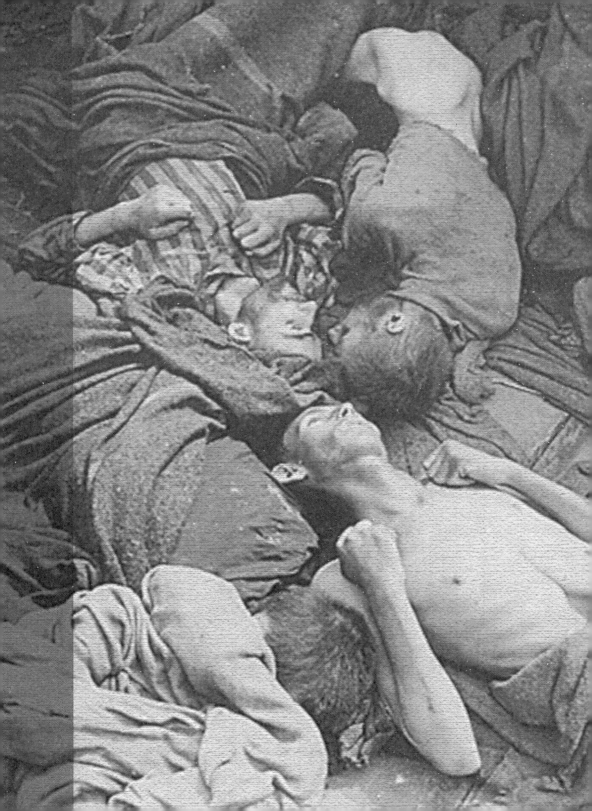

Capítulo 22

EL FLAGELO DEL TIFUS

I. Terribles índices de mortalidad

Para los responsables de la organización del campo de concentración y para los que estaban bien informados, la fiesta de Navidad en Dachau estuvo bajo la sombra de una lúgubre amenaza: había penetrado el tifus. En el barracón de los inválidos se desencadenó más violento y mortal que la epidemia de dos años atrás. Las estadísticas de Jan Domagalas, llevadas cuidadosamente, demuestran con cifras precisas cómo se expandió inconteniblemente: en agosto de 1944, anota "sólo" 225 muertos; 325 en septiembre y 403 en octubre, todo ello de acuerdo a las cifras oficiales. En noviembre, la cifra asciende a 997, para alcanzar en diciembre lo que nunca había sucedido en Dachau: 1.915 muertos. Pero esto era sólo el comienzo.

Parece que inicialmente no hubo conciencia de que el tifus era la causa del rápido incremento del número de muertos. Pero a mediados de diciembre ya no se podía dudar de ello y se comenzó a tomar medidas para impedir su difusión. La anotación del día 16 de diciembre de Kupfer-Koberwitz, en su diario secreto, informa que los bloques 21 y 23 debieron ser cerrados, y también los bloques 25 y 30. Se rumoreaba que ya habían muerto 32 prisioneros debido a la epidemia.[368]

---

368 Edmond Michelet, *Freiheitsstras,* op. cit., t. II, p. 226. Según Michelet, p. 222, los bloques 15 y 17 fueron los primeros en ser llevados al bloque de la enfermería; después, los 19 y 21; Johann Maria Lenz, *Christus in Dachau,* op. cit., p. 226, menciona los bloques 21, 23, 25, 27, 29 y 30.

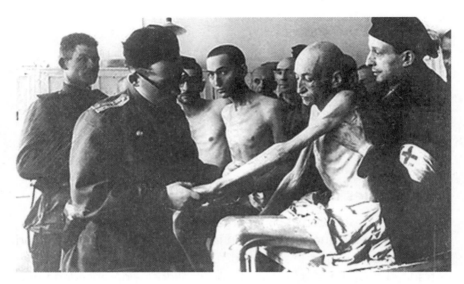

Los prisioneros no se engañaban acerca de la epidemia y contaban con que se aplicaría una cuarentena como la de 1943; sin embargo, la comandancia del campo de concentración no quería tomar medidas y esperaba el resultado de una investigación bacteriológica.[369]

Michelet, a diferencia del P. Sales Hess, no cree que la jefatura del SS del campo de concentración se abstuviera deliberadamente de tomar medidas para contener la epidemia: sencillamente no estaba en condiciones de dominar la situación.[370]

¿Cómo había llegado la epidemia al campo de concentración? Joos y Michelet, que tenían un buen panorama de conjunto, tanto por su trabajo en la enfermería como por el hecho de pertenecer al comité secreto de resistencia del campo de concentración, la atribuyen al transporte de gente que llegaba a Dachau en las más miserables condiciones. En el otoño de 1944, venían a dar allí cada vez más prisioneros del este y del sudeste de Europa, donde las tropas alemanas se

---

369 Wilhelm Poiess, *Gefangener der Gestapo,* op. cit., p. 229
370 *Edmond Michelet, Freiheitsstrasse,* op. cit., p. 121s.

encontraban en una continua retirada. Michelet menciona especialmente el traslado de judíos húngaros y polacos y, entre estos últimos, sobrevivientes de la sublevación del ghetto de Varsovia [371]. Posteriormente, se agregaron los de Auschwitz y Buchenwald.[372]

Estos guiñapos humanos llegaban totalmente deshechos, extenuados, sólo piel y huesos. Venían completamente cubiertos de piojos. Desgraciadamente, desde noviembre de 1944, se relajó la disciplina que prohibía a los prisioneros nuevos ingresar al bloque de acceso, y ni siquiera a la enfermería, sin antes haber sido duchados y desinfectados minuciosamente en el gran recinto de entrada. [373]

Al abandonar esa práctica, a pesar de ser más necesario que nunca, se permitió que los recién llegados introdujeran piojos en los barracones de inválidos y enfermos, a los cuales eran asignados en calidad de inválidos, incapaces de trabajar. A causa de la extenuación, la mayoría estaba demasiado apática como para luchar contra los piojos mediante un control frecuente y cuidadoso.

El P. Kentenich se contaba entre los que, a poco de estallar la epidemia, tal vez por su contacto con Joos, Michelet, otros prisioneros dirigentes y también Jakob Koch, estuvieron al corriente de su gravedad. Hizo lo que estaba en su poder para prestar ayuda. Vía las plantaciones y Herbertshausen, hizo llegar a Schoenstatt un urgente pedido de vacunas. Y no formuló en vano su petición. Las Hermanas enviaron tantas vacunas que, a fines de diciembre de 1944, todos los sacerdotes del bloque 26, tanto alemanes como extranjeros, pudieron ser vacunados.[374]

---

371 Ibid, p. 211.
372 Ibíd.
373 *Ibíd., p. 211 ss.*
374 El P. Kentenich informó sobre esta ayuda secreta en una breve exposición sobre la índole de su actividad apostólica en Dachau, que redactó en 1945. El envío de las vacunas fue confirmado por la ex superiora del hospital para epidemias de la Casa de Ejercicios de Schoenstatt, Hermana Borromäa, en una conversación, el 25 de mayo de 1971.

Hemos dicho que en el campo de concentración existía una autoadministración a cargo de los prisioneros; en esta ocasión recayó en Jakob Koch una tarea muy pesada en su calidad de encargado del comando de desinfección, pues el cuidado de la higiene era parte de las obligaciones de su servicio. Hay que decir que las abordó con tino y la más alta conciencia del deber. Consiguió permiso de la jefatura del SS para emplear la cámara de gas del crematorio y sus reservas de gas en la desinfección de la montaña de ropa de los prisioneros, rebosante de piojos. (Como es bien sabido, las cámaras de gas estaban destinadas originalmente al asesinato en masa de los prisioneros) [375]. Pero esta medida no sirvió de nada. Completamente desesperado, Koch dijo un día a Joos: "Yo ya no creo que nos salvemos de ésta. ¡Moriremos todos!".[376]

La falta de seriedad con que el SS se hacía cargo de los problemas del campo de concentración se refleja en que sólo se hacía presente en las ocasiones más urgentes. Es así como la epidemia pudo causar estragos y la muerte hizo una buena cosecha. El 25 de enero, Kupfer-Koberwitz anotó 143 muertos; de entre ellos, 60 del bloque 30, el de los inválidos; el 30 de enero, 260, con la observación de que dos días antes habían sido 125[377]. La cifra total de víctimas ascendió en enero a 2.888, según Domegalas[378]. En febrero, se llegó al punto más alto, cuando murieron casi 4.000 hombres; no todos a causa de la epidemia, pero sí la gran mayoría ([379]). La situación era tan grave que ya no bastaba el personal normalmente dedicado al cuidado de los enfermos y fue necesario pedir ayuda adicional.

El domingo de quincuagésima, 11 de febrero, el capellán Schelling, después de la misa, pidió voluntarios para prestar servicio en los

---

375 Edmond Michelet, *"Freiheitsstrasse*, op.cit. p. 217.

376 Joseph Joos, *Leben auf Widerruf*, op. cit., p. 110.

377 Ibid, t. II, p. 231.

378 Johannes Neuhäusler, *Wie war das?*, op. cit., p. 27. El 2 de febrero de 1945, Kupfer-Koberwitz anotó en su diario la cifra redonda de 2.800. Ibid., p. 232.

379 Johannes Neuhäusler, *Wie war das?*, op.cit.

barracones infectados de tifus que, entretanto, habían sido cercados para aislarlos del resto del campo de concentración. Inmediatamente se presentaron diez sacerdotes del bloque N° 26[380]. Ya se habían presentado 23 sacerdotes polacos[381], entre ellos, Ignaz Jez, del grupo de Schoenstatt. Lo mismo hicieron sacerdotes franceses y checos, a pesar del peligro mortal al que se exponían.

2. Recuerdos de algunas víctimas

Algunas víctimas del tifus merecen ser recordadas especialmente en nuestra exposición. En primer lugar, Jakob Koch, del cual ya hemos hablado. Casi nadie trabajó tanto como él, día y noche, combatiendo la epidemia. El temor que le había expresado a Joos, "¡Pereceremos todos!", fue un anuncio de su propio destino. En la segunda quincena de febrero, su excesivo contacto con los prisioneros enfermos lo derribó a él. Según Carls, murió a los tres días, el 28 de febrero: "Lo velamos rezando un solemne oficio de difuntos y nos despedimos de un camarada que jamás olvidaremos".[382]

De acuerdo con el testimonio de Joseph Joos, Jakob Koch fue uno de los capos humanamente más nobles de Dachau. En su puesto dio pruebas de que se podía ser supervisor de trabajos y, al mismo tiempo, un buen ser humano[383]. Dio su ayuda experimentada y eficaz, sobre todo a los sacerdotes. En 1942, admitió en su comando, en tiempos difíciles, a los padres Eise y Fischer, y poco después, en un momento de grandes penurias, también al P. Kentenich. Ocupó al párroco Bettendorf y al capellán Dresbach, que eran secretarios del P. Kentenich. En el verano de 1944, al ver con cuánta abnegación éste se dedicaba a su tarea de fundador, le permitió desentenderse por

---

380 Ibid, p. 59; Johann Maria Lenz, *Christus in Dachau*, op. cit., p. 266, dice que se presentaron "muchos".
381 Frantisek Korszynski, *Un vescovo polaco a Dachau*, op. cit., p. 125.
382 Hans Carls, *Dachau*, p. 87.
383 Ibid, p. 87.

completo de la tarea de remendar jergones y dedicar todo su tiempo a su Obra. Koch depositó una gran confianza en el P. Kentenich, al punto de contarle su vida y revelarle sus sufrimientos más profundos. Además, lo tomó como confesor.

Willy Bader fue otra víctima de la epidemia. Era el prisionero con el número menor que había en Dachau. En el bloque de acceso, durante la primavera de 1942, fue un jefe de pieza que mostró muy buena voluntad hacia el P. Kentenich. Parece que Bader conservó este puesto durante los años siguientes; el hecho es que Michelet lo encontró desempeñando la misma función cuando llegó a Dachau en septiembre de 1943 y, tal como el P. Kentenich, encontró en él un compañero extraordinariamente servicial, su "maestro de novicios", como lo describió humorísticamente,[384] pues lo inició a él, inexperto, en las mil cosas imprevisibles y caprichosas del campo de concentración. También relata que habiendo sanado él mismo del tifus, encontró a Willy Bader en la enfermería sobre un jergón, temblando de fiebre. "Le pregunté si podría alegrarlo con alguna golosina, porque los franceses habíamos recibido justamente entonces una remesa de parte de la Cruz Roja". Respondió: "Si quieres, dame una taza de chocolate. Hace años que tengo ganas de tomar una". Michelet fue inmediatamente a cumplir su deseo, pero al volver, Bader ya no lo reconoció.[385]

El P. Kentenich no cortó su vínculo con su primer jefe de pieza. Cuando empezaron a llegar paquetes, un día envolvió una gran salchicha en un trozo de papel y le dijo al P. Fischer: "Vamos a dar un gusto a Willy Bader". Fueron juntos al bloque de acceso a visitar a su compañero de padecimientos. Como era comunista, el P. Kentenich albergaba la esperanza de que Bader encontrara de nuevo el camino hacia la fe cristiana; pero eso no sucedió.

---

384   Ibid, p. 66.
385   Ibíd, p. 72.

También hay que recordar al P. Richard Henkes, miembro, como el P. Kentenich, de la Sociedad de los Padres Palotinos y, en otro tiempo (en la época de la Primera Guerra Mundial), uno de sus jóvenes discípulos en la Congregación Mariana del internado de Schoenstatt. El P. Henkes fue detenido en abril de 1943, a causa de la denuncia de un soplón de la Gestapo. Había orientado su labor sacerdotal en Silesia principalmente hacia la juventud. El 10 de julio de ese año llegó a Dachau, justamente cuando el P. Kentenich reiniciaba el trabajo con los schoenstatianos. A fin de año, se hizo cargo durante un tiempo del grupo formado por el P. Allebrod. Cuando estalló la epidemia de tifus, el P. Henkes no se encontraba en el bloque 26. Para poder aprender checo, porque pensaba seguir trabajando en el Este después de que fuera liberado, había aceptado un puesto en el almacén de provisiones de otro bloque. Pero justamente en ese bloque irrumpió la epidemia con especial fuerza, y él fue una de sus víctimas. Murió el 22 de febrero, un jueves después del primer domingo de Cuaresma.

El P. Kentenich logró, debido a su influencia en la enfermería, que su cadáver fuera puesto en un pequeño cobertizo, junto con los de dos sacerdotes polacos. Allí se realizó el oficio religioso de difuntos. ¡Rara excepción en Dachau! El P. Poieß, que estuvo allí, lo describe así:

"Los cadáveres, a los cuales ya se les había hecho la autopsia, fueron puestos en los conocidos ataúdes del campo de concentración, forrados en lata (los fabricaban así porque sólo servían para llevar los cadáveres al crematorio). Los cubrimos con un paño blanco adornado con flores. Todo esto sucedió, por cierto, sin que lo supiera el SS. Al atardecer, rezamos a nuestros queridos cohermanos el oficio de difuntos, y hasta les cantamos, naturalmente que en voz muy baja. El P. Kentenich y yo conducíamos y los demás respondían".[386]

Gracias a las relaciones con el capo del crematorio lograron que el cadáver fuera incinerado solo y no en grupo como se hacía normal-

---

386 Wilhelm Poiess, *"Gefangener der Gestapo"*, op. cit., p. 140.

mente. Esto hizo posible conseguir sus cenizas, que el P. Kentenich hizo llegar, por medio del señor Siegert, a la parroquia de Dachau. Fueron depositadas en la cripta de la iglesia hasta que después de la guerra, el 21 de mayo de 1945, pudieron ser llevadas a Limburgo.

El infierno del tifus hizo estragos en Dachau más allá del día de la liberación. Mientras más se aproximaba el colapso del ejército alemán, tanto más caóticas se tornaban las condiciones en el campo de concentración y tanto más escasos eran los medios para combatir la epidemia. Marzo vio, nuevamente según la relación de Domagalas, no menos de 3.668 muertos; abril, 2.625; y entre aquellos que vivieron hasta la liberación, a fines de mayo, habían muerto otras 2.226 personas.[387]

---

387 *Johannes Neuhäusler, Wie war das?, op. cit.*

Capítulo 23

CONTINÚA EL TRABAJO DE LOS SCHOENSTATIANOS

I. Actividades del P. Kentenich

Al comenzar el año 1945, nadie sabía que al P. Kentenich aún le quedaban algo más de tres meses en el campo de concentración. Pero en ese momento, ¿quién podía o quería predecir cuándo llegaría la hora de la liberación? El P. Kentenich no abrigaba ninguna ilusión. Si bien creía firmemente que Dios tenía en sus manos todas las cosas y que obraba por medio de su Providencia y de su amor, nadie como él hizo notar con mayor claridad la acción de fuerzas infernales y satánicas. Por eso aconsejó a los suyos que consideraran la situación con realismo, y precisamente a causa de la derrota catastrófica de los nazis, que se veía cada vez más cerca, era mejor prepararse a morir en el campo de concentración que sentirse muy seguros de salir libres y con vida. Sin embargo, su realismo no lo transformó en un pesimista ni en profeta de una ruina inexorable. También entonces trabajaba con energía y tenacidad inconmovibles en la realización de la tarea que Dios le encomendaba. Esta tarea incluía dos cosas, según había quedado de manifiesto durante el curso de 1944 y en los momentos culminantes que vivieron ese año:

1) Conducir a sus seguidores a la forma más plena y elevada del "hombre nuevo", a partir de la Inscriptio.

2) Ganar para Schoenstatt a la mayor cantidad posible de sacerdotes y laicos de otras nacionalidades; elegir especialmente a personas capaces de llevar el Movimiento de Schoenstatt a sus respectivas naciones y de arraigarlo en ellas.

3) Él mismo puso "manos a la obra" y guió el trabajo de los grupos schoenstatianos.

La epidemia de tifus, como es fácil imaginar, hizo más difícil el trabajo de los grupos. Entre otras cosas, el P. Kentenich, para no contribuir a la difusión de la epidemia, tuvo que suspender las conferencias que daba a los sacerdotes polacos desde la festividad de Cristo Rey. Es interesante, sin embargo, ver cómo buscó nuevas posibilidades de mantenerse en contacto con el clero polaco. Como no podía hacerlo en el marco más amplio de las conferencias para cien o más auditores, se dedicó a trabajar con grupos más pequeños.

En esto, el P. Kentenich no quiso proceder según su propia voluntad y arbitrariamente, sino que esperó más bien recibir signos y ayuda de la divina Providencia. Él creía firmemente que le serían enviados, si su propósito correspondía a la voluntad de Dios. Podemos deducir lo que ello significaba en este caso, de un informe que el P. Fischer envió por el correo negro a las Hermanas de María: en él cuenta que cuando tuvieron que poner fin a las conferencias que daba en el bloque 28, el P. Kentenich habló con el P. Fischer sobre cómo continuar el trabajo con los sacerdotes polacos. Como conocía el interés que el P. Kentenich había puesto en esa tarea, se ofreció para hacer una insinuación en tal sentido a un sacerdote polaco que gozaba de gran consideración entre sus cohermanos. Sin embargo, apenas le mencionó esta posibilidad, el P. Kentenich lo interrumpió, diciéndole. "No, Dios debe hacerlo; tú sólo debes rezar y ofrecer sacrificios".

El 9 de enero, el P. Kentenich recibió la señal que esperaba. Un grupo pequeño, pero representativo, acudió a él para conversar sobre la Inscriptio. Entonces elaboró un aspecto de la Inscriptio que, en el futuro, en vista de la dominación comunista de su patria, adquiriría gran importancia para los polacos. Les dijo que la Inscriptio, en cuanto entrega íntegra a Dios y como actitud de total cobijamiento en él, nos libera de todo sentimiento de inferioridad y de temor ante los hombres, al mismo tiempo que nos da seguridad en medio de la incertidumbre característica de esta época, especialmente frente a aquello que es fundamental en la vida humana. Sin duda, al hablar así tocó uno de los puntos que más afectaba y hacía sufrir a sus cohermanos polacos.

Además de ellos, el P. Kentenich logró formar otros dos grupos con sacerdotes de distintas nacionalidades, la edad de cuyos miembros fluctuaban entre los 30 y los 40 años. Todas las tardes se reunían al aire libre y el P. Kentenich les hablaba alrededor de un cuarto de hora. Le interesaba lanzar redes y dar a conocer el Movimiento de Schoenstatt a quienes mostraran interés.

En medio de toda esta actividad, se ocupaba también de las penurias y necesidades de sus discípulos y protegidos; además, no olvidemos que todos los días contestaba la vasta correspondencia que le llegaba por correo negro.

También organizó cursos individuales sobre oratoria sagrada, para lo cual le fue útil contar con un especialista como el P. Poieß, profesor de ese ramo en el seminario mayor de Limburgo. Sin embargo, el P. Kentenich también aportó, a fines de enero, su saber y capacidades. En esa materia, los candidatos parecen no haber recibido sólo elogios. En cierta ocasión en que les pidió que compusieran una plática, los reprobó a todos.

En cuanto a grandes trabajos escritos, el P. Kentenich parece no haber hecho nada más a comienzos de 1945. Con todo, en el último trimestre que pasó en Dachau, compuso la *Misa del Instrumento* y las *Oraciones de la mañana y de la noche* del *Hacia el Padre*, a las cuales llamó C*onsagración matutina* y *Consagración nocturna,* tal vez a fin de ilustrar su más profundo significado: la permanente vinculación del hombre con Dios. Escribió, además, otros trabajos con motivo de alguna ocasión especial, en forma de poemas, a los cuales nos referiremos brevemente a propósito de su último tiempo en Dachau.

2. Vida diaria de un grupo

En 1945, la vida diaria de los grupos schoenstatianos de Dachau y su trabajo no registraron ningún punto culminante, como fueron los acontecimientos del 24 de septiembre, 18 de octubre y 8 de diciembre del año anterior. Sin embargo, es extraordinario que el trabajo de los grupos, a pesar de las circunstancias, que se hacían cada vez más insoportables, haya continuado sin interrupción y con gran dedicación. Más aun, haciendo caso omiso del "crepúsculo de los dioses" del Tercer Reich, cada vez más cercano, fundaron nuevos grupos.

El P. Kentenich era el punto de apoyo más firme y, al mismo tiempo, fuente inagotable de energía. Pero, fiel a sus principios pedagógicos, se mantenía a una cierta distancia para no restarles independencia y así fomentar en ellos la confianza en sí mismos y el sentido de corresponsabilidad.

Desde el 29 de noviembre, el "Círculo del corazón", del capellán Dresbach, llevó una crónica bastante detallada que nos proporciona una excelente visión de la vida y del trabajo diario del grupo. Gracias a esta crónica podemos reconstruir, en cierta medida, las actividades que realizaban a comienzos de la Cuaresma.

En primer lugar, las reuniones regulares de grupo se habían convertido en una sólida institución. También es evidente que todos mostraban un vivo interés en el trabajo del grupo y que se esforzaban en desarrollar la vida del grupo. En la reunión del primer domingo de Cuaresma (18 de febrero de 1945), por ejemplo, se habló sobre el fortalecimiento de la vida de comunidad dentro del grupo. Frente a la perceptible disolución que se percibía en todas partes y que aumentaba a medida que se acercaba el final de la guerra, querían fomentar, con todos los medios a su alcance, una solidaridad viva y animada por la fe.

Las reuniones no se limitaban a discusiones sobre el momento actual; en ellas seguían elaborando el tema de la piedad instrumental, que habían comenzado en 1944. En la reunión del 18 de febrero, se discutió, sobre la base del trabajo del P. Kentenich, la segunda cualidad del instrumento: su vinculación con el Dios personal, considerado como el Maestro que guía el trabajo que realiza el instrumento.

Al día siguiente, se habló de la conveniencia de hacer reuniones más frecuentes. Hasta ese momento, se reunían una vez a la semana, los domingos. Decidieron hacer reuniones diarias durante la pausa del mediodía, a las 12:30.

Los días siguientes, sin embargo, este acuerdo fracasó porque hubo alarma aérea a la hora convenida. El 21 de febrero, no obstante, se realizó la reunión. El encuentro dominical del 25 de febrero se realizó sin el jefe de grupo, el capellán Dresbach, porque estaba enfermo. El tema, dirigido por el abate Haumesser, consistió en una interpretación detallada del simbolismo del corazón.

El tercer domingo de Cuaresma (4 de marzo) también hubo reunión de grupo. Analizaron la tercera cualidad del instrumento: su dedicación a la obra, es decir, su eficiencia. Aparte de ello, se preguntaron qué podría aportar el grupo para proteger el Santuario de Schoenstatt en vista de que la lucha en el frente occidental pronto alcanzaría esa parte de Alemania. Al día siguiente, en la reunión del mediodía, se organizó una *"correctio fraterna"* a objeto de asegurar una buena convivencia, tan exenta de fricciones como fuera posible en medio de las estrechas condiciones del bloque. También discutieron acerca de las dificultades concretas de la vida en el campo de concentración, para contribuir a resolverlas a la luz de la fe y del espíritu de caridad.

El 11 de marzo, cuarto domingo de Cuaresma, la conversación volvió nuevamente sobre el peligro que amenazaba al santo lugar de Schoenstatt, que se había tornado muy grave. Se pusieron de acuerdo en ofrecer a la Madre tres veces Admirable, como grupo, tres obsequios para que se salvaran Schoenstatt y su Santuario:

1) Esforzarse por guardar silencio desde el momento de ir a dormir y hasta la mañana, después de la revista, manteniéndose en todo momento en la presencia de Dios.

2) Cada vez que el silbato llamara a revista, rezar el Angelus.

3) Rezar, en los momentos previstos, las horas del oficio de Schoenstatt y visitar espiritualmente el Santuario lo más a menudo posible, durante los lapsos intermedios.

El domingo siguiente, 18 de marzo, invitaron al párroco Bauer, de Nachbarkeis, para que les contara sobre el trabajo de su grupo de sacerdotes alemanes. También este grupo de la Liga había trabajado con gran regularidad desde su nacimiento, en el verano de 1944.

En las mismas semanas de comienzos de 1945, el Provincial, P. Schulte, que sabía italiano por sus estudios en Roma, había logrado contactar a sacerdotes italianos, deportados en gran número a Dachau en 1944, e interesarlos por Schoenstatt y su mundo. El 25 de marzo, festividad de la Anunciación a María, cuya celebración se trasladó al Domingo de Ramos, cuatro sacerdotes italianos hicieron su primera consagración a la Mater ter Admirabilis. Tal como sus cohermanos franceses y polacos, querían regresar a la patria como portadores de Schoenstatt.

Asimismo, el 25 de marzo, el grupo internacional del P. Fischer pudo dar la bienvenida a un nuevo miembro: el sacerdote polaco Alois Paulus. El acto de recepción, según relato del capellán Kostron a las Hermanas de María en Schoenstatt, se realizó después de la medianoche en el recinto cercado del bloque de los enfermos de tifus, a fin de que Ignaz Jez, que se había prestado para cuidarlos, pudiera tomar parte en él. El P. Kentenich se dirigió al recién llegado con una alocución enteramente personal y le hizo entrega de su medalla de grupo. Después se celebró misa en la capilla del campo de concentración. Paulus leyó su oración de consagración y todos los demás renovaron su propia consagración.

Aparte de lo anterior, se agregaron a los grupos schoenstatianos de ese tiempo, un holandés, dos belgas y otros sacerdotes polacos. El P. Fischer pudo, finalmente, tener la alegría de que Anton Brzozka volviera a Schoenstatt y solicitara formar parte de un grupo.

3. Mirada retrospectiva de conjunto

Cuando se acercaba el fin del campo de concentración de Dachau, el desarrollo de los grupos schoenstatianos allí surgidos había alcanzado su mayor extensión. Poco después de volver de Dachau, el P. Fischer presentó un panorama general de la estructura que tenía la comunidad schoenstattiana a fines de marzo y comienzos de abril de 1945: Al centro, había un grupo dirigente integrado por el propio P. Kentenich, el P. Fischer y el capellán Dresbach. Luego, dos círculos internacionales bien consolidados de dirigentes responsables, conforme al espíritu de la Federación de Sacerdotes de Schoenstatt: "el Círculo de la mano" y "el Cìrculo del corazón". En esta misma dirección había de crecer el grupo de sacerdotes italianos que hizo su consagración el 25 de marzo. En la Liga de sacerdotes de Schoenstatt había cinco grupos: tres de sacerdotes alemanes dirigido por el párroco Bauer, el capellán Richarz y el párroco Kostron, respectivamente; uno de sacerdotes franceses, dirigido por el abate Haumesser, y uno de sacerdotes checos, dirigido por Vaclav Soukup. Luego venían los grupos en formación: uno con tres laicos holandeses; otro con el mismo número de checos, y dos con diez franceses. Fuera de ellos, en el último trimestre en Dachau, el P. Kentenich asesoraba a los grupos formados por gente que se interesaban en Schoenstatt, unas cuarenta personas, y también al grupo de sacerdotes polacos.

En total, el P. Fischer llega a una cifra de entre 100 y 120 personas reunidas en grupos, algunos estables y otros laxos, asesorados por el P. Kentenich. Cabe preguntarse si hubo en Dachau otro sacerdote que desarrollara una actividad semejante a la suya, tan consecuente, tan incansable, tan abnegada y animada por una confianza inconmovible en Dios. Y si bien este trabajo sufrió reveses y no resultó en un éxito completo y en todo sentido, no hay que olvidar que fue realizado en el campo de concentración, en circunstancias que no podían ser más difíciles.

Capítulo 24

LIBERACIÓN Y RETORNO A CASA

I. Schoenstatt es liberado y salvado

A comienzos de marzo de 1945, las últimas grandes ofensivas de los aliados contra Alemania estaban en pleno desarrollo. Ante su aplastante superioridad en hombres y material de guerra, el ejército alemán, salvo casos aislados, ya no lograba sostenerse.

En la conferencia de Yalta, del 4 al 12 de febrero, Stalin, Churchill y Roosevelt decidieron la desmembración total de Alemania en zonas de ocupación. Aun países que simpatizaban con el Reich alemán, y que desde 1939 habían permanecido neutrales, le declararon finalmente la guerra, como por ejemplo, Turquía, el 23 de febrero.

Mientras los rusos penetraban inconteniblemente en Alemania del este y sitiaban ciudades como Breslau y Königsberg, sin detener su avance, el 3 de marzo cayó Tréveris y el 7 de marzo Colonia en manos de los norteamericanos. El mismo día atravesaron a la orilla oriental del Rhin, por el puente de ferrocarril de Remagen, que no había sido volado, y desde esa cabeza de puente llegaron por la carretera principal de Colonia a Frankfurt. Esta embestida tuvo importancia decisiva para la liberación y salvación de Schoenstatt y su Santuario.

Tres días después del sorprendente y rápido cruce del Rhin, el 10 de marzo, Vallendar y Schoenstatt quedaron a escasa distancia del frente de batalla. Por primera vez, las calles junto al Rhin, al norte y al sur de Vallendaı, quedaron ese día bajo el fuego de metralletas que venía del otro lado del Rhin, a donde habían llegado los norteamericanos después de un rápido avance a través de la región de Eifel.

En la tarde, el 11 de marzo (cuarto domingo de Cuaresma), mientras en Dachau los grupos schoenstatianos debatían sobre sus posibles aportes a la protección del Santuario, durante un ataque con granadas bastante intenso, algunas cayeron en Vallendar y también en Schoenstatt. El 17 de marzo, una fuente oficial comunicó que había que evacuar la población civil de Vallendar y de todas las localidades del distrito de Coblenza que estaban en la orilla oriental del Rhin. Los mandos militares pensaban seriamente establecer una línea de defensa, apoyados en el obstáculo natural del Rhin.

El 15 de marzo, nuevamente cayeron granadas en Schoenstatt, pero no ocasionaron demasiados daños, salvo en la casa de Marienfried. El 19 de marzo, las Casas de Schoenstatt fueron de nuevo puestas bajo la protección de la Madre tres veces Admirable, como se había hecho el 21 de noviembre de 1940. Durante este acto, que se realizó en el Santuario, los participantes cantaron en voz alta, y por primera vez desde hacía años, el himno schoenstattiano "Protéjanos, tu manto", con su línea final que dice "los tuyos no se hundirán". Se suponía que la Gestapo ya no asomaría la cabeza, dada la proximidad del frente.

El 25 de marzo (había terminado la novena de preparación de ese día), la infantería norteamericana, apoyada por la artillería, avanzó desde Bendorf y Weitersburg hacia Vallendar. Por la tarde, una gran parte de la pequeña ciudad se hallaba en su poder y la artillería norteamericana ocupó las alturas de Weitersburg. Para Schoenstatt, la situación era muy inquietante y la preocupación aumentó aun más cuando, durante la noche, se supo que se preparaba una contraofensiva alemana para arrojar de la ciudad a los norteamericanos.

Pero esto no sucedió. Por la carretera de Colonia hacia Frankfurt, otras unidades norteamericanas habían avanzado tanto en dirección

Koblenza bombardeada, 1945.

a Limburgo, que las tropas alemanas situadas en la margen derecha del Rhin, frente a Coblenza y también cerca de Vallendar, desde donde aun ofrecían resistencia, debieron retirarse para no quedar divididas y encerradas. La orden de retirada se dio la noche del 25 al 26 de marzo y, en consecuencia, los norteamericanos pudieron ocupar sin lucha la pequeña ciudad. El Santuario de la Madre tres veces Admirable había salido indemne durante años: se había salvado de la amenaza de la Gestapo y de los sucesos de la guerra.

2. Campo de concentración de Dachau - 25 de marzo de 1945

En marzo, las Hermanas fueron desde Schoenstatt a Herbertshausen a llevar la correspondencia del P. Kentenich. El flujo de cartas y paquetes a través del correo y del ferrocarril se había cortado en la segunda mitad de febrero. El 11 y el 12 de febrero, el capellán Dresbach y el P. Fischer escribieron las últimas cartas a sus familiares en Renania.

Más importante fue el hecho de que las Hermanas atravesaran desde Renania hasta Baviera, mientras todavía era posible, a pesar de que el peligro había aumentado considerablemente en las últimas semanas de la guerra. Dos Hermanas, que el 5 de marzo se pusieron en camino desde Schoenstatt, lograron enviar cartas a Dachau y traer de vuelta la noticia de la muerte del P. Henkes.

El 19 de marzo, cuando el peligro para Schoenstatt se acercaba a su punto más alto pues Coblenza había caído en poder de los norteamericanos, la Hermana Marianne hizo una vez más el peligroso viaje. Esta vez fue sola. Tenía el propósito de viajar desde Dachau hasta Berlín, a fin de interceder, en las últimas horas que le quedaban a la Dirección Superior de Seguridad del Reich, por la libertad del P. Kentenich. El 23 de marzo estaba en Herbertshausen y entregó las últimas cartas para el P. Kentenich. Informado de las intenciones de la Hermana, al P. Kentenich le pareció que el largo viaje a Berlín, en medio del caos de la guerra, era una empresa demasiado osada y se negó perentoriamente a darle su consentimiento.

Durante los años de su prisión en Dachau, el P. Kentenich se había afirmado en la convicción de que su suerte personal estaba ligada estrechamente al destino del Santuario de Schoenstatt, hasta el punto de que él, prisionero allí, era prenda para la protección del lugar, pero también que la hora de su liberación sonaría tan pronto como el Santuario estuviera a salvo.

¿Era ésta una suposición caprichosa? ¡De ninguna manera! Una mirada retrospectiva a su vida mostraba cuán unida estaba su vida al Santuario de Schoenstatt. Los años de su formación y los primeros como sacerdote fueron una preparación para el servicio en el Santuario de la Mater ter admirabilis y su misión. Pero desde el 18 de octubre de 1914, y en forma creciente, se puso de manifiesto que el cumplimiento de la misión que Dios le había encomendado lo ligaba inseparablemente al Santuario de Schoenstatt. Las múltiples actividades del P. Kentenich a lo largo de decenios apuntaban, en el fondo, a anunciar la misteriosa eficacia del Santuario, que consistía y consiste en que la Madre de Dios ha establecido allí su trono, convirtiendo ese Santuario en un lugar de peregrinación y de gracias. Allí, como Madre, quiere formar al hombre nuevo en una nueva comunidad. Desde ese lugar, en una época de inmensos trastornos, despliega el poder que le da el ser instrumento del Dios trino y compañera y colaboradora de su Hijo en la obra de la salvación.

Si miramos los acontecimientos de esos días desde este punto de vista, es imposible no comprender cuán profundamente conmovía a los schoenstatianos el peligro que amenazaba al Santuario y, al mismo tiempo, la perspectiva de una pronta liberación del P. Kentenich. Testimonio de ello es la oración que él compuso para la novena que rezaron en común los grupos schoenstatianos de Dachau, en preparación al 25 de marzo. Ella nos permite comprender la visión que el P. Kentenich tenía de Schoenstatt:

> *Mantén en alto el cetro,*
> *Madre, protege a tu tierra de Schoenstatt;*
> *eres allí la única reina;*
> *pon en fuga a todos los enemigos.*
>
> *Créate allí un paraíso,*
> *mantén encadenado al Dragón.*
> *Mujer vestida de sol, surge esplendorosa*
> *y álzate hacia la altura meridiana.*
>
> *Desde allí construye un mundo*
> *que sea grato al Padre,*
> *tal como lo imploró Jesús*
> *con aquella anhelante oración.*[388]

---

388 La edición en castellano de *Himmelwärts,* conocida como *Hacia el Padre,* indica que la oración aludida pertenece al Evangelio de san Juan, 17, 20-26. (N. del T.)

Siempre allí reinen amor,
verdad y justicia,
y esa unión que no masifica,
que no conduce al espíritu de esclavo;

manifiesta tu poder
en la negra noche de tormenta;
conozca el mundo tu acción
y te contemple admirado,

te nombre con amor y se confiese reino tuyo.
Schoenstatt porte valerosamente
hasta muy lejos tu bandera
y someta victorioso a todos los enemigos;

continúe siendo tu lugar predilecto,
baluarte del espíritu apostólico,
jefe que conduce a la lucha santa,
manantial de la santidad en la vida diaria;

fuego del fuego de Cristo,
que llameante esparce centellas luminosas,
hasta que el mundo, como un mar en llamas,
se encienda para gloria de la Santísima Trinidad. Amén. (HP, 493-500)

Esta oración se rezó durante los nueve días anteriores al 25 de marzo y, justamente ese día, el de la Anunciación a María, terminó la dominación del Tercer Reich sobre Schoenstatt.

3. Liberación

Heinrich Himmler, jefe del SS, Ministro del Interior y, después del fracaso del atentado del 20 de julio de 1944, también jefe del Ejército de Reserva, fue uno de los primeros en el pequeño grupo de los altos personajes del Tercer Reich que no solamente empezó a dudar de la victoria que Hitler siempre había prometido, sino que, ya en el otoño de 1944, había empezado a explorar la posibilidad de llegar a un acuerdo con los aliados. También intentó proponer a De Gaulle que firmaran un armisticio por separado. No cejó en sus esfuerzos, aun cuando recibió una respuesta negativa, justamente por ser jefe del SS, de la Gestapo y de los campos de concentración. En un intento por mejorar su imagen y, al mismo tiempo, ganar la buena voluntad del Vaticano, decidió, en enero de 1945, poner en práctica un plan de liberación de sacerdotes internados en Dachau. Para no suscitar las sospechas de Hitler y de su círculo más cercano, tenía que trabajar con rapidez y discreción.

El 15 de febrero de 1945, la comandancia del campo de concentración exigió al capellán Schelling que presentara, dentro de dos horas, una lista de todos los sacerdotes prisioneros, con indicación de su cargo eclesiástico[389]. Un mes después corrió en Dachau el rumor de que en la sección política se había encontrado cuatro listas con nombres de sacerdotes que iban a ser liberados. El rumor correspondía a los hechos. Tal vez como un gesto especial hacia el conde sueco Bernadotte, con quien Himmler estaba entonces en tratos secretos, siete pastores de Dinamarca y Noruega fueron puestos en libertad el 24 de marzo.

Tres días después, el 27 de marzo, el martes de la Semana Santa, se presentaron hombres del SS en el bloque 26, piezas N° 2 y N° 3. Después del habitual llamado de "¡Atención!", leyeron una lista de nombres y luego les ordenaron: "¡Todos los mencionados, empaquetar sus cosas y estar listos!" La primera reacción no fue de alegría sino de perplejidad apenas disimulada. ¿Los pondrían en libertad o los llevaban a un transporte? Sin embargo, el más antiguo del bloque, el

---

389 Johann Maria Lenz, *Christus in Dachau*, op. cit. p. 286; Reimund Schnabel, *Die Frommen in der Hölle,* op. cit., p..178, dice que la orden fue dada ya el 15 de enero. Lenz, que en esta materia podría informar con más detalles, no aporta más seguridad en cuanto a la fecha.

capellán de policía, Friedrichs, les aseguró que esta vez la gente del SS tenía órdenes de dejarlos en libertad.

Al día siguiente, e igualmente al subsiguiente, Jueves Santo, se repitió el mismo procedimiento. No es necesario decir cuán enorme fue la tensión de los sacerdotes alemanes. No podían dejar de preguntarse: ¿Estaré yo entre los que van a ser liberados?

Desde el momento en que el P. Kentenich supo que el Santuario de Schoenstatt se había salvado, tuvo la firme convicción de que había llegado la hora de su liberación. De los informes del Ejército, se deducía que el frente se había retirado ya lejos de Schoenstatt. Con todo, continuó sin interrupción su actividad en los grupos schoenstatianos. El Domingo de Ramos, había terminado una nueva y extensa obra: la *Misa del Instrumento*. El 29 de marzo (Jueves Santo) dictó la Consagración matutina; al día siguiente, Viernes Santo, el *Angelus*. Después de Pascua de Resurrección, el 4 de abril, la *Consagración Vespertina*.

En 1945, el Domingo de Pascua de Resurrección fue el 1° de abril. Dado que el obispo Gabriel Piquet había sido trasladado desde el bloque 26 al lugar donde estaban los "prisioneros honorarios", la misa pontifical fue celebrada esta vez por el abad benedictino Jean Hondet, en la capilla del campo de concentración.

Al día siguiente, se realizó la renovación espiritual de la consagración del "Círculo de la mano". Dado el estado de cosas, suponían que ésta sería la última celebración de este acto en Dachau. El P. Kentenich dio una plática en la cual llamaba a entregarse por entero a la misión que Schoenstatt tenía que cumplir en la Europa de posguerra. El lema de la plática decía: *Procedamus in pace: in nomine Domine et Dominae Matris ter Admirabilis* (Procedamos en paz, en el nombre del Señor y de Nuestra Señora, Madre tres veces Admirable de Schoenstatt).

Prisioneros reciben instrucciones para su liberación.

El 3 de abril, antes de la semana de Pascua de Resurrección, prosiguió el plan de liberación de sacerdotes alemanes. Los que estaban en la primera lista habían sido dejados en libertad. El 4 de abril, el párroco Bauer, del "Círculo de la mano", estuvo entre los afortunados que pudieron abandonar el campo de concentración; al día siguiente, el capellán Dresbach. Si seguían el orden alfabético como hasta entonces, y suponiendo que el P. Kentenich estuviera entre los que debían ser liberados, su nombre iba a ser anunciado al día siguiente. El P. Fischer fue el primero en enterarse, y en la revista de la mañana, alrededor de las 6 horas, se lo comunicó al oído al P. Kentenich. Hasta qué punto él creía en su liberación, lo demostró en que ese viernes, a diferencia de su costumbre en el campo de concentración, ya se había afeitado antes de la revista. El capellán Kostron también estaba en la lista de los miembros del grupo del P. Fischer que ese día saldrían en libertad.

Las formalidades para abandonar Dachau, primero en la enfermería, luego en el cuarto donde se guardaba la ropa y finalmente en la sección política, duraban hasta tres horas. Después de darles almuerzo y una ración para dos días de viaje, un hombre del SS los condujo a la primera puerta del campo de concentración; 300 metros más allá, a la segunda. Cuando ésta se cerró tras ellos, recuperaron su libertad. Eran las 9 de la mañana del día 6 de abril de 1945.

El P. Kentenich, con el capellán Kostron, fue a la estación para averiguar la hora de salida de algún tren que lo llevara al convento de las Hermanas de Schönbrunn, que no estaba muy lejos. Después fue a visitar al párroco Pfanzelt, de Dachau. Quería expresarle su agradecimiento, pues había ayudado a los sacerdotes prisioneros en forma muy eficaz y meritoria. También quería intercambiar con él algunas ideas sobre la posibilidad de erigir en ese sitio, lo antes posible, un monumento que conmemorara los sufrimientos y la muerte de tantos prisioneros de tantas naciones. Ambos llegaron a la convicción de que un convento de adoración perpetua sería lo que mejor se ajustaba a ese propósito.

El capellán Dresbach se había dirigido a Freising el 5 de abril, después de su liberación, donde fue recibido con alegría por el P. Quirmbach, uno de los discípulos del P. Kentenich del tiempo de la Primera Guerra Mundial. Cuando el 6 de abril llegó también allí el capellán Kostron y contó que, junto con él, habían dejado en libertad al P. Kentenich, el capellán Dresbach se puso inmediatamente en camino hacia el convento de Schönbrunn para llevárselo a Freising, si fuera posible.

El P. Kentenich había elegido Schönbrunn como primer lugar donde detenerse después de su liberación, porque quería estar un tiempo a solas consigo mismo. Estaba decidido a hacer todo lo posible por llegar a Schoenstatt lo antes posible. Por el momento, los combates no lo permitían. Sin embargo, decidió acercarse al frente de batalla, pasarlo, y seguir a Schoenstatt por detrás de las líneas de los aliados.

Como prisionero liberado del campo de concentración, las tropas y autoridades aliadas no le pondrían obstáculos.

Entretanto, los norteamericanos habían llegado al tramo meridional del frente occidental, atravesaron el Rhin y avanzaban hacia el sur de Alemania. Antes de Pascua de Resurrección, Darmstadt (26 de marzo) y Frankfurt (28) habían sido capturados. Después de los norteamericanos, también los franceses, más al sur, atravesaron el Rhin junto a Philippsburg. La resistencia del ejército alemán se desmoronó totalmente.

Junto con el capellán Dresbach, el P. Kentenich se dirigió, el 7 de abril, desde el convento de Schönsbrunn a Freising, situado más al norte. Ahí lo esperaban llenos de alegría algunos grupos schoenstatianos, que lo invitaron inmediatamente a dar una conferencia al día siguiente y a celebrar una misa con la juventud de Schoenstatt.

Durante la semana que permaneció en Freising, su mayor interés fue conseguir una audiencia con el cardenal Faulhaber, la que se realizó el 14 de abril durante una estada del cardenal en esa ciudad. Los temas de las conversaciones versaron sobre las experiencias vividas en Dachau y sobre la futura orientación de la Iglesia en la Alemania de post-guerra, incluyendo el papel que a Schoenstatt podría caberle.

Ese mismo día, el P. Kentenich y el capellán Dresbach, provistos de un permiso para ir a Schwäbisch-Gmünd, se pusieron en camino hacia el oeste. En München-Pasing lograron abordar un tren nocturno que los dejó en Ulm, a las 5 de la mañana del día siguiente. Apenas se supo de su llegada, los grupos schoenstatianos le pidieron que les hablara. Doce horas después de su arribo a Ulm, dio una conferencia a las 5 de la tarde en el convento del Buen Pastor, donde había sido acogido amistosamente, ante una numerosa concurrencia que, a pesar de la alarma aérea y de las bombas que seguían cayendo, había acudido desde la ciudad y sus alrededores.

El P. José Kentenich en libertad, camino a Schoenstatt.

Pasó la noche del 16 de abril en el cercano Ehrenstein. El capellán Dresbach, en cambio, debió quedarse en el Buen Pastor y guardar cama debido a que sufrió una recaída de una enfermedad que contrajo en Dachau.

La situación bélica, entretanto, hacía aconsejable desistir del viaje invernal a Schwäbisch-Gmünd. Después de una visita al párroco Kulmus, sacerdote schoenstattiano, y a la casa de las Hermanas de María en Ennabeuren, el P. Kentenich decidió esperar allí el avance de los aliados. Permaneció dos días, hasta el 19 de abril, en Ehrenstein, solicitado una y otra vez por todos los que se enteraron de su presencia en ese lugar. El 19 en noche, llegó de nuevo a Ennabeuren, donde se alojó en una pequeña pieza junto a la sacristía de la iglesia.

El sábado 21 de abril, irrumpieron allí las tropas alemanas, en gran desorden, en dirección al Donautal y Ulm. Al día siguiente, después de la misa en la mañana temprano, durante la cual el P. Kentenich había predicado a la gente del pueblo sobre el texto bíblico que dice "¿Por qué teméis, hombres de poca fe?" (Mt, 8,36), los norteamericanos llegaron a las puertas del pueblo. Después de una breve balacera, ingresaron a él y siguieron más allá. El mismo día cayó Stuttgart; el 24 de abril, Ulm. Así fue como el P. Kentenich se halló detrás de las líneas aliadas. El Tercer Reich había terminado definitivamente para él.

Una semana después, Hitler se quitó la vida en Berlín, el 30 de abril, y, a la semana siguiente, se firmó en Reims la capitulación de Alemania.

4. Fin de Dachau

La liberación de sacerdotes prisioneros prosiguió hasta el 11 de abril. Todos los incluidos en la primera y segunda lista, en total 172, quedaron en libertad; entre ellos, junto con los liberados el último día, el P. Johannes Wimmer. Los nombres de la tercera y cuarta listas no se leyeron. ¿Quién podría decir por qué omitieron estas listas, dado el sistema de total arbitrariedad que reinaba en los campos de concentración del Tercer Reich? De nada sirvió enviar una comisión a hablar con el comandante Welter para pedirle que continuara la liberación.

La situación allí se tornó día a día más desoladora; la organización del campo se desintegró rápidamente: una vez más se hizo presente el hambre a causa de las dificultades para acceder al campo de concentración. También para los schoenstatianos cesó el envío de provisiones proveniente del sur de Alemania, que se había mantenido hasta abril. El tifus cundía sin ningún impedimento, y se propagó también por los barracones que hasta entonces habían estado libres de la epidemia, incluyendo el de los sacerdotes. Una de sus víctimas, Thomas Kalfas, un sacerdote polaco que había hecho su consagración a la Mater ter Admirabilis el 9 de abril, día de la festividad de la Anunciación a María en otros países, tuvo que arrastrarse hasta la enfermería. Continuamente llegaban nuevos transportes con seres en estado deplorable, procedentes de otras prisiones o de otros campos de concentración evacuados a causa del avance de las tropas aliadas.

La Gestapo y el SS buscaban vengarse, como lo comprueban los asesinatos del Almirante Canaris, del General Oster y del pastor Bonhoeffer, cometidos el 9 de abril en el campo de concentración de Flossenbürg, Operfalz; y diez días después, en Dachau, los del general francés Delestraint, de otros tres franceses y de once oficiales checos. [390]

El trabajo de los schoenstatianos en el campo de concentración prosiguió aun después de la liberación del P. Kentenich. En la tarde de ese día, un grupo de franceses se consagró a la Madre tres veces Admirable y su obra. Ya hemos mencionado la consagración del sacerdote polaco Thomas Kalfa, el 9 de abril. El grupo del P. Fischer logró reunirse todos los días, desde el 7 al 17 de abril. A pesar de las tensiones que provocaban las penurias y la agitación de esos días, se

---

390 Joseph Joos, *Leben auf Widerruf,* op. cit., p. 156; Johannes Neuhäusler, *Wie war das?,* op. cit., p. 33.

inició la preparación del mes de mayo para honrar especialmente a la Madre de Dios.[391]

Los sacerdotes polacos schoenstatianos de la diócesis de Kattowitz, formaron un grupo propio para asegurar la continuación del trabajo en común después del retorno a la patria. El 18 de abril, Vaclav Soukup pudo completar, gracias a su gran tenacidad, su traducción al checo del oficio de Schoenstatt.

Todas las mañanas, los prisioneros seguían asistiendo a sus comandos de trabajo; también el P. Fischer al suyo en el invernadero N° 3. El 24 de abril lo visitó repentinamente el P. Quirmbach, que venía de Freising, y le contó cómo habían transcurrido los primeros días de libertad del P. Kentenich.

El 26 de abril, durante la revista matinal, corrió la voz de que los comandos no saldrían a trabajar. A las 9:30 se dio la orden de que todo el campo de concentración estuviera listo para ponerse en marcha al mediodía. Los prisioneros debían dirigirse hacia el sur. El P. Fischer, aun cuando también tenía orden de marchar, obedeciendo a una corazonada volvió a hurtadillas al campo de concentración. Unos 8.000 prisioneros marcharon hasta la medianoche en dirección a los Alpes. Era un lúgubre desfile de personas mal vestidas, esmirriadas, vigiladas por gente del SS y perros bravos. Durante cinco días y cuatro noches debieron marchar por Munich, Starenberg, Wolfratshausen y Bad Tölz, hasta que, el 1° de mayo, los sobrevivientes fueron abandonados por sus guardias y quedaron en libertad.

La evacuación de los prisioneros restantes no pudo realizarse ni al día siguiente ni al subsiguiente. Finalmente, el 29 de abril, después de saberse que el SS debía abandonar el campo de concentración y dejar sólo un pequeño grupo con orden de capitular, los libertadores

---

391 En el hemisferio sur, el mes de María empieza en noviembre, pero en el hemisferio norte corresponde al mes de mayo. (N. del T.)

norteamericanos ingresaron a Dachau. Treinta y dos mil prisioneros los recibieron con inmenso júbilo. El grupo del P. Fischer había terminado recién su reunión y cantó, a petición de Vaclav Soucup, el himno Schoenstattiano Protéjanos, tu manto. El estribillo "los tuyos no se hundirán" se mezcló con el júbilo de los liberados.

5. Retorno

El deseo del P. Kentenich de llegar desde Ennabeuren a Schoenstatt, lo antes posible, no pudo cumplirse tan fácilmente. No cabía pensar en el ferrocarril mientras continuaran las operaciones militares, pero tampoco en los primeros días que siguieron al armisticio de Reims. También fracasó la posibilidad de llegar hasta Frankfurt en el auto de una empresa de transportes de un villorrio cercano. Finalmente, el P. Kentenich, después de largas semanas de espera, decidió emprender el viaje en un coche tirado por caballos.

El párroco Kulmus compró dos caballitos de las estepas que, en la guerra habían ido a parar desde Rusia a Suabia. El capellán Dresbach, que en los primeros días de mayo había vuelto a reunirse con el P. Kentenich, hizo con ellos unos viajes de prueba en un coche, también adquirido por iniciativa del párroco de Ennabeuren. Una de esas pruebas consistió en ir, el 17 de mayo, al pueblo de Westerheim, no muy lejano, cuyo párroco era también sacerdote schoenstattiano.

Ahora bien, sucedió que al caer la tarde, cuando iban a ponerse en marcha, un automóvil se detuvo delante de la casa parroquial; de él bajó una persona muy conocida de todos los que allí estaban: el P. Alex Menningen. Llevaba el brazalete de capellán militar y detrás de él iba su hermano Hermann, que hacía de chofer.

Ese mismo día, a las cinco de la mañana, habían partido desde Coblenza en ese automóvil, que pertenecía al hermano del P. Menningen. En Schoenstatt, se habían enterado de que el P. Kentenich había sido puesto en libertad antes de que todo el campo de concen-

El P. Kentenich viajando de regreso a Schoenstatt.

tración fuera liberado. Pero esto se supo después de los rumores iniciales, según los cuales Dachau había sido destruido por los SS, parte de los prisioneros conducidos a las cámaras de gas, otros fusilados o sacados de allí.

Los hermanos Menningen pasaron, contra todo lo que se podía esperar, a través de Bingen, Mainz y Oppenheim, a pesar de los puentes destruidos y las calles obstruidas. Por la tarde habían llegado a Stuttgart; ahí se enteraron de que el P. Kentenich tal vez ya no estaba en Ulm-Ehrenstein, sino, probablemente, en Ennabeuren.

Obedeciendo a un sentimiento inexplicable, no se dirigieron hacia ese lugar sino a Westerheim, justamente a donde el viaje de prueba con los caballitos de las estepas había conducido al P. Kentenich, al párroco Kulmus y al capellán Dresbach.

La primera pregunta que el P. Menningen escuchó de su maestro fue: "¿Cómo están las cosas en Schoenstatt?" Desde la visita de la Hermana Marianne a Dachau no había recibido más noticias.

El plan del P. Menningen, que el P. Kentenich aceptó, era que a la mañana siguiente los dos hermanos viajaran a Augsburg a recoger a otro sacerdote que había estado prisionero en Dachau, el párroco de Lonning en Maifeld. La primera meta de ese día, en el viaje de regreso a Schoenstatt, debía ser Stuttgart. Al día siguiente, vigilia de Pentecostés, querían hacer todo el tramo hasta Coblenza para que el P. Kentenich pudiera llegar a Schoenstatt el domingo de Pentecostés.

El viaje no fue rápido ni fácil, pero soportaron y superaron de buen humor los inconvenientes: dos desperfectos del automóvil durante el viaje; un desvío en el puente provisional sobre el Rhin, en Oppenheim, que un centinela norteamericano no les permitió utilizar; este desvío los llevó a Groß-Gerau y, después, hacia el norte hasta la desembocadura del Mein; el lento trasbordo del automóvil en una pequeña balsa, aparte de los repetidos controles de pases. Pero a las diez de la noche estaban en Coblenza.

Después de una visita a los ancianos padres del P. Fischer en Pfaffendorf, a quienes no les habían dicho nada acerca de la suerte corrida por su hijo, el P. Kentenich llegó a Schoenstatt a la mañana siguiente, el domingo de Pentecostés. En el Santuario de la Mater ter Admirabilis pudo celebrar misa inmediatamente después de su llegada.

Recibimiento del P. Kentenich al llegar a Schoenstatt.

Desde aquí, hacía casi tres años y ocho meses, en la mañana de 20 de septiembre de 1941, había partido a Coblenza, al cuartel de la Gestapo.

SÉPTIMA PARTE

MIRANDO
HACIA EL PASADO
Y HACIA EL FUTURO

I. Fidelidad a la Alianza de Amor

El día de su regreso, el domingo de Pentecostés de 1945, en la celebración con que lo recibieron en la gran sala de la Casa de Ejercicios, el P. Kentenich se refirió a la importancia que tenía para la historia de Schoenstatt este largo y difícil tiempo que recién terminaba.

Esto mismo haremos nosotros para terminar nuestra exposición. Con este objeto, nos ceñiremos a las síntesis e interpretaciones que el P. Kentenich ha hecho, en distintas ocasiones, de este período decisivo en la historia de Schoenstatt.

Mirando retrospectivamente hacia los años que van de 1933 hasta 1945, lo que el P. Kentenich destacó, en primer lugar, y quería que la Familia de Schoenstatt conservara en su memoria, fue la experiencia y confirmación de la fidelidad de quienes él llamaba *las personas sobrenaturales que intervienen en la Alianza:* el Dios trino y la Mater ter Admirablis.

En la plática antes mencionada del domingo de Pentecostés, caracterizó la época entre 1933 y 1945, ante todo, como un período de múltiple fidelidad: la fidelidad de los miembros de la Familia de Schoenstatt entre sí; la fidelidad de toda la Familia de Schoenstatt para con la Madre y Reina en el Santuario; pero, especialmente, la del Dios eterno y de la Virgen María para con la Obra que, en 1914, había comenzado desde Schoenstatt.

Cuando al día siguiente, lunes de Pentecostés, habló a las Hermanas de María sobre la fidelidad de la Familia de Schoenstatt a la Alianza, primero agradeció la fidelidad de las personas sobrenaturales, porque la fidelidad humana no puede atribuirse a las propias fuerzas: su fundamento y su fuente se encuentran en la fidelidad del Dios vivo y de la Virgen María. Por ese motivo, renovó la exhortación que ya había resonado con fuerza en el *El Espejo del Pastor: "Permite que todo, todo te lo agradezca de corazón..."*

Pero no sólo quería agradecer la fidelidad experimentada; también quería agradecer dos regalos de decisiva importancia: a) El claro conocimiento de la conducción divina que habían recibido. b) El fortalecimiento de la confianza en la conducción divina.

Había que repetir, ahora más que nunca, la afirmación que el P. Kentenich había expresado en 1914, en el Acta de Fundación, respecto del breve pero bendecido desarrollo de la Congregación Mariana de Schoenstatt: *"A quien conozca el pasado de nuestra Congregación, no le será difícil creer que Dios tiene dispuesto algo importante para ella".* Él preveía cuán profunda confianza en la fidelidad y conducción divinas iba a necesitar la Familia de Schoenstatt en el futuro.

Seis años después de ser liberado en Dachau, fue nuevamente separado de su Obra, pero esta vez no por un poder de este mundo, sino por la autoridad eclesiástica, que lo desterró a Estados Unidos y lo mantuvo en esa condición durante 14 años. El P. Wimmer, antiguo compañero de estudios y también de sufrimientos en Dachau, muy versado en el mundo de las cosas de Dios, le dijo poco después de su retorno del campo de concentración: "Ahora a usted le falta sólo una cosa: que después de los poderes de este mundo, también la Iglesia le imponga la cruz".

No fue sólo la experiencia de la fidelidad y de la conducción divinas vivida entre los años 1933 y 1945 lo que ayudó a la Familia de Schoenstatt, sino también el hecho de resistir, con obediencia y ánimo inquebrantable, la larga y dura prueba a que la sometió la Iglesia.

2. El 20 de enero y su proyección

Al dar una mirada retrospectiva a los años de su prisión en Coblenza y Dachau, el P. Kentenich los describió como *"el 20 de enero y su proyección"*. El día mismo y la decisión tomada entonces, junto con el Acta de Fundación del 18 octubre de 1914, son, en sus palabras, el *"eje de la historia de Schoenstatt"*. Así señaló la importancia que él asignaba a este tiempo. Y así lo expresaba en las cartas enviadas desde la prisión de Coblenza (1941-1942), con sus observaciones sobre la lucha por la libertad.

Durante toda su actividad como fundador, el P. Kentenich tuvo presente que el éxito y la eficacia de su Obra, el cabal cumplimiento de su misión, como era generalmente el caso de tales fundaciones en la Iglesia, dependían esencialmente de que él y los seguidores que Dios le había encomendado lograran presentar, durante el lapso de sus vidas, las ideas y la misión de Schoenstatt de la manera más pura y vigorosa posible, dando así un ejemplo válido para los tiempos venideros.

Si en alguna medida se ha logrado, se debe, ante todo, a que el propio P. Kentenich respondió a esta necesidad y dio ese ejemplo, especialmente por su decisión del 20 de enero de 1942, que significó la entrega sin reservas de sí mismo y de su Obra a la voluntad y la Providencia divinas. En el episodio y la actitud de ese día, que continuó inquebrantable durante los años de prisión en Dachau, la Familia de Schoenstatt tendrá ante sus ojos para siempre el ideal que Dios le tiene reservado.

Considerado desde el punto de vista pedagógico, ese ideal constituye una tarea fundamental para Schoenstatt. El fundador mostró con su vida, de una vez y para siempre, cómo se debe vivir el ideal del hombre nuevo en la nueva comunidad. Dentro de este contexto, cabe señalar brevemente un aspecto de la vida del P. Kentenich que se manifiesta con especial claridad en su cautiverio: su singular paralelismo con la vida del Señor, que ilumina cuán determinante fue en su vida la ley fundamental de la participación en la vida de Jesús.

Hasta que fue encarcelado, el 20 de octubre de 1941, la vida del P. Kentenich, tal como sucedió en la vida pública del Señor, estuvo plena de una actividad sin descanso orientada a fundar y dar a conocer su misión. Pero con su prisión, también a semejanza de la vida del Señor, comenzó una época de sufrimiento que llegó hasta el ofrecimiento total de sí mismo. Sin embargo, a diferencia de Cristo, esta entrega no culminó con la muerte.

El propio P. Kentenich percibió este paralelismo y lo aceptó expresamente. Uno de los testimonios más claros de ello está en su primera carta desde Dachau, el 22 de marzo de 1942, en la cual hace suyas las palabras del Señor sobre el grano de trigo (Jn 12, 24): "El grano de trigo debe ser enterrado en la tierra y morir; entonces produce mucho fruto. Así pienso yo ahora".

Este paralelismo con la vida de Cristo cumple una exigencia que se hace a todo fundador, como lo fue el P. Kentenich, y constituye un rasgo esencial de la misión personal a ellos encomendada: reproducir en sí mismos, tanto como sea posible, la vida del Señor y, de esa manera, presentar en forma nueva, viva y eficaz, su imagen ante los ojos de sus seguidores; pero no sólo a ellos, también más allá, a la Iglesia y a los hombres de su tiempo. El propósito de sus vidas es dar testimonio de Dios Padre y ser una señal hacia él, hacia su realidad, poder, sabiduría y amor de Padre.

3. La Obra de Schoenstatt sale airosa de la prueba

Junto al fundador, también la Obra creada por él pudo resistir una prueba tan importante. El P. Kentenich destacó esta realidad con especial insistencia, justamente después de su regreso, en las pláticas que dio en los días de Pentecostés de 1945: después de alabar al contrayente sobrenatural de la Alianza, señaló la fidelidad de la Familia de Schoenstatt, tanto a la Madre de Dios como entre sus miembros. Esto no significa que no conociera sus debilidades; estaba demasiado bien informado sobre la vida de la Familia como para no ser consciente de sus errores y fracasos.

La fidelidad entre el fundador y la Obra se había probado de diversas maneras. Una muestra exterior de ello fueron los numerosos envíos de ayuda despachados a Dachau, tanto por sus miembros en forma individual como por las comunidades de la Obra, sobre todo después de noviembre de 1942, cuando fue autorizado el despacho de paquetes por correo. Otra muestra puede verse en los valerosos viajes de las Hermanas de María a Dachau y sus cuatro entrevistas con el P. Fischer en las plantaciones, así como también en los viajes no menos riesgosos que algunos miembros de la Familia de Schoenstatt hicieron desde Suabia durante los últimos meses de la guerra.

Pesa mucho más todavía el hecho de que la Familia siguió a su fundador en su actitud de entrega total a los planes y a la conducción de la divina Providencia. Es verdad que en este punto hubo dificultades, pero no hay que admirarse si se tiene presente cuáles eran las metas del Poder en Blanco y de la Inscriptio. Después de que solamente las Hermanas de María hicieran la Inscriptio, el 18 de octubre de 1941, durante el tiempo de la prisión del P. Kentenich siguieron su ejemplo otras agrupaciones, hasta que, a comienzos de 1944, el esfuerzo por llegar a la Inscriptio alcanzó a todos los grupos dirigentes de la Obra.

Con cuánta fuerza había irrumpido la corriente de fidelidad entre los seguidores del P. Kentenich, se hace patente en aquellos miembros de la Familia de Schoenstatt que, conducidos por la gracia, ofrecieron conscientemente sus vidas por Schoenstatt. Como por ejemplo, el P. Eise y el P. Reinisch; Heinz Schäfer († 16 de julio, 1941); Julius Steinkaul († 3 de agosto, 1943); el P. Fritz Josef Hildebrand (†28 de octubre, 1944); Lotte Holubars (9 de noviembre, 1944); María Laufenberg (†7 de marzo, 1944).

El carácter original de la organización de Schoenstatt también pasó la prueba. En efecto, varios factores dieron resultado y ofrecieron una sólida base para el futuro:

1) Schoenstatt no fue concebido como un monolito centralizado y unitario.
2) Todo lo concerniente a la organización se reduce a un mínimo necesario, capaz de adaptarse a las estructuras naturales, especialmente a la familia.
3) La vida de las comunidades schoenstatianas se desarrollará principalmente en pequeños grupos y células.
4) La importancia que se da al cultivo del espíritu de magnanimidad; a la educación y a la educación a la libertad y la independencia; a la religiosidad personal; a la configuración y conducción de la vida a la luz de la fe en la divina Providencia; a la fe en cuanto decisión y vínculo; a poner de relieve la misión individual en la Iglesia y en el mundo.

Todo esto se llevó a cabo a través de los años, a pesar de las resistencias, de las críticas y de las interpretaciones equívocas.

4. Aprestos para iniciar una nueva marcha

Todo lo que está vivo se desarrolla según la ley de la concentración y de la propagación. A tiempos de crecimiento exterior sigue siempre, y tiene que seguir, un tiempo de introspección, de volverse sobre sí mismo, de profundización, de renovar lo viejo y acumular

P. Heinz Dresbach, P. Alex Menningen (al centro) junto al P. José Kentenich, conmemoran en Dachau, el 16 de julio de 1967, el Jubileo de los 25 años de la creación de los Hermanos de María y la Rama de Familias.

nuevas fuerzas. Esta interioridad posibilita una nueva etapa de propagación y un nuevo crecimiento, en toda su amplitud, hacia el exterior.

En los primeros años de la historia de la Familia de Schoenstatt que hemos descrito, se acentuó, especialmente en el "Año Popular Mariano de 1934", el crecimiento hacia afuera. Pero después, la concentración en lo propio indicó el camino. Esto no significa que, en algún momento, se haya detenido el crecimiento hacia fuera; al contrario, justamente las difíciles circunstancias hicieron que muchas vocaciones hallaran el camino hacia Schoenstatt. Pero lo que caracterizó el desarrollo de la Familia de Schoenstatt durante el Tercer Reich fue el crecimiento hacia adentro: un mayor conocimiento de sí misma que enriqueció su vida.

Se profundizó el conocimiento del Acta de Fundación del 18 de octubre de 1914. En ella la Familia de Schoenstatt reconoció cada vez más una iniciativa divina con un propósito universal. Se profundizó el conocimiento de la relación entre el fundador y la fundación. Hasta entonces, el P. Kentenich había casi desaparecido detrás de su Obra, tanto para la Familia como para el público en general. Desde entonces, se puso de manifiesto hasta qué punto Dios lo había escogido como un instrumento fiel y carismático. Finalmente, se profundizó el conocimiento de la imagen del hombre nuevo en la nueva comunidad, justamente porque, como ya hemos dicho, el P. Kentenich lo encarnó a través de su vida.

De modo similar, la vida de la Familia schoenstatiana creció hacia adentro. Las etapas de este crecimiento se denominan Poder en Blanco, Inscriptio y Acto de José Engling. Este crecimiento interior se expresa en la plática del P. Kentenich del 8 de diciembre de 1944, con su noción del cuádruple universalismo: el universalismo en altura y en profundidad, el crecimiento hacia la entrega total al Dios trino; y el universalismo a lo ancho y a lo largo, es decir, el del crecimiento hacia todo el mundo y hacia los tiempos futuros.

Por medio de este crecimiento interno, la Familia schoenstattiana se preparó y capacitó para acercarse más al cumplimiento de la misión que Dios le tenía reservada para el siguiente período de su historia.

El instrumento preferido para esta irrupción en Alemania y Europa, y más allá, fue, a través de seis años de acción apostólica incansable y hasta su destierro en 1951, el P. José Kentenich.

Conmemoración del Jubileo de los 25 años de la creación de los Hermanos de María y la Rama de Familias. Dachau, el 16 de julio de 1967.

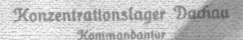

Konzentrationslager Dachau
Kommandantur   Am

Entlassungsschein.

Der Schutzhaftgefangene   Josef Kentenich, kath.Geistlicher,

geb. 16. 11. 18..   in   Gümbach,

war bis zum heutigen Tage im Konzentrationslager Dachau verwahrt.

Laut Verfügung des RSHA, Berlin   vom 2..5.45 - IV A 4 a

wurde die Schutzhaft aufgehoben. Er wurde angewiesen, sich sofort bei der Ortspolizei seines Wohnortes zu melden

Lagerkommandant

SS-Obersturmbannführer

Índice general